LOUISA HEATON

Lady et pompière

Traduction française de
ÉVELINE CHARLÈS

BLANCHE

HARLEQUIN

Collection : Blanche

Titre original :
A DATE WITH HER BEST FRIEND

HARPERCOLLINS FRANCE
83-85, boulevard Vincent-Auriol, 75646 PARIS CEDEX 13
Service Lectrices — Tél. : 01 45 82 47 47 - www.harlequin.fr
ISBN 978-2-2804-8422-0 — ISSN 0223-5056

Composé et édité par HarperCollins France.
Imprimé en mars 2023 par CPI Black Print (Barcelone)
en utilisant 100% d'électricité renouvelable.
Dépôt légal : avril 2023.

Pour limiter l'empreinte environnementale de ses livres, HarperCollins France s'engage à n'utiliser que
du papier fabriqué à partir de bois provenant de forêts gérées durablement et de manière responsable.

Lady et pompière

*

Le play-boy du Mercy General

*

Le meilleur des remèdes

1.

Cara Maddox s'entraînait dans la salle de sport de la caserne, quand la sonnerie de son téléphone retentit. Elle reconnut aussitôt la mélodie qu'elle avait attribuée à son père. L'espace d'un instant, elle envisagea d'ignorer l'appel, mais le devoir familial l'emporta et elle posa ses haltères en soupirant.

Après s'être essuyé le visage avec une serviette, elle accepta l'appel vidéo.

— Salut, papa.

Son père lui sourit.

— Bonjour, ma chérie, comment vas-tu ?

Il était assis dans un fauteuil en cuir confortable et Cara devina qu'il se trouvait dans la bibliothèque du manoir Higham, la demeure où elle avait passé son enfance. Derrière lui, des étagères remplies de livres grimpaient jusqu'au plafond.

Son père fronça les sourcils.

— Tu sembles épuisée. Est-ce que tu prends bien soin de toi ?

— J'étais en pleine séance d'entraînement, papa.

— Bien sûr. Dans ce genre de métier, il faut rester en forme.

— Exact.

Cara se crispa légèrement, sur la défensive. Son père n'avait jamais apprécié qu'elle devienne pompière. S'il lui demandait une fois de plus de changer de métier, elle raccrocherait.

Mieux valait en venir au fait

— Qu'est-ce que je peux faire pour toi ? demanda-t-elle.

— Je me demandais si tu viendrais à la maison, à la fin du mois, pour la réception de ta mère. On ne t'a pas vue depuis longtemps.

À cet instant, Michael, le majordome de son père lui apporta un plateau sur lequel il avait disposé une tasse de café et des petits gâteaux.

— Tu me vois, maintenant.

— Tu sais parfaitement que ce n'est pas la même chose, Cara. Ta mère souhaite ta présence le jour de son anniversaire.

— Maman est morte depuis des années, papa. Elle ne saura pas si je suis là ou non.

— Mais ta famille, si, ainsi que tous nos amis et les domestiques. Qu'est-ce qu'ils vont penser ?

— Peu importe, ce qu'ils penseront. Ce sont tes amis et associés, pas les miens.

— C'est son anniversaire ! répéta son père comme si cela expliquait tout.

Comme si cela devait suffire pour que sa fille fasse tout ce qu'il voulait. Cara savait que c'était surtout l'occasion pour son père de la caser avec le fils d'un de ses amis. Il y aurait un discours, il ferait allusion à son épouse défunte, ensuite il s'agirait surtout d'échanger des cartes et des contacts en fumant des cigares et en buvant du cognac. Pendant ce temps-là, Cara devrait faire la conversation avec un Tarquin ou un Théodore… des gens qu'elle ne connaissait pas et qui manifestaient leur surprise en apprenant son métier.

Une fille de comte était censée se consacrer à des œuvres de charité, déjeuner avec des ladies et parler avec elles de sacs ou de vernis à ongles.

Après tout, elle était Lady Cara Maddox.

Mais tout cela ne l'intéressait pas. Elle se moquait bien des titres de noblesse et des jeunes femmes de son milieu. Elle ne fréquentait quasiment que des hommes et son meilleur ami en était un. Le doux, charmant et canon Tom ! Il était ambulancier, père d'un adorable petit garçon du nom de Gage et… veuf ! Victoria, son épouse défunte, était grande, élancée et ravissante. Exactement le genre de fille que son père aurait voulu avoir, et le genre de femme que Cara ne serait jamais, c'est pourquoi ce cher Tom était hors de sa portée.

Cara avait toujours préféré la compagnie des garçons, c'était ce qui arrivait lorsqu'on grandissait avec trois grands frères. Vous assistiez aux matchs de rugby et de polo, vous riiez, vous plaisantiez avec eux, vous faisiez connaissance avec les copains de vos frères. Et si l'un d'entre eux invitait une fille à la maison, vous ne saviez pas que lui dire.

— Je suis au courant, tu n'as pas à me le rappeler, dit-elle à son père.

En réalité, cette réception d'anniversaire avait lieu le jour où sa mère était morte. Pendant des semaines, Serena Maddox était restée alitée, tentant vainement de combattre son cancer du sein, qui avait métastasé dans les poumons, le foie et les os.

Les derniers jours, Cara n'avait pas quitté son chevet. Elle lui avait tenu la main jusqu'à ce que sa respiration devienne de plus en plus pénible et qu'elle exhale enfin son dernier souffle.

Ce jour était gravé dans sa mémoire, empreint de souffrance et de culpabilité parce qu'elle n'avait jamais été la fille dont Serena avait rêvé.

— Viens, Cara, insista son père. Tes frères seront présents. Clark prend l'avion à New York la semaine prochaine et Cameron arrivera quelques jours plus tard.

— Et Curtis ?

— Il est à Milan, mais il a promis d'être là pour la réception.

Cara savait que son père aurait souhaité que ses fils vivent auprès de lui, au lieu d'être éparpillés dans le monde.

Clark dirigeait un cabinet d'avocats prestigieux, spécialisé dans le droit des familles. Cameron vivait en Afrique du Sud et gérait une entreprise de bateaux de croisière. Quant à Curtis, il était le PD-G des hôtels Maddox, dont le siège se trouvait à Londres. Actuellement, il s'occupait de la construction d'un nouvel établissement à Milan.

Ses frères s'étonnaient peut-être de son choix professionnel, bien qu'ils n'aient jamais formulé aucune critique à ce sujet.

Mais Cara voulait être pompière depuis son enfance. Depuis qu'un incendie s'était déclaré dans les cuisines du manoir. Toute la famille et le personnel avaient été évacués. En proie à la panique, ils avaient regardé les pompiers se ruer au milieu des flammes. Ils étaient arrivés avec leurs camions, ils avaient déchargé leurs équipements, déroulé leurs tuyaux. Bientôt le feu qui léchait les fenêtres du rez-de-chaussée s'était mué en fumée grise tourbillonnant vers le ciel.

En les regardant, Cara avait éprouvé une sorte d'excitation nerveuse et elle avait eu le sentiment de renaître. À six ans, elle avait fait part à ses parents de sa décision. Bien sûr, ils avaient éclaté de rire, ce qui avait empli Cara de confusion.

Pourquoi était-ce si drôle ?

Pourquoi répétaient-ils tous qu'elle changerait d'avis en grandissant ?

Par bonheur, la sirène de la caserne retentit.

— Je dois y aller, papa.

— Mais tu ne m'as pas donné ta réponse !

— Désolée. On en parle plus tard.

De toute façon, qu'y avait-il de plus important que de sauver des gens qui avaient besoin d'aide ? Ceux qui étaient piégés dans leur voiture après un accident, ceux qui regardaient leur commerce et souvent leur gagne-pain s'envoler en fumée.

La Garde verte sauvait souvent la maison, l'entreprise ou la voiture d'une personne, mais avant tout elle s'efforçait de préserver des vies, et cette sirène signifiait que quelqu'un avait besoin de son aide.

Et Cara avait voué sa vie à cette mission.

Tom Roker venait de terminer son sandwich quand l'appel lui parvint depuis le contrôle, à propos d'un incendie qui s'était déclaré dans Wandsworth.

— Bien reçu, Contrôle. J'y suis dans trois minutes.

— Parfait. Attention à vous.

Tom démarra rapidement au volant de son véhicule d'intervention d'urgence. Par bonheur, la circulation était fluide, et la plupart des conducteurs se rangeaient sur le côté pour le laisser passer. En revanche, de nombreuses voitures s'étaient garées sur les lieux du sinistre. Il y avait aussi beaucoup de passants qui contemplaient le spectacle. Deux camions de pompiers bloquaient la rue et il les voyait déjà faire tout leur possible pour éteindre les flammes.

Cara était-elle de service, aujourd'hui ?

Bizarrement, il espérait toujours la voir tout en craignant qu'elle ne soit en danger. À l'idée qu'elle se précipite dans un immeuble en feu… Peut-être trouverait-elle la situation excitante, mais pas lui.

Tom actionna son klaxon pour qu'on le laisse approcher davantage. Finalement, il parvint à se garer derrière l'un des camions. Une ambulance arriva à sa suite et au bruit des sirènes, il devina que les secours d'urgence étaient en route.

L'incendie s'était déclaré dans une maison mitoyenne disposant d'un petit jardin. Les deux étages supérieurs étaient en proie aux flammes qui léchaient le mur de briques et s'échappaient par un trou du toit. Le rez-de-chaussée était plongé dans l'obscurité, mais de la fumée en sortait. Les pompiers entraient et sortaient, vraisemblablement en quête d'habitants.

Les badauds se pressaient autour du périmètre de sécurité établi par la police. Ils filmaient la scène, les traits crispés par la peur.

Un pompier coiffé d'un casque blanc se dirigea vers Tom. En allant à sa rencontre, il réalisa qu'il s'agissait de Hodge, le capitaine de la Garde verte. Cara était donc sans doute sur les lieux.

— J'ai sorti le père, la mère et deux des enfants, déclara-t-il, mais nous cherchons toujours le troisième. Ils présentent tous des troubles respiratoires dus à la fumée. Le père est aussi brûlé au niveau du bras et de la main gauche. En outre, il souffre de broncho-pneumopathie chronique. On est en train de leur administrer de l'oxygène.

Tom hocha la tête. Les inhalations de fumée pouvaient causer toutes sortes de problèmes, du plus simple au plus grave, surtout si la victime souffrait déjà d'asthme ou de broncho-pneumopathie.

— Je vais voir ce que je peux faire.

Tom se dirigea vers le camion. Liam Penny, l'un des collègues de Cara, se trouvait à l'intérieur et monitorait les patients.

— Salut, Liam. Qu'est-ce qu'on a ?

— Voici Daniel Webster et son épouse Maria. Sur les

genoux de sa maman, c'est le petit Eddy, et cette fille courageuse s'appelle Amy.

La mère retira son masque.

— Est-ce qu'on a retrouvé Joey ?

— On le cherche encore, répondit Tom.

— Il faut que j'y aille, dit la maman.

Elle tenta de se lever et de le repousser, mais il parvint à l'arrêter.

— Ils viendront vous prévenir s'il y a la moindre nouvelle. Pour l'instant, j'ai besoin que vous restiez ici, dit-il en remettant en place le masque à oxygène. Vous êtes en sécurité et les pompiers font tout leur possible pour trouver votre fils. Pendant ce temps, restez calme et respirez de l'oxygène. Faites cela pour moi. De mon côté, je vais vérifier votre saturation avec cet oxymètre.

Le niveau normal d'oxygène, en dehors d'une bronchopneumopathie, se situait entre quatre-vingt-quatorze et quatre-vingt-dix-huit pour cent. Tout en attendant le résultat, Tom utilisa un abaisse-langue et un crayon lumineux pour examiner la gorge du père. L'inhalation de fumée, ajoutée à sa pathologie, l'inquiétait plus que ses brûlures. Après avoir remarqué des dépôts de suie, il jugea que cet homme devrait être gardé en observation à l'hôpital pendant quelque temps.

Dans ce genre de situation, les décès étaient le plus souvent causés par la fumée. Elle pouvait engendrer une inflammation des voies respiratoires et des poumons, qui gonflaient et bloquaient la respiration. En outre, en fonction du type de gaz, certaines inhalations se révélaient toxiques. Ce père avait eu de la chance de pouvoir sortir de la maison en feu.

Il se mit à tousser, les larmes montèrent à ses yeux rougis tandis qu'il faisait un effort pour respirer. Tom lui prodigua davantage d'oxygène et tenta de l'aider à maîtriser sa respiration. Les deux enfants semblaient indemnes, plus choqués qu'autre chose.

— On sait comment le feu s'est déclaré ? demanda Tom à Liam.

— Nous savons qu'il a commencé à l'étage, mais pas grand-chose de plus.

— J'avais allumé des bougies, dit la mère en pleurant, et… je ne suis pas certaine d'avoir débranché mon fer à friser. Vous croyez que c'est ma faute ?

Mais personne n'était pour l'instant en mesure de lui répondre. La saturation de la femme n'était pas trop mauvaise, entre quatre-vingt-treize et quatre-vingt-quatorze.

— Il y a tout le temps des accidents, lui dit-il. Il faudra attendre les résultats de l'enquête.

Il enleva l'oxymètre du doigt du père, qui avait toujours autant de mal à respirer. Le teint de ce patient ne lui disait rien de bon.

À cet instant, un couple d'ambulanciers, vêtus de vestes jaunes, se présenta.

— Salut, Tom. Qu'est-ce qu'on a ?

Soulagé qu'ils prennent le relais, Tom fit son rapport, s'attardant sur le passé médical du père et la suie qu'il avait dans la bouche. Les ambulanciers prirent en charge la petite famille et l'escortèrent jusqu'à l'ambulance, malgré les protestations de la mère qui ne voulait pas partir tant qu'elle ne savait pas où se trouvait Joey.

Tom avait de la peine pour elle. Soudain, un pompier émergea du bâtiment, portant un chien.

— Bella ! Oh ! mon Dieu, Bella ! Comment ai-je pu t'oublier ?

Échappant aux ambulanciers, la mère se précipita vers le boxer, dont le corps tout flasque reposait entre les bras du pompier.

À sa démarche, Tom avait reconnu Cara. Comme toujours, il éprouva un soulagement intense à l'idée qu'elle était saine et sauve. Il savait bien qu'elle ne faisait que son métier, mais il ne pouvait s'empêcher de s'inquiéter. Elle était petite, mais robuste et solide, et elle pouvait très bien se débrouiller seule. Pourtant, Tom éprouvait le besoin de la protéger.

Cara déposa le chien près du camion, puis elle retira son casque avant de sortir d'un sac un masque adapté au museau d'un chat ou d'un chien. Tom ne comprit qu'il avait retenu son souffle que lorsque l'animal tenta de s'en débarrasser et agita la queue à la vue de sa maîtresse.

— Il faudra que votre vétérinaire l'examine, dit Cara en oxygénant le chien.

Par endroits, ses cheveux étaient plaqués contre son crâne par la transpiration. Certaines mèches, restées sèches et vaporeuses, étaient d'un roux doré. Tom avait souvent comparé cette masse à des flammes ou à un bouquet de couleurs automnales.

La première fois qu'il avait vu la longue chevelure de Cara lâchée sur ses épaules, il avait été fasciné par sa beauté. Mais c'était il y avait longtemps, à une autre époque. Avant qu'il la connaisse mieux et qu'ils deviennent amis, il avait été attiré par elle. Et comment l'éviter ? Cara Maddox était une jeune femme ravissante, dont la vue lui coupait toujours le souffle. Mais il n'était pas question de se laisser aller à cette attirance alors qu'il était marié.

Si bien qu'ils s'étaient rencontrés dans des situations d'urgence jusqu'à ce que, peu à peu, une grande amitié naisse entre eux.

À cet instant, leurs regards se croisèrent. Cara lui adressa un sourire timide.

— Salut, Tom.

Elle toucha ses cheveux, comme si elle avait honte de son apparence. Comme si elle prenait conscience qu'ils étaient mouillés, et que son visage était maculé de suie.

Mais aux yeux de Tom, elle était belle…

— Salut, dit-il. Comment était-ce, là-dedans ?

— Chaud, comme d'habitude, répliqua-t-elle en riant.

— Tu sais comment ça a commencé ?

— Je n'en suis pas certaine, mais c'était au premier étage, dans l'une des chambres.

Une voisine avait proposé de s'occuper de Bella pendant que la famille Webster se rendrait à l'hôpital.

— Comment vont les patients ? demanda Cara.

— Pas trop mal. Inhalation de fumée, brûlures mineures. Le père aura besoin de rester en observation à cause de sa broncho-pneumopathie. Sa saturation était basse et il a de la suie dans la gorge. Tu n'as pas vu le garçon manquant ?

— En dehors du chien, la maison était vide. La pauvre bête gémissait, cachée sous un lit.

— Où est-il, en ce cas ? demanda Tom en fronçant les sourcils.

— Il se peut qu'il soit sorti sans prévenir ses parents, si bien qu'ils ont cru qu'il était encore à l'intérieur.

Un brouhaha issu de la foule rassemblée attira leur attention. Ils se tournèrent tous les deux et virent un jeune garçon se frayant un chemin jusqu'à la police.

— Maman ! Maman !

— Joey !

— Maman !

La mère et le fils se précipitèrent dans les bras l'un de l'autre en pleurant de soulagement.

Cara tourna vers Tom un visage radieux.

— Tout est bien qui finit bien.

Baissant les yeux comme si elle ne savait qu'ajouter, elle demanda :

— Tu vas bien ?

Tom haussa les épaules, sachant que tout le monde s'attendait à ce qu'il soit accablé par le chagrin.

— Oh ! on fait ce qu'on peut pour avancer.

— Je m'en doute. Comment va Gage ?

— Ces temps-ci, il a posé beaucoup de questions sur sa maman.

— Qu'est-ce que tu lui as dit ?

Tom regarda ce qui restait de la maison brûlée, les briques noircies, le toit dévasté et les fenêtres explosées. Il n'y avait plus de flammes, seulement une fumée grise qui s'élevait en tournoyant dans le ciel. Personne n'était mort aujourd'hui, ce dont il se réjouissait.

— Je lui ai dit qu'elle l'aimait beaucoup. Avant la mort de Victoria, j'ai parlé à notre fils de sa maladie, mais il ne s'en souvient pas. C'est arrivé si vite que parfois même moi, j'ai du mal à réaliser.

— Au début de la pandémie de Covid, nous avons tous eu le même problème. Ne sois pas trop dur envers toi-même.

Cara posa la main sur le bras de Tom avant de se tourner vers son équipe. Elle ignorait visiblement l'effet que ce contact avait sur lui.

— Je ferais mieux d'y aller, dit-elle. Tu vas à La Croisade, ce soir ?

La Croisade était le pub préféré des pompiers, situé à cinq cents mètres de la caserne.

— Bien sûr. Gage dort chez mes parents, ce soir, alors je suis libre.

Cara remit son casque, puis elle lui adressa un sourire chaleureux avant de rejoindre son équipe au petit trot. Tom la suivit du regard, se maudissant de ne lui avoir rien dit.

Une fois de plus.

L'ambulance s'éloignait avec la famille Webster à son bord. Tom n'avait plus qu'à regagner son propre véhicule et à rédiger son rapport. Par bonheur, les Webster avaient survécu. On pouvait toujours reconstruire une maison, remplacer des biens, mais pas les gens.

Il pensa à son fils. Comment expliquer le Covid à un petit garçon de près de quatre ans ? Pour l'instant, il savait seulement qu'il était le seul enfant qui n'avait pas de maman, dans son école. Il y en avait qui n'avaient pas de papa, mais des mamans…

Est-ce que je suffis à mon fils ?

Pourrait-il câliner Gage comme sa mère l'aurait fait ? Il espérait que oui. Victoria avait toujours manifesté à Gage beaucoup d'affection. Elle lui manquait, à lui aussi. Sa voix et sa présence lui manquaient, ce qui était étrange vu l'état de leurs relations à la fin.

Ils n'auraient jamais dû se marier. En raison de leur jeunesse, ils s'étaient laissé griser par le romantisme de la situation. Pourtant, les signes étaient là, mais ils les avaient ignorés. Victoria était enceinte et Tom avait souhaité bien se conduire vis-à-vis de la mère de son enfant.

Et maintenant, Gage était sa priorité.

Il devait laisser de côté ses sentiments pour Cara. Son fils ne le supporterait pas et Cara aurait une très mauvaise opinion de lui, s'il lui déclarait sa flamme si peu de temps après le décès de son épouse.

Quand le camion atteignit la caserne, l'équipe quitta le véhicule. Il fallait nettoyer le matériel et le maintenir en bon état. Après chaque intervention, les pompiers s'assuraient qu'ils seraient prêts au cas où un nouvel incendie se déclarerait.

Cara se chargea des appareils respiratoires. Elle était contente de cette pause. Comme chaque fois, cette rencontre avec Tom l'avait déstabilisée. Elle éprouvait pour lui des sentiments contradictoires. Il était son meilleur ami, sans aucun doute. Elle aurait donné sa vie pour lui, mais si elle était honnête, elle devait admettre que des sentiments bien plus profonds couraient sous la surface. Comme un raz-de-marée qu'elle devait combattre dès qu'ils étaient ensemble. Mais elle devait respecter l'épouse défunte de Tom, sachant qu'il avait épousé son amour d'enfance et n'avait jamais convoité une autre femme qu'elle.

Et puis, même si c'était difficile à accepter, Cara savait qu'elle n'arriverait jamais à la cheville de Victoria. Lorsqu'elle avait fait sa connaissance, Tom était marié et elle s'était liée au couple. Elle appréciait Victoria et comprenait que Tom soit tombé amoureux d'elle, tant cette jeune femme était drôle, chaleureuse et amicale.

Cara avait fait la connaissance de Tom un an avant la mort de Victoria. Leurs regards s'étaient croisés au-dessus des carcasses fripées de deux voitures impliquées dans un accident. Au début, elle avait été étonnée par sa réaction, alors qu'elle ne le connaissait que depuis quelques secondes et qu'elle n'avait même pas entendu le son de sa voix.

Elle l'avait regardé grimper à l'arrière d'une ambulance pour accompagner sa patiente dont la tête était immobilisée grâce un collier cervical. Pendant un bref moment, elle l'avait fixé, comme fascinée.

Est-ce que c'est ce qu'on appelle un coup de foudre ?

Elle s'était posé cette question juste avant de reprendre conscience du reste du monde. Hodge, son capitaine, distribuait ses instructions. Elle avait enveloppé le conducteur d'une couverture pour le protéger des éclats de verre qui allaient jaillir du pare-brise quand les mâchoires de désincarcération entreraient en action. Mais elle n'avait pas pu s'empêcher de jeter un dernier regard à cet ambulancier qui l'intriguait tant.

Des cheveux sombres, des cils foncés bordant des yeux d'un bleu cristallin, des pommettes hautes, des mâchoires énergiques et une bouche qui semblait faite pour le péché.

Rougissante, le cœur battant, Cara avait dû se concentrer pour accomplir sa tâche. Une fois que le toit de la voiture avait été soulevé, elle avait travaillé avec Tom, qui était revenu pour coordonner l'extraction du chauffeur, après que sa patiente avait été emmenée à l'hôpital. Il leur avait dit à quel moment introduire la planche dorsale à l'intérieur de la cabine. Cara l'avait aidé à installer le patient dessus, puis à soulever la planche et à la porter jusqu'à un brancard.

Ensuite, elle s'était occupée de l'extraction de l'autre conductrice et de son passager, qui était conscient et présentait des blessures moins graves. Sans nul doute, il souffrait d'une luxation de la clavicule et les semaines suivantes seraient pénibles. Le capot de la voiture était enfoncé et les jambes de la conductrice coincées, mais par bonheur elle n'avait aucune fracture.

Après que les patients avaient été emportés à l'hôpital en ambulance, l'équipe avait entrepris de récupérer le matériel.

Cara avait entendu une voix, dans son dos :

— Merci.

Elle s'était retournée. C'était lui. Elle avait fait de son mieux pour respirer normalement, mais cela n'avait pas été facile lorsqu'il avait planté son regard bleu dans le sien. Des sensations étranges s'étaient succédé en elle. Son rythme cardiaque avait accéléré, sa tension était montée et sa bouche s'était asséchée.

— Merci à vous aussi, avait-elle répondu avec un sourire. Beau travail.

À son grand étonnement, sa langue fonctionnait encore et elle n'avait pas trébuché sur les mots. Jamais elle n'avait ressenti rien de tel, même pas avec Léo.

— Absolument, avait-il dit. Je m'appelle Tom et je suis nouveau.

Il lui avait tendu la main et elle l'avait prise dans la sienne, se réjouissant qu'il soit incapable de lire en elle.

— Ravie de vous rencontrer. Je m'appelle Cara. Vous venez de vous installer dans le coin ?

— Nous nous sommes rapprochés de la famille de ma femme.

Ma femme. Ah. Bien sûr. Un homme comme lui ne pouvait pas être célibataire.

La déception avait accablé Cara.

— Super ! Bienvenue parmi nous.

Il l'avait encore remerciée avant de gagner sa voiture et elle l'avait suivi des yeux comme un chiot malade d'amour. À cet instant, Reed Gower, l'un de ses collègues, avait surgi auprès d'elle et avait passé un bras autour de ses épaules.

— Tu sais, si on était dans un dessin animé, tes yeux sortiraient de leurs orbites et on apercevrait des petits cœurs à leur extrémité.

Elle avait haussé les épaules, contrariée qu'il ait remarqué son trouble.

— Ne sois pas ridicule. Il vient d'emménager et je me présentais, c'est tout.

Tandis qu'elle s'éloignait, le rire éclatant de Reed l'avait poursuivie.

— C'est ça ! Continue de le croire.

Après cela, Cara s'était efforcée de garder ses distances avec Tom, mais elle le retrouvait sur la plupart des lieux d'intervention. Finalement, un membre de l'équipe de pompiers l'avait invité à se joindre à eux à La Croisade.

Et Tom était venu… avec son épouse, Victoria.

Au fond d'elle-même, Cara aurait voulu qu'elle soit hideuse, mais bien sûr ce n'était pas le cas. Victoria était grande, elle avait de longues jambes de gazelle et des cheveux couleur miel. Sans compter qu'elle exerçait un métier magnifique, puisqu'elle était infirmière pédiatrique.

Sa silhouette parfaite et ses dents d'un blanc éclatant avaient ébloui les garçons. Très vite, Tom et sa femme avaient été intégrés dans leur groupe.

Jusqu'à ce que le Covid frappe.

Les services d'urgence avaient continué de fonctionner malgré la pandémie et Victoria avait attrapé le Covid. La magnifique amazone que Cara voyait en elle avait été terrassée, son combat contre la maladie étant compliqué par l'asthme. Victoria avait été hospitalisée et placée sous respirateur.

Ensuite, Cara n'avait pas beaucoup vu Tom sur les lieux d'intervention, ce qui était compréhensible. Elle espérait qu'il était chez lui et veillait sur son fils, mais qu'il n'était pas malade lui-même. On parlait d'un vaccin, mais le gouvernement avait prévenu qu'il n'y aurait pas de vaccination avant au moins un an.

Enfin, un membre de l'équipe avait été averti par un ambulancier que Victoria était décédée.

Le choc avait frappé Cara plus durement qu'elle ne s'y attendait. C'était la première de ses connaissances qui succombait par la faute du Covid. Le virus invisible se rapprochait et il pouvait être fatal.

Elle n'avait pu qu'imaginer ce que Tom ressentait.

Ne voulant pas le laisser croire qu'elle était indifférente à son malheur, elle lui avait téléphoné et laissé un message de condoléances, puis elle lui avait envoyé une carte, mais il n'avait pas répondu et elle ne pouvait rien faire d'autre.

Elle n'avait pas pu assister à l'enterrement, le nombre d'invités étant très restreint, mais les pompes funèbres avaient proposé un film de la cérémonie qu'elle avait pu regarder en ligne. Elle avait aperçu Tom dans la foule. Il était très pâle et semblait anéanti. Le cœur de Cara s'était empli de compassion pour lui et son fils.

Au total, il avait été absent un mois. La première fois qu'elle l'avait revu, elle était allée vers lui. Elle aurait voulu le serrer dans ses bras et le garder contre elle à jamais, mais les précautions sanitaires excluaient ce genre d'initiative et ils avaient dû se contenter d'un petit coup de coude.

Cela ne semblait pas assez.

— Comment vas-tu ? avait-elle demandé en se tenant à deux mètres de lui.

— Je vais bien, mais merci de le demander.

— Et Gage ? Il y a quelque chose que je peux faire ?

Il avait secoué la tête.

— Non. Ta carte m'a beaucoup touché.

— Je voulais que tu saches combien je pensais à toi. Je n'ai pas pu venir à l'enterrement.

— Je sais.

— J'ai regardé la cérémonie en ligne.

— Vraiment ?

Cara lui adressa un grand sourire empreint de chaleur.

— Si jamais tu as besoin de quelque chose, ne serait-ce que de parler à quelqu'un, je voudrais que tu m'appelles. À n'importe quelle heure et je t'écouterai.

Les yeux rougis de Tom s'étaient emplis de larmes, suscitant l'émotion de Cara. Si seulement elle avait pu le prendre dans ses bras !

Tout cela semblait lointain, mais ça ne l'était pas vraiment. Ses sentiments pour Tom n'avaient fait que croître. Bien sûr, il y avait l'attirance physique, mais pas seulement. Elle le respectait et elle savait qu'elle ne pourrait jamais concurrencer Victoria.

Elles ne se ressemblaient en rien. Cara avait une bonne tête de moins que l'épouse défunte de Tom. Elle était musclée grâce à ces séances quotidiennes en salle de sport. Victoria était une adepte du Pilates, elle était mince et souple. Les poignets de Cara étaient tatoués, ainsi que ses avant-bras. Bien entendu, ce n'était pas le cas de Victoria. La seule modification qu'elle avait apportée à son corps était de s'être fait percer les oreilles.

Cara se jugeait trapue, elle adorait traîner en jogging, ou bien en jean et bottes. Elle n'avait jamais porté de talons de sa vie, pas plus qu'une jolie robe. Cara était un garçon manqué, mais Victoria… elle évoluait vêtue de robes flatteuses qui flottaient autour d'elle, comme si elle était une sorte de nymphe éthérée.

Jamais Cara ne pourrait avoir sa grâce et son élégance.

Victoria et elle, c'étaient le jour et la nuit.

Si bien que ses sentiments pour Tom ne seraient jamais réciproques. Il ne la regarderait jamais comme elle l'aurait voulu.

2.

Il pleuvait des cordes lorsque Cara quitta sa voiture pour courir vers La Croisade. Elle tenait sa veste au-dessus de sa tête pour éviter de se mouiller les cheveux. Rien de pire, quand on buvait un verre, que de sentir une pluie froide ruisseler à l'arrière de sa nuque.

Elle poussa la lourde porte de bois au vitrail incrusté avant de respirer l'odeur familière du bar, imprégnée de bière et de nourriture de bistro. Tout en secouant sa veste, elle chercha Tom des yeux.

L'équipe de la Garde verte était presque en totalité là. Ses membres étaient répartis entre le billard et les fléchettes. Elle repéra Tom et deux autres ambulanciers assis devant le bar, dans la salle de jeux, en train de bavarder. Quelques-uns de ses collègues se tournèrent vers elle et la saluèrent. Ils lui proposèrent de se joindre à eux et de s'inscrire sur la liste des joueurs de billard, jeu dans lequel elle excellait.

— Je vais d'abord boire un verre, leur dit-elle.

— On va t'inscrire.

— Merci.

Elle leur sourit avant de se diriger délibérément vers Tom pour le saluer, le cœur battant d'anticipation. Dès qu'il l'aperçut, ses magnifiques yeux bleus pétillèrent de plaisir.

— Eh ! Voyez qui est là ! Qu'est-ce que je peux t'offrir ?

Cara fit signe à Kelly, la serveuse.

— Un verre de vin blanc, s'il vous plaît.

— Il pleut encore ? demanda Tom.

— À verse.

Kelly posa son verre sur le comptoir et Tom la paya.

— Tu vas faire une partie de billard, ce soir ?

— Bien sûr. Et toi ?

Tom jeta un coup d'œil au tableau noir suspendu au mur.

— Regarde, je suis juste avant toi.

— Je vais prendre ma revanche, pour la dernière fois, et t'écrabouiller.

Tom se mit à rire.

— Il va falloir que tu sortes le grand jeu.

— Comme toujours.

Ils trinquèrent, puis ils prirent leurs verres et s'approchèrent des chaises et des tables hautes qui entouraient le billard. Ils s'installèrent près d'une fenêtre embuée.

— Comment vont les Webster ? demanda Cara. Tu as des nouvelles ?

— Les enfants sont chez une tante, les parents encore en observation à l'hôpital. Je crois que le père devrait y rester un moment. Il a été brûlé au second degré au niveau du bras et de la main. Les chirurgiens espèrent qu'il conservera toute sa mobilité.

— Tant mieux. C'est déjà assez dur de perdre sa maison, mais le plus important, c'est que tout le monde s'en est sorti. Les maisons se reconstruisent, pas les gens.

— Je crois qu'ils vont avoir quelques difficultés, malheureusement. Ils ne sont pas assurés.

— Quoi ? C'est affreux !

Reed, le collègue de Cara, s'écarta de la table de billard pour les rejoindre.

— On pourrait organiser une collecte pour eux, ou une réception, faire un appel aux dons.

Cara se tourna vers Tom.

— Tu crois que ce serait possible ?

— Pourquoi pas ? Ça les aiderait énormément.

— Tu penses à quel genre de collecte, Reed ?

S'approchant de la table, Reed prit une queue de billard, il visa et empocha une boule rayée.

— Laisse-moi réfléchir, on pourrait faire appel aux entreprises locales.

— Ou bien proposer des services aux enchères, enchaîna Tom. J'ai vu ça à la télé. On offre un dîner pour deux, par exemple, ou une journée de ménage. Les gens proposent ce qu'ils savent faire.

— Moi, ce serait une séance d'entraînement en salle de sport, dit Cara. Et vous deux ?

Reed sourit.

— Je mettrais un baiser aux enchères, déclara-t-il en haussant comiquement les sourcils.

Hodge, qui écoutait la conversation, intervint :

— En ce cas, on ferait bien de prévoir un test de dépistage des maladies transmissibles.

Reed prit un air vexé.

— Bon… Pourquoi ne pas nous faire tous prendre en photo tout nus, pour un calendrier ?

— Impossible ! déclara Tom. Ça prendrait trop de temps et on a besoin de cet argent tout de suite.

Hodge acquiesça.

— Je retiens quand même cette idée de mettre des services aux enchères, ainsi que l'appel aux dons visant les entreprises locales.

— Qu'est-ce que tu en penses, Tom ? demanda Cara.

— Je serais ravi de vous aider. Je suis certain de convaincre des collègues de se joindre à vous. Si vous organisez une réception, nous répandrons la nouvelle.

— Tu pourrais être un jardinier tout nu, aux enchères, dit Reed en adressant un clin d'œil à Cara.

Elle rougit et tâcha de masquer son trouble en buvant une gorgée de vin.

— Tom, c'est à toi de jouer, dit-elle.

L'ambulancier se leva et rassembla les boules à l'intérieur du triangle. Cara le regarda faire, espérant ne voir en lui qu'un ami, mais ses sentiments pour Tom ne faisaient que croître chaque jour. Elle devait absolument les contrôler.

Elle se demandait comment elle allait procéder, quand la porte du pub s'ouvrit, laissant le passage à une rafale de vent et de pluie glaciale. Au grand étonnement de Cara, son père parut sur le seuil de la salle, suivi par son chauffeur en uniforme, qui tenait un grand parapluie.

Tout d'abord, elle crut qu'elle avait des hallucinations. Son père, le comte de Wentwish, dans un pub londonien ? Après s'être frotté les yeux, elle réalisa que son père fonçait droit sur elle.

— Cara chérie !

Le rouge aux joues, elle regarda autour d'elle pour voir si ses collègues savaient qui il était. Elle s'était toujours efforcée de cacher ses origines aristocrates. Hodge était au courant, mais, à sa demande, il respectait son secret.

Cara avait travaillé dur pour se faire accepter dans une équipe masculine et prouver aux autres qu'elle pouvait faire exactement la même chose qu'eux.

Prenant le bras de son père, elle l'attira à l'écart.

— Qu'est-ce que tu fais ici ? chuchota-t-elle.

— J'ai une application qui m'a permis de localiser ton téléphone.

Bon sang ! Pourquoi avait-elle oublié de brouiller sa trace, après lui avoir montré le fonctionnement de cette application ?

— Tu ne devrais pas être là, papa.

— Pourquoi ? J'ai pensé qu'il était temps que je rencontre ton équipe. À moins que tu n'aies honte de moi ? conclut-il en souriant.

— Bien sûr que non ! Mais je n'approuve pas ta méthode.

— Vraiment ? répliqua-t-il en s'écartant d'elle pour s'approcher de Hodge.

— Bonsoir. Je suis le père de Cara.

Hodge jeta un coup d'œil à Cara.

— Lord Wentwish ! Je suis ravi de faire votre connaissance, my lord. Vous avez une fille exceptionnelle.

— J'en suis persuadé, mais je ne comprends pas pourquoi j'ai tant de mal à la voir.

Cara déglutit péniblement. Elle avait toujours su que ses collègues et amis changeraient de comportement vis-à-vis d'elle dès qu'ils sauraient qui elle était. Elle redoutait que ses camarades ne rient ou ne plaisantent chaque fois qu'elle rentrerait dans une pièce.

Quand Léo l'avait appris, il avait été impressionné, au début. Puis elle avait rapidement découvert qu'il ne restait avec elle que pour utiliser son argent et son nom afin d'obtenir ce qu'il voulait. Il n'avait jamais été *attiré* par elle, ce qu'elle avait compris de la façon la plus affreuse qui soit.

— Nous étions justement en train d'organiser une soirée pour aider une famille qui a tout perdu dans un incendie aujourd'hui, dit Hodge.

— Vraiment ? C'est épouvantable ! Nos cuisines ont pris feu, il y a longtemps, et je peux imaginer leur désarroi.

— Nous envisageons une collecte de fonds, expliqua Hodge. Nous allons contacter des entreprises qui pourraient nous donner des meubles ou toutes sortes d'autres choses, pour une tombola. Si vous connaissez des personnes susceptibles de nous aider, nous vous en serons très reconnaissants.

Le père de Cara hocha la tête, visiblement plongé dans une profonde réflexion. Puis ses yeux pétillèrent, comme s'il venait de penser à quelque chose. Instinctivement, Cara devina que cela n'allait pas lui plaire.

— Le problème, dit-il, c'est de trouver des invités très riches, désireux de dépenser énormément d'argent.

— Papa…

— La réception pourrait avoir lieu chez moi, au manoir Higham. Il se trouve que j'organise une soirée à la fin du mois, pour fêter l'anniversaire de mon épouse. Nous pourrions en faire un gala de charité et cette famille, les…

— Webster.

— Les Webster, merci, pourraient y participer aussi. En fait, ils seront mes invités d'honneur.

— C'est extraordinaire, Lord Wentwish ! s'exclama Hodge. Merci ! Grâce à vous, nos coûts seront certainement diminués.

— Inutile d'en parler. Je suis content de vous aider. J'envisage un bal masqué… Nous aurons de la musique, de la danse, sans oublier la collecte de fonds. Bien sûr, tu seras présente, Cara ? demanda le comte avec un grand sourire.

Il savait parfaitement qu'elle ne pouvait pas refuser, vu qu'il l'avait coincée par ses manigances. Il ne s'agissait plus seulement de sa mère, mais de ses deux familles, sa famille de sang et ceux qu'elle considérait comme sa *vraie* famille… les pompiers de la Garde verte.

Et Tom.

— Bien entendu, répondit-elle entre ses dents serrées.

Elle lui en voulait de lui avoir joué ce tour pour obtenir ce qu'il voulait… la présence de sa fille au manoir Higham. En même temps, elle lui était reconnaissante de permettre aux Webster d'obtenir les fonds pour leur future maison.

Qui était-elle, pour s'y opposer ?

Tout le monde souriait, mais elle voyait bien que certains de ses collègues s'interrogeaient à son propos et ne la regardaient plus de la même façon.

Ils avaient appris quelque chose de nouveau ce soir : que sa famille avait un manoir et son père un chauffeur.

Qu'elle était *différente* d'eux.

— C'est réglé, alors, dit Hodge en arborant un large sourire.

— Cara connaît la date et le lieu, n'est-ce pas ?

Elle hocha la tête.

— Pour commencer, reprit son père, je vais demander à mon directeur des relations publiques de trouver des donateurs essentiels et voir quels prix nous pourrons proposer pour la tombola.

— Si vous avez besoin d'aide, dit Hodge, faites-le-nous savoir.

Le comte posa une main amicale sur l'épaule du capitaine.

— Ne vous inquiétez pas, je m'occupe de tout. Vous et vos gars poursuivez votre mission et continuez de sauver des vies.

Il serra la main de Hodge, puis il embrassa sa fille sur les deux joues.

— Je te laisse à ta soirée, alors. C'est bon de te voir, Cara. J'ai hâte de te retrouver le soir de la réception.

Sur ces mots, il partit sans lui laisser le temps de répondre ou de sortir de ses gonds. Il faisait cela tout le temps et c'était même l'une des raisons qui avaient incité Cara à fuir le domicile familial dès qu'elle l'avait pu.

— Tu es une lady ! s'exclama Reed en s'inclinant devant elle. Je n'aurais jamais soupçonné que nous avions quelqu'un de la haute parmi nous.

— Laisse tomber.

Lui tournant le dos, Cara se rendit aux toilettes. Elle avait besoin d'une minute pour recouvrer son calme, s'asperger le visage avec de l'eau froide et admettre que désormais, tout le monde était au courant.

En se regardant dans le miroir, elle tenta de se convaincre que c'était mieux ainsi, mais son malaise persista. Elle sentait son estomac noué et la rage qui bouillonnait en elle.

Un instant plus tard, elle retourna dans la salle et trouva Tom, qui l'attendait devant la porte. Cher Tom ! Il savait ce qu'elle éprouvait. Pourquoi n'avait-elle pas le droit de se jeter dans ses bras ?

— Tu veux t'en aller ? demanda-t-il. Ma voiture est tout près, proposa-t-il avec un sourire.

Il était si gentil, si parfait…

— Merci, mais non. Il faut que j'affronte cette situation. Nous savions qu'un jour ils seraient tous au courant, non ? Et puis j'ai promis de te battre à plate couture au billard.

Elle aurait préféré s'enfuir avec lui, juste tous les deux. Elle aurait fait semblant de croire qu'ils seraient toujours ensemble. Ils se seraient garés quelque part pour manger des fish and chips, contempler les étoiles, se tenir la main, ou bien…

Non ! Je ne devrais pas penser au « ou bien ».

Tom lui tend la main. Elle aurait tant voulu la prendre. Mais elle savait aussi que quelques membres de l'équipe, comme Reed, suspectaient déjà ses sentiments pour Tom. S'ils retournaient dans la salle main dans la main, elle n'en aurait jamais fini avec eux.

— Je vais bien.

Elle passa devant lui, la tête haute, et se dirigea vers ses collègues… en espérant que Tom comprendrait.

Tom laissa tomber son bras le long de son torse et la regarda partir. Il devinait à peu près ce qu'elle éprouvait. Cara s'était toujours efforcée de tracer sa route par elle-même, grâce à ses propres mérites. L'intrusion de son père dans son monde devait la bouleverser.

Il la suivit jusqu'à la table de billard à côté de laquelle elle l'attendait, prête à la bataille.

Tom choisit une queue de billard et en enduisit l'extrémité avec de la craie, puis il se pencha et tira. Sa boule blanche dispersa les boules rayées dans toutes les directions. Il en empocha une, ce qui lui donna le droit de continuer.

— Tu es riche ? demanda Reed à Cara après avoir vidé sa pinte de bière.

— Non. Écoute, je sais que vous devez tous vous poser des questions, mais j'ai une bonne raison, pour ne pas vous avoir parlé auparavant de cette partie de ma vie. Je préférerais que vous me laissiez tranquille avec ça.

Tom pouvait facilement réussir le tir suivant, mais il avait envie de gêner Reed. Il contourna donc la table, ce qui l'obligeait à une manœuvre plus compliquée, mais lui permettait de se placer entre Reed et Cara.

— Excusez-moi.

Reed s'écarta et gagna le bar pour remplir de nouveau sa chope. Tom sourit à Cara, tira et rata son coup.

Ensuite il la regarda empocher boule après boule. Elle était très forte et il l'admirait d'avoir choisi de rester au pub au lieu de s'enfuir. Elle aurait pu prendre sa veste et se ruer dehors, mais elle ne l'avait pas fait. Il en connaissait la raison : pour elle, la Garde verte était la famille qu'elle avait toujours voulue.

Il ne restait à Cara qu'à empocher une dernière boule avant la noire, mais elle refusa de la faire entrer dans la poche de coin.

— Bon sang ! s'exclama-t-elle.

Tom éclata de rire. C'était son tour. Il observa la disposition des boules, planifiant le trajet qu'il comptait effectuer. Tout se passa comme il l'avait projeté et, pour finir, lorsqu'il eut empoché toutes les boules, il ne lui resta qu'à viser la noire, mais l'angle n'était pas favorable. S'il la manquait, Cara pouvait remporter la partie.

— Pas de pression, surtout ! plaisanta-t-elle.

Levant les yeux vers elle, il sentit une douce chaleur se répandre en lui. Il jouissait immensément de cet instant passé avec elle. Auprès d'elle, les heures n'étaient jamais perdues. Grâce à elle, il avait retrouvé sa force, évaporée depuis le décès de Victoria. Au prix d'un énorme effort, il avait lutté pour accomplir ses devoirs de père, mais quand son fils était couché, il ne lui restait plus une once d'énergie. Il était épuisé.

Cara l'avait aidé à surmonter son deuil. Elle était toujours là pour lui, elle discutait avec lui au téléphone, ils échangeaient des SMS, même tard dans la nuit lorsqu'il se sentait particulièrement seul. Sa dette envers elle était immense.

Cela dit, il n'allait pas la laisser gagner.

Retenant son souffle, il heurta la boule blanche, qui percuta la noire et l'envoya dans une poche d'angle. Il avait gagné la partie.

— Oui ! cria-t-il.

Triomphant, il se tourna vers Cara, qui riait. L'attirant dans ses bras, il déposa un baiser sur le sommet de sa tête, tâchant de ne pas être trop affecté par le parfum de fleurs qui émanait de ses cheveux. Il dut combattre l'envie de la serrer contre lui un peu plus longtemps qu'il ne l'aurait dû.

Il faut que je la libère. Les autres nous regardent.

Il s'écarta et prit leurs verres, laissés sur une table.

— Un autre verre ?

Elle le regarda bizarrement.

— Non. Juste une limonade, s'il te plaît.

— D'accord.

Il se dirigea vers le bar, décidé à ne pas la regarder parce que son corps réagissait d'une façon inappropriée. Mais il avait conscience du tourbillon des sensations qui l'envahissaient.

Il voulait davantage.

Seulement, c'était impossible.

Il aurait besoin de rassembler toutes ses forces pour lutter contre ses sentiments.

L'appel signalait une personne « prise au piège ». Cela pouvait dire n'importe quoi, mais le lieu de l'accident était une aire de jeux pour enfants.

Les pompiers grimpèrent dans leur camion et roulèrent dans les rues, les lumières clignotantes actionnées pour qu'on leur laisse le passage. Cara regardait les maisons et les voitures défiler, tout en repassant dans sa tête le film des événements de la veille. L'arrivée de son père, jouant le héros magnanime et jouissant de ce rôle avec un plaisir visible.

Pourquoi appréciait-il tant d'interférer dans sa vie ? Il ne le faisait pas avec ses frères, Cameron, Curtis et Clark.

Lorsqu'ils parvinrent au parc, les pompiers jaillirent hors du véhicule pour évaluer la situation. Ils découvrirent rapidement que la personne piégée était une adolescente qui avait parié qu'elle était capable de se glisser dans une balançoire pour bébé. Tous ses amis se tenaient autour d'elle, fumant, riant et buvant. Il était clair qu'ils trouvaient la scène très amusante.

Hodge se fraya un chemin parmi eux.

— Comment t'appelles-tu, ma chérie ?

— Sienna.

— Comment as-tu fait pour te retrouver dans une balançoire pour bébé ?

L'engin était suspendu grâce à de grosses chaînes de métal, mais le siège lui-même semblait fait de caoutchouc noir, à la fois souple et solide. Les pompiers ne pouvaient pas couper les chaînes, ce qui aurait coûté trop cher à la collectivité, ils allaient donc extraire cette jeune fille de son piège à la force de leurs muscles.

Une fois que Sienna eut expliqué son pari, Hodge lui posa une dernière question :

— Est-ce que tu as mal ?

— Non.

Les joues de l'adolescente étaient rouges de honte, car ses amis la filmaient, et la vidéo ne tarderait pas à être diffusée sur les réseaux sociaux.

— Vous allez utiliser des mâchoires de survie ? demanda-t-elle.

— Non, répliqua Hodge, les muscles suffiront.

L'adolescente poussa quelques glapissements pendant la manœuvre, se plaignant d'être chatouillée ou pincée. Finalement, elle se retrouva sur ses pieds, honteuse et embarrassée.

— La prochaine fois que tu veux faire de la balançoire, lui dit Hodge, choisis-en une qui convienne à ta taille, d'accord ?

— Merci, dit-elle en acquiesçant d'un signe de tête.

Les pompiers regagnèrent le camion, déplorant que les choses ne soient pas toujours aussi simples. De retour à la caserne, Cara venait de brancher la bouilloire quand son téléphone vibra. Le sortant de sa poche, elle constata que son père lui avait envoyé un SMS :

> Bonjour, Cara. Je te rappelle que même si j'organise une collecte de fonds pour les Webster, la réception est toujours donnée en l'honneur de ta mère. J'adorerais te voir habillée en lady, c'est ce qu'elle aurait souhaité. Alors mets une robe et des talons hauts, s'il te plaît. Je te paye le coiffeur. Et maquille-toi. Fais en sorte qu'elle soit fière de toi.

L'espace d'un instant, Cara fixa l'écran. Une fois de plus, il faisait son possible pour la culpabiliser.

Serena Maddox avait rêvé d'avoir une fille, après ses trois garçons. Elle adorait ses fils, bien entendu, mais elle aurait aimé jouer à la poupée avec une petite fille en robe rose. Dès le début, Cara l'avait déçue. C'était un garçon manqué qui jouait dans la boue avec ses frères, allait à la chasse, faisait des cabanes et préférait être habillée en jean. Elle n'était pas intéressée par les poupées, les robes et les chaussures, ou encore les sacs.

Son côté rebelle déplaisait fortement à sa mère et à sa mort, Cara s'était sentie coupable de ne pas l'avoir satisfaite. Même pas un seul jour. Cette culpabilité l'avait incitée à emprunter sa propre voie. À quoi bon changer, désormais, puisque sa mère n'était plus là pour le voir ?

Elle avait fréquenté encore plus la salle de sport, soulevant des poids et se punissant elle-même. Elle s'était fait tatouer.

Puisqu'elle n'avait pas réussi à plaire à sa mère, pourquoi s'en priver ?

Mais cela n'effaçait pas son chagrin, c'était juste une façon de le gérer. Aujourd'hui, il n'y avait rien de rose dans sa vie puisqu'elle n'aimait que le noir et le gris. Elle ne possédait pas un seul sac à main et ne faisait jamais de shopping. Les seules boutiques qu'elle fréquentait étaient les épiceries et les librairies.

Et à ce moment précis, elle détestait son père.

Si bien qu'elle appela la seule personne qui pouvait la comprendre.

Tom.

Il décrocha dès la première sonnerie.

— Salut ! Comment vas-tu ?

C'était si bon, d'entendre sa voix ! Elle ne l'avait pas revu depuis cette soirée au pub et il lui manquait.

— Pas très fort.

— Oh ! je peux faire quelque chose pour toi ?

— Je l'espère. Je peux passer te voir, un peu plus tard ?

Elle l'entendit parler à son fils, puis il reprit la communication :

— Bien sûr. Il faut juste que je couche Gage. Tu finis ton service à quelle heure ?

— Dans une demi-heure. Je peux venir directement ?

— Évidemment, mais envoie-moi un SMS quand tu seras là, pour ne pas réveiller le petit en sonnant à la porte.

— Merci, Tom.

En raccrochant, elle se sentait un peu mieux. Tom avait toujours cet effet sur elle. Il l'écoutait quand elle en avait besoin et c'était réciproque.

Dès qu'elle franchit le seuil de sa maison, Tom la serra dans ses bras pendant un long moment. C'était comme s'il avait su qu'elle avait besoin de réconfort. Cara ne bougeait pas, la tête posée sur l'épaule de Tom, écoutant les battements réguliers de son cœur, les yeux fermés.

Elle n'aurait pas su dire combien de temps dura cette étreinte. Mais finalement, il lui proposa de rentrer pour boire un verre.

Honnêtement, elle aurait préféré rester là toute la nuit. S'écartant de lui à regret, elle le suivit dans le salon où elle s'assit dans un fauteuil confortable.

— Tu veux du thé ? Du café ? Quelque chose de plus fort ? demanda-t-il depuis la cuisine.

Elle laissa échapper un long soupir.

— Du thé, ça ira très bien, merci.

— C'est à cause de ton père ? demanda-t-il après avoir branché la bouilloire.

Cara eut un petit sourire amer.

— Qui d'autre ?

— Qu'est-ce qu'il t'a dit, cette fois ?

Cara sortit son téléphone de sa poche et lui montra le SMS.

— C'est du chantage affectif, remarqua-t-il après l'avoir lu. Qu'est-ce que tu lui as répondu ?

— Rien, pour l'instant. Je sais qu'il ne me demande pas grand-chose… mettre une robe, des talons. Pour une fois, il voudrait que je ressemble à une lady. Mais cette façon de faire intervenir ma mère dans l'argumentation ! Il sait très bien ce que j'ai ressenti, quand elle est morte, et il utilise ma culpabilité contre moi.

Tom resta silencieux pendant un instant, comme s'il cherchait les mots les plus appropriés.

— Je ne serais pas très content, si quelqu'un en faisait autant avec moi. Je ne parlerais plus à cette personne pendant un moment. Mais c'est différent, en l'occurrence. Il s'agit de ton père, le seul parent qui te reste.

— Oui…

— Si tu veux aller à cette soirée en treillis militaire, je te soutiens à cent pour cent, dit Tom en souriant.

Cara se mit à rire.

— Mais si tu décides de lui donner ce qu'il veut, je te soutiendrai aussi.

Elle soupira.

— Qu'est-ce que je devrais faire, à ton avis ?

— Ce n'est pas à moi de prendre cette décision. Mais si tu

acceptes de porter une robe et des talons hauts, profites-en pour dire à ton père qu'il n'utilise plus jamais ta mère contre toi.

— D'accord, mais comment vais-je me débrouiller, pour marcher avec des talons hauts ? Je risque de me briser une cheville.

— Allez ! Ce n'est que pour un soir, quelques heures tout au plus. Tu rentres en courant dans des immeubles en feu, Cara ! Cela exige un courage que je ne saurais même pas mesurer. Je suis certain que tu peux le faire.

Cara regarda Tom dans les yeux. Elle y vit de la chaleur, de l'affection, du soutien. S'il avait confiance en elle, elle pouvait peut-être en faire autant.

— D'accord.

— Tu vas le faire ?

— Je vais le faire.

Elle rit avec soulagement, heureuse que Tom l'ait aidée à retrouver un peu de raison. Ainsi qu'il l'avait dit, ce n'était qu'une soirée, trois ou quatre heures à supporter, tout au plus. Ensuite, ce serait fini, elle pourrait dire à son père qu'elle avait fait sa part du contrat et qu'il devait la laisser vivre sa vie comme elle le voulait, dorénavant.

— Si on prenait des petits gâteaux avec le thé, pour célébrer l'événement ? suggéra Tom. Je crois que j'en ai au chocolat et faibles en calories.

— Bonne idée.

3.

Tom reprenait le volant après s'être occupé d'un patient victime d'un arrêt cardiaque, lorsqu'il reçut un appel concernant un carambolage qui avait eu lieu sur l'une des routes principales, à Battersea. Il actionna sa sirène et prévint le Contrôle qu'il serait sur les lieux cinq minutes plus tard.

— Bien reçu, lui répondit-on. La police et les pompiers sont déjà en route.

La circulation était dense et il dut attendre que les voitures s'écartent pour lui laisser le passage. Devant lui, des conducteurs klaxonnaient et passaient le bras par la fenêtre pour faire signe aux autres de se bouger un peu plus vite. Lentement, lentement, une voie étroite se forma et lui permit d'avancer.

Après avoir franchi les feux rouges, il parvint sur une route où le trafic était plus fluide, mais il était inquiet, car il avait perdu du temps. Quelqu'un pouvait être pris au piège dans un véhicule, en train de perdre son sang !

Malgré cela, il devait faire preuve de prudence à chaque carrefour, devant chaque école. En dépit des sirènes et des lumières, il était étonnant de voir combien de gens étaient perdus dans leur petit monde, inconscients de ce qui se passait autour d'eux.

Malgré tout, il approchait. Finalement, il put se garer derrière une voiture de police, elle-même arrêtée derrière un camion de pompiers. La rue était illuminée, grâce aux lumières clignotantes des véhicules de secours. Une minute plus tard, Tom s'emparait de son sac à dos et se dirigeait vers le lieu de l'accident.

Il retint son souffle un instant.

Une voiture bleue était retournée sur le toit et de la fumée s'échappait du capot. Une voiture argentée se trouvait de l'autre côté, l'avant complètement enfoncé, les airbags déployés. Un van blanc barrait la route, à leur gauche. Côté conducteur, la portière était ouverte. Derrière eux, un poids lourd avait visiblement dérapé en tentant de les éviter. Il était passé du mauvais côté de la voie et avait heurté une petite voiture rouge.

Tom aperçut Hodge et il en conclut que Cara devait être là. Des policiers s'efforçaient d'établir un périmètre de sécurité pour empêcher les curieux d'approcher.

— Bonjour, dit-il à Hodge, où voulez-vous que j'aille ?

Le pompier tendit le bras.

— Occupez-vous de la conductrice de la voiture bleue. Elle est coincée à l'intérieur et elle a des difficultés respiratoires. Nous lui donnons de l'oxygène et Cara soutient sa tête. À l'arrière, il y avait une petite fille dans son siège pour enfant, que nous avons sortie de là. Apparemment, elle n'a rien, elle est juste un peu secouée. Le conducteur du van est indemne, il a évité le choc, tout comme le chauffeur de poids lourd. Le conducteur de la voiture argentée présente un traumatisme au niveau des cervicales et les passagers de la rouge sont sous le choc. Ils n'ont que quelques hématomes.

— Dans l'ensemble, ils ont eu de la chance, alors ?

— Si vous appelez un carambolage de la chance, oui.

Tom rejoignit rapidement Cara, près de la voiture bleue.

— Salut !

— Salut.

— Il faudrait qu'on arrête de se rencontrer dans ces circonstances.

Étendue sur le bitume, les bras à l'intérieur du véhicule, elle sourit.

— Tu as raison.

— Elle était inconsciente, quand tu es arrivée ?

— Oui.

— Et depuis, elle ne s'est pas réveillée ?

— Non. Sa respiration est faible et irrégulière. Je perçois un sifflement.

Heureusement, Cara et ses collègues avaient déjà mis cette

patiente sous oxygène. Tom passa le bras par-dessus la vitre brisée et l'airbag dégonflé pour placer son stéthoscope sur sa poitrine.

— Elle est vraisemblablement asthmatique, dit-il.

Cette constatation l'emplit de crainte. Depuis la mort de son épouse, c'était ce qu'il éprouvait chaque fois qu'il devait traiter un patient asthmatique.

Victoria en souffrait, et c'était sans doute à cause de cela que le Covid l'avait tuée dès le début de la pandémie. Entendre ce sifflement et voir ce visage si pâle lui rappelait le drame.

C'était Noël et ils avaient invité leurs parents chez eux. Le matin, en se réveillant, Victoria avait eu du mal à respirer. Ils s'étaient disputés parce que Tom voulait annuler l'invitation, mais elle avait refusé, prétendant que son inhalateur suffirait à la soulager. Il l'avait aidée à éplucher les légumes et à mettre la table, puis il était allé chercher ses parents, qui n'avaient pas de voiture, la laissant seule à la maison.

Elle avait promis de rester dans la salle de séjour, à lire ou à regarder la télévision, jusqu'à ce qu'il revienne. À son retour, ses parents et lui étaient entrés dans la maison en criant « joyeux Noël ! ». Ils avaient trouvé Victoria allongée sur le sol de la cuisine, le visage très pâle et la respiration sifflante, sur le point de perdre conscience.

Aussitôt, Tom avait appelé une ambulance tandis que ses parents s'occupaient du repas. Se sentant mieux, Victoria avait été autorisée par les médecins à rentrer chez elle, puis ils avaient pris un déjeuner tardif.

Est-ce que cette femme avait pensé qu'elle pouvait conduire alors qu'elle avait fait une crise ? Était-ce ce qui avait causé l'accident ? Tom n'en savait rien mais pour l'instant, tout ce qui importait, c'était la libération de ses voies aériennes, sa ventilation pulmonaire et sa circulation sanguine.

Pour commencer, il utilisa un nébuliseur.

— On lui met un collier cervical, dit-il ensuite.

Il sortit celui qu'il avait dans son sac et le plaça autour du cou de la femme. N'ayant plus à soutenir la nuque de la conductrice, Cara rejoignit ses collègues, qui préparaient l'extraction.

Tom nota les coupures sur les bras et le visage de sa patiente, mais il ne saurait si elle souffrait de fractures que lorsqu'elle aurait été sortie de ce piège. Il la relia à un moniteur afin de contrôler ses constantes, puis Cara lui demanda de s'écarter.

Il resta sur le côté pendant que les pompiers procédaient à la désincarcération. Tout en écoutant les craquements et les crissements causés par les outils, il consultait sans cesse sa montre. Cette femme pouvait cesser de respirer à n'importe quel moment. Derrière lui, d'autres ambulances étaient arrivées et ses collègues prenaient en charge les blessés, il pouvait donc se concentrer sur sa patiente asthmatique.

Bientôt, on put glisser une planche dorsale par l'arrière du véhicule afin d'y installer la conductrice et la sortir sans causer de dommages à sa colonne vertébrale ou à ses cervicales.

Par bonheur, ses jambes n'étaient pas coincées et semblaient en bon état, hormis les coupures au niveau des genoux. Tom espérait qu'elle ne souffrait d'aucune lésion interne, mais on ne pourrait s'en assurer que plus tard.

Une fois qu'elle fut libérée, on la plaça sur un brancard et Tom vérifia ses constantes. Son taux d'oxygène était bas et elle risquait un arrêt respiratoire sévère.

— Emmenez-la immédiatement à l'hôpital ! dit-il aux ambulanciers qui l'aidaient.

Il s'écarta pour les laisser faire leur travail. Il avait fait tout ce qu'il pouvait. Cette patiente survivrait-elle ? Il n'en savait rien et cette ignorance l'affectait énormément.

Il sentit une main sur son bras.

— Tom ? Tout va bien ?

Cette voix douce versait du baume sur son cœur. Il acquiesça d'un signe de tête tout en souriant.

— Tu en es sûr ? Je sais que cela te rappelle des souvenirs douloureux, mais je suis certaine qu'elle va s'en sortir.

— Merci. Je l'espère aussi.

— Tu veux que je passe chez toi, plus tard ? Je pourrais apporter de quoi manger.

— Je ne crois pas être d'humeur à manger.

— Et si je venais assez tôt ? Je pourrais m'occuper de Gage pendant un petit moment ? On n'a pas joué au ballon ensemble depuis des siècles.

— Il serait ravi. Il est toujours très content, quand tu nous rends visite. On pourrait sortir tous les trois ? Ça me fera du bien, de prendre l'air.

— D'accord. 17 h 30, c'est bon ?

— Parfait.

Tom suivit Cara des yeux, tandis qu'elle rejoignait son équipe. Il fallait nettoyer le lieu de l'accident. Le travail des pompiers n'était pas terminé sous prétexte que les patients étaient pris en charge.

L'amitié de Cara était très importante pour lui. Elle avait le don de deviner ses émotions et elle savait combien il était affecté chaque fois qu'il s'occupait d'une patiente qui lui rappelait le combat de Victoria pour survivre.

Il regagna son véhicule et échangea sa bouteille d'oxygène vide contre une pleine prélevée dans une ambulance qui n'avait pas eu à intervenir. Ensuite, il se glissa derrière son volant et s'apprêta à rédiger quelques notes.

Mais les derniers instants de Victoria l'obsédaient. Quels avaient été les derniers mots qu'ils avaient échangés ? Il ne s'en souvenait pas. Et *pourquoi* ne s'en souvenait-il pas ? Son cerveau essayait-il de le protéger contre quelque chose ? Il avait l'impression que ce dernier échange était important.

Je t'aime. Tu vas me manquer. Remets-toi vite.

Mais il soupçonnait que ce n'était pas ce qu'il avait dit. Quand la respiration de Victoria était devenue de plus en plus difficile, il avait été pris de panique, insistant pour qu'elle appelle un docteur. Mais elle avait refusé et s'était retirée dans leur chambre, lui conseillant de dormir sur le canapé. De cette façon, elle ne le contaminerait pas et il prendrait soin de Gage.

Lorsque enfin il avait appelé une ambulance, elle pouvait à peine parler. Ses yeux étaient écarquillés par la peur et elle avait désespérément besoin d'oxygène. Les ambulanciers avaient fait de leur mieux pour la rassurer, puis Gage s'était mis à pleurer et Tom s'était efforcé de le calmer. Il l'avait pris dans ses bras, il avait caressé ses cheveux et lui avait demandé de dire au revoir à sa maman.

Avait-il dit quelque chose d'important à Victoria ou avait-il manqué cette occasion, persuadé qu'il pourrait lui parler au téléphone plus tard ? Une occasion qui ne s'était jamais présentée puisqu'elle avait été mise sous respirateur dès son arrivée à l'hôpital.

Et lorsqu'il lui avait dit qu'il l'aimait, elle ne pouvait pas l'entendre.

Il espérait que cette femme, aujourd'hui, aurait quelqu'un à son chevet pour la soutenir. Quelqu'un qui lui dirait qu'il l'aimait.

Cara sonna à la porte et sourit de plaisir en entendant Gage battre son père à la course pour lui ouvrir. Son cœur s'emplit d'amour lorsqu'elle aperçut la petite silhouette à travers la vitre. Gage était un petit garçon merveilleux, curieux, drôle et heureux en dépit de tout ce qu'il avait traversé.

Il se haussa sur la pointe des pieds pour appuyer sur la poignée et enfin il se jeta dans ses bras. Elle le souleva de terre et le fit tourner autour d'elle.

— Bonjour, toi. Tu es chatouilleux, aujourd'hui ? Laisse-moi vérifier.

Après l'avoir déposé sur le sol, elle le chatouilla au niveau des aisselles, ce qui le fit glousser et se tortiller.

— On dirait que ça marche, dit-elle. On essaie là ? Ou là ?

Gage riait aux éclats, quand son père arriva à son tour. Vêtu d'un jean sombre et d'un T-shirt blanc, ce dernier était vraiment canon. Submergée par l'habituelle vague de chaleur, Cara retint son souffle.

Lâchant le petit garçon, elle se redressa.

— Salut ! On sort pour jouer ?

— Je vais chercher nos blousons.

— Et le ballon.

— Oui, bien sûr. Gage, tu t'en occupes ?

— Oui, papa.

Tom ébouriffa les cheveux de son fils, qui s'éloignait en courant.

— Il grandit très vite, dit Cara. Tu le nourris avec quoi ?

— Il mange de tout, il n'est absolument pas capricieux. Ce doit être une poussée de croissance.

Gage revenait, le ballon coincé sous le bras.

— On va au parc ?

— Bien sûr, répondit Cara. Il faut que tu me montres tout ce que tu as appris depuis la dernière fois qu'on s'est vus.

Ils se dirigèrent vers le parc, Gage entre Tom et Cara, tenant leurs deux mains. Il évoquait joyeusement les buts qu'il avait marqués contre son papa pendant le week-end et comment il serait footballeur professionnel plus tard.

Cara échangea un sourire avec Tom. Elle adorait ce petit garçon, c'était le genre d'enfant qu'elle aurait voulu avoir elle-même si elle avait la chance un jour de fonder une famille. Mais cela avait peu de chances d'arriver. Les hommes ne la remarquaient pas, ce qui la renforçait dans l'idée qu'elle n'était pas séduisante.

Les autres pompiers étaient tous mariés, en dehors de Reed. Ils se comportaient envers elle comme des grands frères, ce qui était adorable mais pouvait s'avérer un peu effrayant pour d'éventuels prétendants. Comme Léo. Ils s'étaient montrés très soupçonneux à son égard, et lorsqu'il avait rompu, ils avaient tous proposé d'avoir « une petite conversation avec lui ».

Cara avait apprécié leur offre, mais elle l'avait déclinée, se sentant déjà bien assez humiliée.

Elle jeta un coup d'œil à Tom, souhaitant qu'il la voie autrement que comme une amie. Il méritait d'être heureux et elle était certaine de pouvoir lui apporter le bonheur. Mais elle craignait de ruiner leur amitié si sa relation avec lui se compliquait. D'ailleurs, il n'était sans doute pas encore prêt à courtiser une femme. Il était bien trop occupé à être le père de Gage, et de toute façon il ne s'intéresserait jamais à elle.

Il y avait peu de monde au parc, si bien qu'ils trouvèrent facilement un endroit pour taper dans le ballon. Gage et Tom utilisèrent les blousons en guise de but. Tom s'attribua d'autorité le rôle de gardien, tandis que Cara et Gage formaient l'équipe adverse.

Autour d'eux, les oiseaux chantaient dans les arbres et les écureuils cherchaient des glands. Gage envoya le ballon parmi les chênes, faisant fuir l'un de ces petits animaux qui se percha dans un arbre et lui jeta un regard empreint de reproches.

Le petit garçon courut pour récupérer le ballon. En revenant, il le propulsa en direction du but. Tom feignit d'être trop lent pour l'arrêter.

— Ouais ! cria Gage. J'en ai marqué un.

Retirant son T-shirt, il le fit tournoyer autour de sa tête comme il l'avait vu faire à la télévision par les footballeurs professionnels.

Un instant plus tard, il marquait un second but.

— Tu es trop fort pour moi, déclara Cara en s'effondrant sur l'herbe.

Aussitôt, il lui sauta dessus. Elle le souleva et le brandit autour d'elle comme un petit avion. Tom s'empara de son fils et le mit sur ses pieds.

— Je suis crevé, prétendit-il. Qui veut une glace ?

— Moi, moi, moi ! cria Gage.

— Et toi, Cara, qu'est-ce que tu dirais d'un cornet menthe chocolat ?

— Tu sais trouver le chemin de mon cœur, plaisanta-t-elle.

Elle espérait surtout trouver le chemin du sien ! En attendant, elle souhaitait qu'il ne fasse pas quelque chose d'idiot, comme de tomber amoureux d'une autre.

Il lui tendit la main et l'aida à se lever. Ils reprirent les blousons et se dirigèrent vers l'autre extrémité du parc. Un peu plus tard, ils dégustaient leur glace, assis sur un banc près des volières, tout en regardant les perruches qui sautaient de perchoir en perchoir.

— Tu as trouvé ce que tu allais porter le soir du bal ? demanda Tom.

Cara soupira.

— Pas encore. Je fais semblant que cela ne va pas arriver.

— Tu n'as qu'un mois devant toi.

— Et toi, qu'est-ce que tu vas mettre ? demanda-t-elle pour changer de sujet.

— Je dois avoir un smoking quelque part. J'ai juste besoin de dénicher un masque.

Cara le fixa un instant. Il lui venait une idée, mais serait-elle assez courageuse pour lui en parler ?

— Tu accepterais de m'aider ?

— De quelle façon ?

Elle rougit. Elle n'avait pas l'habitude de réclamer de l'aide et le service qu'elle lui demandait avait quelque chose… d'intime.

— À trouver une robe !

Tom émit un petit rire nerveux.

— Tu veux que je t'accompagne dans les magasins ?

— Tu l'as certainement fait avec Victoria ? Tu as dû lui donner ton opinion et j'aimerais avoir un avis masculin.

Elle pensa qu'il allait refuser. Il parut réfléchir pendant un moment qui lui sembla incroyablement long. Il cherchait sûrement une excuse pour ne pas la blesser.

— D'accord, dit-il finalement.

— C'est vrai ?

— Bien sûr. Pourquoi pas ?

Cara déposa un baiser sur la joue de Tom.

— Merci !

Elle s'écarta de lui pour lécher sa glace, vibrante d'excitation. Il ne lui restait plus qu'à poser la question suivante.

Se levant d'un bond, Gage s'approcha des cages pour regarder les oiseaux de plus près.

Cara baissa la voix :

— Je peux te demander autre chose ?

— Bien sûr.

Elle souhaitait ne pas rougir, mais son vœu ne fut pas exaucé.

— Est-ce que tu pourrais être mon cavalier ? Mon père va essayer de me caser avec quelqu'un, si j'arrive seule. La dernière fois, l'heureux élu s'appelait Hugo, le fils d'un de ses meilleurs amis. Il ne m'a parlé que de transactions boursières pendant toute la soirée. C'était d'un ennui ! Je voudrais éviter ça.

— Dois-je comprendre que tu ne veux pas entendre mes analyses percutantes sur le marché boursier ?

— Non merci.

Ils éclatèrent de rire ensemble, toute tension évaporée. Cependant, il n'échappait pas à Cara que Tom n'avait pas encore accepté sa proposition.

— Donc, reprit-il, je dois faire semblant d'être ton petit ami ?

Cara jeta un coup d'œil à Gage, qui semblait fasciné par les oiseaux multicolores qui voletaient dans la cage.

— Oui. Je sais que c'est beaucoup te demander et je comprendrais si…

— Ce sera un honneur.

Cara réprima l'envie de jeter son cornet par terre pour planter ses lèvres sur celles de Tom.

— Merci, dit-elle, le cœur battant. C'est très important pour moi.

Tom haussa les épaules.

— Ce n'est pas grand-chose. On fait juste semblant, non ?

Elle hocha la tête.

— Exactement.

On fait juste semblant, non ?

Cette phrase tournait en boucle dans la tête de Tom, le condamnant et se moquant de lui.

Cara était extraordinaire. Elle était belle, intelligente, et elle aimait Gage presque autant que lui. Mais que diraient les gens ? Victoria était morte depuis deux ans et leurs proches avaient cru que tout allait bien entre eux. Leurs amis voyaient en eux un couple parfait et romantique.

En découvrant que Victoria était enceinte, Tom avait pensé que le mariage était la bonne solution. C'était vrai, d'ailleurs, puisque cela lui avait permis de voir son fils grandir. Il avait été là quand Gage avait prononcé son premier mot… *papa*. Il avait assisté à ses premiers pas, mais il avait aussi vu Victoria changer, presque comme si elle maudissait le sort de l'avoir rendue mère aussi tôt.

Dès que Tom rentrait, elle s'échappait pour rencontrer ses amies. Ils se disputaient pour des raisons dérisoires. Son apparence était plus importante pour Victoria que n'importe quoi d'autre. Elle dépensait des sommes astronomiques pour des extensions capillaires, des robes ou des escarpins à talons hauts qu'elle ne mettait jamais, utilisant l'argent que Tom lui donnait pour acheter ce dont leur fils avait besoin.

Il avait fait de son mieux pour la rendre heureuse, mais rien n'était jamais suffisant. Il avait fini par abandonner. Il avait accepté les heures supplémentaires, se persuadant qu'il le faisait pour son fils. En réalité, il préférait être au travail qu'à la maison.

Après tout, peut-être s'imaginait-il seulement qu'il avait des sentiments pour Cara, parce qu'elle était l'amie idéale. Parce qu'elle le soutenait et adorait passer du temps avec Gage.

C'est pourquoi il avait accepté de l'accompagner dans des magasins. Le shopping avec Victoria avait été un calvaire. Assis sur une chaise il la regardait entrer et sortir de la cabine d'essayage, réclamant son avis.

« Tu préfères la pourpre ou l'écarlate ? »

« Elles sont toutes les deux rouges, Vic ! Choisis-en une ! »

Il avait failli refuser. Voir la femme qu'il aimait porter de jolies robes ? Que se passerait-il s'il dérapait et lui disait ce qu'il ne fallait pas ?

Et puis, il avait pensé à cet idiot de Léo, qui lui avait dit tellement de choses horribles... Qu'elle n'était pas assez féminine, par exemple. S'il pouvait l'aider à retrouver confiance en elle, il le ferait.

De toute façon, elle souhaitait juste empêcher son père d'interférer dans sa vie. Non ! Ils étaient seulement amis, même si ses sentiments pour elle étaient troublants. Il aimait Cara, oui, mais de la même façon qu'il aimait tous ses amis... il n'était pas amoureux d'elle. Du moins, il le pensait. Ce qui pouvait l'induire en erreur, c'était qu'ils s'entendaient très bien et qu'avec elle, il avait l'impression de redevenir lui-même.

C'est pourquoi il avait accepté de l'aider à trouver une robe et de jouer le rôle de son petit ami le soir de cette réception.

Après tout, il ne s'agissait que d'arriver ensemble. Nombre de ses collègues étaient invités, eux aussi.

Tom donna un bain à Gage, puis il lui lut une histoire. Son fils s'endormit très vite, certainement épuisé par cette séance de football. Tom éteignit la lampe, descendit dans le salon et s'assit… seul.

C'était le moment où la solitude lui pesait le plus.

Il aurait voulu avoir quelqu'un avec qui regarder un film ou boire un verre de vin. Quelqu'un qui lui aurait caressé distraitement le bras ou aurait posé la tête sur son épaule. Il détestait se coucher seul. Le lit lui semblait trop grand, sans personne avec qui le partager.

Plus tard, il fixa le plafond, allongé dans son lit. Il pensait à Cara, il la revoyait en train de jouer au ballon avec Gage. Il voyait son sourire, il entendait son rire. Le soleil allumait des reflets dorés dans ses cheveux, elle se tourna vers lui, les yeux pétillants de bonheur. Elle faisait rire Gage, elle éclairait le monde de son petit garçon.

Et le sien.

Qu'est-ce que je suis en train de faire ? Elle est une amie et c'est ce qu'elle sera toujours.

4.

Cara était en train de ranger ses affaires dans son casier, à la caserne, quand son père l'avait appelée.

— C'est hors de question, papa.

— Pourquoi pas, ma chérie ? Carenza peut s'occuper de ta robe ce week-end. Il te suffit de lui fournir tes mensurations et ce sera fait.

— Je n'ai nul besoin d'une styliste ! D'ailleurs, Tom va m'aider à trouver une tenue aujourd'hui.

Il y eut un silence.

— L'ambulancier ?

— Oui.

Un autre silence.

— Vous êtes en couple ?

— Oui.

— Je regrette d'avoir dit à Henry que tu es célibataire. Il vient avec son fils, Xander, pour qu'il te rencontre.

Cara leva les yeux au ciel.

— Eh bien, Xander n'aura qu'un salut poli de ma part. Je suis avec Tom.

Elle jeta un coup d'œil autour d'elle pour s'assurer que ses camarades ne l'entendaient pas, parce qu'elle devrait affronter leurs questions. Sans parler de leurs moqueries. Et quand ils découvriraient la supercherie… elle n'osait même pas y penser.

Son père soupira.

— Très bien, mais tu dois porter quelque chose de spécial. Il va y avoir des photographes et je veux des clichés officiels de la seule fois où ma fille portera une robe.

— Tu fais venir des photographes pour *ça* ?

— Pas seulement, ma chérie. Ce que nous faisons pour les Webster est une bonne publicité.

— Les Webster…

— Oui. Je dois te quitter, mais tiens-moi au courant.

— Bien entendu.

— Et… chérie ?

— Quoi ?

— Fais attention, avec Tom. Beaucoup d'hommes pourraient s'intéresser à toi pour des raisons que tu n'imagines même pas.

— Il n'est pas avec moi pour l'argent, papa.

Elle soupira, souhaitant mettre fin à cet appel. Elle détestait mentir à son père, même s'il l'y avait contrainte, d'une certaine façon.

— Fais attention, c'est tout.

Sur ces mots, son père lui dit au revoir et raccrocha.

Cara resta immobile, sentant la colère qui bouillonnait en elle. C'était tellement injuste ! De nouveau son père interférait dans sa vie. En traversant la salle de sport, elle donna un coup de poing dans le punching-ball, puis un autre, avant de se rendre au réfectoire.

Reed et les autres s'y trouvaient déjà, en train de siroter leur thé.

— Bonjour, Cara, dit Reed.

— Bonjour.

— Prête pour un nouveau jour ?

— Absolument, répliqua-t-elle en souriant.

Elle branchait la bouilloire, quand l'alarme retentit, les avertissant que leur présence était requise quelque part. Ils coururent vers le camion, tandis que Hodge prenait connaissance de l'appel.

— Un homme piégé dans une machine industrielle, dit-il.

Cara fit la grimace. Cela ne sentait pas bon… Mais elle se mit en mode pompière. Bientôt, le camion démarrait, sirènes hurlantes.

Ils passèrent devant le parc où elle avait joué au foot avec Tom et Gage, la veille. L'ambiance avait été un peu bizarre, après qu'elle avait demandé à Tom d'être son cavalier, le soir de la réception. Elle lui avait fait clairement comprendre qu'il ne s'agissait que d'un rôle à jouer, mais elle détestait lui mentir.

Pourquoi n'était-elle pas assez courageuse pour lui dire la vérité, tout simplement ?

Parce que Victoria était une déesse amazonienne, voilà pourquoi.

En rentrant, ni elle ni Tom n'avaient été très bavards. Peut-être regrettait-il déjà d'avoir accepté ?

Bizarrement, elle était impatiente de faire du shopping avec lui, dans la soirée. Pas pour les robes, évidemment, mais elle adorait passer du temps avec lui et ce soir, il avait engagé une baby-sitter pour Gage.

Hodge se tourna vers l'équipe.

— Les ambulances et les véhicules d'intervention d'urgence sont en route.

Reed décocha un coup de coude à Cara.

— Ton amoureux sera peut-être là.

Elle le foudroya du regard.

Ils parvinrent dans une zone industrielle envahie par les poids lourds et les vans. Un homme vêtu d'une veste jaune fluorescente se tenait sur la route. Il leur indiqua d'un geste l'endroit où ils devaient se rendre et se précipita pour les accueillir lorsqu'ils se garèrent.

— Je m'appelle John et je suis le manager. L'un de nos ouvriers a le bras coincé dans une machine d'impression industrielle. Elle était en panne et il s'efforçait de la débloquer, quand elle a redémarré. Son bras a été pris à l'intérieur. Il a perdu beaucoup de sang et il est presque inconscient.

À cet instant, un véhicule d'intervention d'urgence arriva, suivi de près par une ambulance et une voiture de police. Tom en sortit. Lui et les autres ambulanciers furent rapidement mis au courant, puis John les conduisit sur le lieu de l'accident.

— Tout a été débranché ? demanda Hodge.

— Pas toutes les machines.

— Faites-le. Je ne veux pas d'autre drame quand mon équipe tentera de sortir votre gars de là. Comment s'appelle-t-il ?

— Pete.

— D'accord.

Hodge s'approcha de l'homme, dont la moitié du bras était coincée dans la machine. Il était très pâle et semblait très affaibli.

— Pete ? On va vous sortir de là.

Se tournant vers John, il ajouta :

— Vous pouvez lui apporter une chaise ou un siège quelconque ? S'il s'évanouit, il va tirer sur son bras, ce qui risque d'empirer les choses.

John hocha la tête et disparut. Hodge en profita pour examiner soigneusement le mécanisme, voir où le membre était piégé et trouver la meilleure façon de le sauver.

— Tom, l'électricité est coupée, dit-il un instant plus tard. Vous voulez jeter un œil ? Vous ne risquez plus rien.

Hodge s'écarta, laissant la place à Tom, qui posa un masque à oxygène sur le visage de l'ouvrier.

Pauvre homme ! songea Cara. Cet accident allait changer le cours de sa vie. Ce matin, il était sans doute venu travailler en pensant vivre une journée ordinaire.

John revenait avec une chaise.

— Où sont vos mécaniciens ? demanda Hodge. Nous avons besoin de gens qui sauront démonter cette machine. Vous ne souhaitez sûrement pas que nous la détruisions.

— Euh… non. Je peux appeler Carlos, mais il est chez lui.

— Personne d'autre ?

— L'entreprise qui se trouve en bas de la route a le même équipement. Je peux les appeler.

— Faites-le, merci, dit Hodge.

Tom était en train de poser un cathéter sur le bras de Pete.

— Je vais vous donner des antidouleurs, d'accord ?

Pete hocha la tête, les yeux à peine ouverts.

Tom prit son téléphone.

— Contrôle ? Nous avons besoin d'un médecin sur place. Ce gars va avoir besoin d'antalgiques plus puissants.

— Compris. Un médecin de Heli-Med arrive par hélicoptère.

— Merci, Contrôle.

Se tournant vers Hodge, Tom ajouta :

— Je ne peux rien faire de plus jusqu'à ce qu'il soit dégagé de cette machine. Si j'en crois ce que j'ai vu, il faut s'attendre à une amputation, précisa-t-il à voix basse.

Le cœur de Cara s'emplit de compassion. Pete était jeune et elle avait remarqué une alliance à son doigt. Elle avança d'un pas.

— Pete ? Vous pouvez ouvrir les yeux. On peut appeler quelqu'un pour vous ?

Pete battit des paupières. De sa main libre, il écarta le masque de son visage.

— Prévenez Sal, ma femme.

— Donnez-moi le numéro.

Dès que ce fut fait, Tom remit le masque en place et vérifia la tension de Pete.

— Il est en état de choc.

À cet instant, on entendit un bruit de course. Un homme en salopette bleue arriva, hors d'haleine. Il écarquilla les yeux à la vue du blessé.

— Vous avez besoin d'un mécanicien ?

— Oui, dit Hodge. Il faut que cette machine soit démontée, pour que nous puissions libérer cet homme. Comment vous appelez-vous ?

— Charlie.

— Très bien, Charlie, faites vite.

— J'ai mis un garrot, intervint Tom.

— D'accord…

Charlie s'interrompit.

— Un problème ? demanda Cara.

— Je… Je ne supporte pas bien la vue du sang. Et… euh… il y en a beaucoup, expliqua Charlie en pâlissant.

— Tâchez de ne pas regarder, concentrez-vous sur ce que vous avez à faire. Je peux vous aider, dit Cara en le guidant jusqu'à sa trousse à outils.

Ils travaillaient sur la machine depuis environ cinq minutes, quand un médecin arriva, vêtu de la combinaison orange Heli-Med.

— Est-ce que tout le monde peut s'écarter, pour que j'examine le patient ? demanda-t-il.

Tous lui obéirent immédiatement.

Le docteur ausculta Pete, vérifia ses constantes et examina le bras coincé dans la machine.

— Combien de temps faut-il pour démonter cette machine ? demanda-t-il à Charlie.

— Environ deux heures.

— Plus il reste coincé, plus le pire est à craindre. Son état se détériore et je crois que nous allons devoir l'amputer. Son bras est quasiment broyé, je ne crois pas qu'on puisse le sauver, de toute façon. Si nous attendons trop longtemps, une infection grave peut se déclarer.

— Je suis d'accord, dit Tom.

— Très bien. Allons-y.

Les deux hommes préparèrent le matériel nécessaire. Ils injectèrent un produit anesthésique. Tom et le médecin travaillaient vite. Ils formaient une équipe parfaite, le praticien étant chargé de l'opération, Tom lui servant d'assistant. Ce n'était pas la première fois que Cara assistait à une amputation et elle se rappelait avoir été surprise qu'on puisse retirer aussi vite un bras ou une jambe. Auparavant, elle avait toujours imaginé qu'il faudrait du temps, pour trancher les muscles et les os, suturer les vaisseaux. Cela devait prendre des heures… mais non, en deux minutes c'était fait.

Bientôt, Pete fut libéré et installé sur un brancard. Les ambulanciers se groupèrent autour de lui pour le stabiliser avant le transport en hélicoptère.

Pendant qu'on l'emportait, Hodge demanda à Charlie de démonter la machine, car il fallait retirer le bras amputé.

Cara regretta de ne pas avoir pu échanger quelques mots avec Tom, mais elle aurait l'occasion de lui parler le soir même.

En frappant à la porte, Tom voulut se convaincre qu'il ne

s'agissait pas d'un rencard. Quelque chose avait changé, mais depuis quand ? En tout cas, ses sentiments pour elle s'étaient affirmés sans qu'il s'en aperçoive. Mais désormais, il en était *conscient*.

Il avait pris soin de s'habiller simplement, comme un homme qui ne se rend pas à un rendez-vous amoureux. Il portait un jean, un T-shirt noir et une chemise de flanelle par-dessus. Il avait réprimé l'envie de passer un peigne dans ses cheveux, avant de partir, comme s'il s'apprêtait juste à rencontrer un pote.

Jusque-là, il n'avait fait du shopping qu'avec Victoria. Il commentait les deux premières tenues, mais ensuite… il faisait de son mieux pour ne pas avoir l'air de s'ennuyer. Si un de ses copains passait, Victoria lui disait de partir, mais une fois à la maison, elle lui faisait une scène.

Ces souvenirs le crispaient. Il aurait dû chérir chaque moment passé avec sa femme. Mais en réalité, ils n'avaient cessé de s'éloigner l'un de l'autre. Le dernier shopping auquel il avait participé s'était terminé par une dispute mémorable, dont il ne se rappelait même pas le motif. Peut-être le travail.

Elle lui avait dit qu'elle avait l'impression d'être une mère célibataire la moitié du temps, et elle avait raison. Il avait rêvé qu'à l'occasion de vacances, ils se rapprocheraient et retrouveraient peut-être l'élan amoureux de leurs débuts.

Mais peut-être n'était-il pas du bois dont les bons maris sont faits, puisqu'il avait gâché une relation aussi parfaite, à l'origine ? Cara méritait un homme capable de se consacrer à elle à cent pour cent. Elle l'avait soutenu, après le décès de Victoria, elle avait été son roc, et il ne voulait pas détruire cette amitié.

Il avait besoin d'elle comme on a besoin d'air pour respirer.

Lorsqu'elle lui ouvrit la porte, il lui sourit et réprima l'envie de la prendre dans ses bras.

Elle était véritablement ravissante, mais elle l'ignorait, ce qui la rendait encore plus adorable. Ses cheveux, habituellement réunis en chignon pour le travail, étaient lâchés sur ses épaules. Le soleil couchant allumait des reflets dorés dans ses boucles et ses yeux bleus brillaient de plaisir à la vue de son ami.

Elle portait un jean bleu clair et moulant, des baskets et un ample T-shirt rouge vif. Jamais Victoria n'aurait mis un haut de cette couleur, mais il seyait à la peau claire de Cara. Lorsqu'elle ferma la porte, le vêtement glissa, révélant une épaule lisse et tonique. Les longues heures passées en salle de sport avaient sculpté ses trapèzes, conférant à sa nuque une courbure gracieuse.

— Tu es prêt ? demanda-t-elle en se tournant vers lui.

— Oui.

Elle fit la grimace, s'attendant visiblement à ce qu'il se mette à rire. Il émit donc un petit gloussement avant de la conduire à sa voiture, luttant contre l'envie de lui ouvrir la portière, comme un gentleman l'aurait fait. Au lieu de cela, il contourna le capot et se glissa derrière le volant, la laissant s'installer seule.

Tandis qu'ils roulaient en direction du centre-ville, la radio diffusa une chanson.

— Je l'adore ! s'exclama Cara.

Après avoir augmenté le volume, elle se mit à chanter.

Elle avait une jolie voix, que Tom adorait écouter. Elle avait aussi une façon de claquer des doigts en se balançant qui lui donnait l'envie de s'arrêter pour la prendre dans ses bras et l'embrasser.

Qu'est-ce qui me prend ? Je n'ai pas le droit d'avoir ce genre de pensées !

Il tâcha de se concentrer sur la circulation, priant pour que la chanson prenne fin très vite. Il trouva une place non loin du centre commercial. Après avoir payé le stationnement, ils déambulèrent parmi les magasins. Tom savait par expérience qu'il n'y en avait que deux qui vendaient le genre de robes recherchées par Cara.

— Entrons d'abord chez Imagine, suggéra-t-il.

Il se rappelait les longues rangées de robes, et il espérait que Cara trouverait rapidement celle qui lui convenait.

— Qu'est-ce que c'est ?

— Une boutique de vêtements haute couture.

— Comment tu la connais ?

— Elle est juste à côté d'un magasin qui vend des articles pour bébés.

— D'accord, dit Cara d'une voix hésitante.

— Tu as l'air nerveuse.

— Parce que je le suis. Et si je suis ridicule ? Je suis musclée, j'ai des épaules larges, des tatouages.

— Tu seras éblouissante, au contraire.

Elle lui décocha un coup de coude.

— Merci pour ton aide. J'apprécie vraiment, tu sais.

— Pas de souci, dit-il en souriant.

En fait, il était inquiet, lui aussi. Que se passerait-il, s'il était un peu plus amoureux à chaque changement de tenue ? Il ne pouvait envisager que l'une d'entre elles ne lui aille pas. Même vêtue d'un sac de pommes de terre, Cara serait toujours magnifique. Qu'elle n'en soit pas consciente était incompréhensible, mais elle était différente des autres femmes. Elle n'avait aucun goût pour le maquillage, n'était jamais allée chez une manucure et négligeait les salons de coiffure.

Elle était *parfaite*.

Quand ils eurent franchi le seul d'Imagine, il se tint à l'écart pendant que Cara examinait les robes suspendues à des rails. Il y en avait de toutes les couleurs, certaines agressant même les yeux. Il en vit une d'un orange fluo.

Cara se tourna vers lui.

— Je ne m'attendais pas à ce qu'il y en ait autant. Comment suis-je censée choisir ?

— Prends-en une qui te plaît au premier regard.

— Je ne sais pas, dit-elle en se mordant la lèvre inférieure.

— Je peux vous aider ?

Une grande femme mince, vêtue d'une jupe bleu marine et d'un chemisier de soie crème s'approchait d'eux. Elle avait des lunettes retenues par une chaîne, autour de son cou, et son parfum était plus qu'envahissant.

— J'ai besoin d'une robe, dit Cara. Pour un bal.

La femme sourit.

— Comme c'est charmant ! Laissez-moi voir… Vous devez faire du 38, je me trompe ?

Cara haussa les épaules.

— C'est possible.

La femme parcourut du regard les rangées de robes.

— Vous voudrez quelque chose comme celle-ci. Ou celle-là.

Sélectionnant deux robes, elle les présenta à Cara, qui se tourna vers Tom pour solliciter une opinion masculine.

Comme il haussait les épaules, la vendeuse suggéra :

— Pourquoi ne pas les essayer ? La cabine est par ici.

Cara disparut et Tom s'assit sur un siège avant de vérifier sur son téléphone qu'il n'avait aucun message de la baby-sitter. Comme il n'y en avait pas, il essaya de se détendre, mais quand le rideau s'écarta, il faillit lâcher l'appareil.

Cette robe bleu nuit, qui ressemblait à n'importe quelle autre lorsqu'elle était suspendue, semblait magique sur Cara. On aurait dit qu'elle était vêtue de ciel. Elle était asymétrique et dénudait une seule épaule. Elle suivait des courbes que Tom n'avait jamais vues, puisque Cara les cachait d'habitude sous son uniforme, ou d'amples T-shirts.

Il tenta de rassembler ses idées en la parcourant du regard comme s'il cherchait que dire. Il l'aurait bien couverte de compliments, mais il ne voulait pas qu'elle réalise à quel point il était ébloui.

— Tu es ravissante, dit-il seulement.

Elle se regarda dans le miroir.

— Je ne sais pas… J'aime la couleur.

Le bleu mettait en valeur sa peau claire et lorsqu'elle poussa sur le côté la masse de ses cheveux pour regarder son dos, Tom put alors admirer la ligne de la nuque et les muscles qui jouaient sous la peau.

Elle avait une taille fine, des hanches rondes qui attiraient le regard.

— Je crois que je vais essayer l'autre, dit-elle. Qu'est-ce que tu en penses ?

Il toussota.

— Bien sûr.

Il retint son souffle tandis qu'elle retournait dans la cabine.

Que m'arrive-t-il ?

C'était Cara. Cara ! Elle était juste une amie et elle ne pouvait être rien d'autre pour lui. Après sa rupture avec Léo, elle avait juré en avoir fini avec les hommes. Les vaines tentatives de Reed ne lui rappelaient-elles pas chaque jour à quel point ils pouvaient être idiots ? Qu'il valait mieux ne pas perdre de temps avec eux ? Ne répétait-elle pas qu'elle préférait rester célibataire ?

Ça finirait bien par lui passer, inutile de s'inquiéter.

La robe suivante était en soie ivoire et transformait Cara en déesse grecque. Une fois de plus, une boule se forma dans la gorge de Tom lorsqu'il vit que le drapé mettait en valeur ses seins, sa taille et la courbe de ses hanches.

— Je ne peux pas la prendre, déclara Cara. C'est quasiment indécent.

Elle croisa les bras sur sa poitrine. Il était clairement impossible de porter un soutien-gorge sous cette robe. Toute l'attention de Tom se fixait sur ses mamelons, qui appelaient à la caresse.

— Oui… C'est un peu… révélateur.

Lorsqu'elle retourna dans la cabine, il laissa échapper l'air qui emplissait ses poumons. Il se mit ensuite à arpenter la boutique de long en large, s'efforçant de relâcher la tension qui s'était installée dans la partie inférieure de son corps.

Jamais les essayages de Victoria ne lui avaient fait cet effet.

Lorsque Cara réapparut en jean et T-shirt, il ressentit un soulagement intense.

— On devrait peut-être aller ailleurs ? suggéra-t-elle.

— Bien sûr. Il y a une autre boutique un peu plus loin.

La vendeuse ne cessa pas de sourire, pendant qu'ils sortaient. L'air frais et le vent qui se levait firent du bien à Tom. Il faisait plutôt chaud, dans cette boutique, qui portait bien son nom… car son esprit avait bien imaginé toutes sortes de scénarios.

Le magasin suivant était plus petit, mais la vendeuse qui les accueillit était également très serviable. La première robe était aussi rouge qu'un camion de pompiers, ce qui plut à Cara, mais elle trouva que la coupe accentuait la largeur de ses épaules. La couleur vert algue de la deuxième se muait en bleu méditerranéen au niveau du cou, mais Cara estima qu'elle semblait sortie d'un conte de fées. La troisième, d'un noir irisé, moulait son corps à la façon d'une nappe de pétrole.

La robe était fendue jusqu'à la cuisse…

— Qu'est-ce que tu en penses ? demanda Cara en tournant sur elle-même.

Tom pinça les lèvres, se demandant ce qu'il avait fait au bon Dieu pour être maltraité de la sorte.

Cara rassembla les pans de tissu.

— C'est trop révélateur, hein ? dit-elle en rougissant. Je vais en changer.

— Non, c'est… hum… très joli.

Joli ?

Ne pouvait-il pas trouver un autre adjectif ? Cara était plus que jolie, dans ces robes.

— J'ai l'impression d'être nue, dit Cara en se tournant vers la vendeuse. Est-ce que vous auriez un modèle qui ne découvre pas quatre-vingt-dix pour cent de ma peau ?

— Laissez-moi réfléchir…

La vendeuse claqua des doigts.

— J'ai peut-être quelque chose, dans l'arrière-boutique. Excusez-moi une minute.

Cara hocha la tête, sans cesser de rapprocher les pans de la robe. Tom aurait souhaité boire quelque chose, tant il avait la bouche sèche. Cara n'était pas très grande, mais cette robe fendue donnait l'impression que ses belles jambes musclées étaient plus longues qu'un jour sans fin.

Quand la vendeuse revint avec une robe cachée sous une housse, il pria le ciel pour que celle-ci ne lui donne pas l'envie folle de kidnapper sa meilleure amie.

Tout en attendant que Cara sorte de la cabine, il tapait du pied sur le sol à un rythme effréné. Quand elle apparut enfin, il se leva et ne put s'empêcher de sourire tant elle semblait heureuse. Il devina qu'elle avait trouvé la tenue de ses rêves.

C'était une robe à manches longues, au décolleté modeste, taillée dans un tissu doré. Elle ne dévoilait pas la naissance des seins et elle n'était pas fendue, mais elle était ornée de paillettes et de sequins.

Cara avait tout d'une étoile rayonnante !

— Tu es… splendide, avoua Tom, le souffle coupé.

Le compliment la fit rougir.

— Tu crois ?

Elle tourna sur elle-même et Tom vit que son dos était complètement dénudé jusqu'au sommet de ses fesses. Il n'avait jamais rien vu de plus érotique et son corps réagit aussitôt.

Il se rassit maladroitement.

— C'est grandiose. Et toi, qu'est-ce que tu en penses ?

Il toussota, espérant reprendre le contrôle de son corps.

— J'aime bien, mais tu ne penses pas qu'elle est trop décolletée dans le dos ?

Elle se retourna de nouveau, lui offrant la vision d'une peau parfaite et d'une taille fine.

— Non.

— Et le prix est raisonnable, dit Cara.

Elle se contempla un instant dans le miroir avant de se tourner vers la vendeuse.

— Je la prends.

— Sur vous, elle est fabuleuse ! s'exclama la femme.

Tom sourit, mais il réfléchissait à toute vitesse.

Très bien. Donc elle va porter cette robe. Garde tes mains à leur place. Et pendant la réception, tu n'es pas obligé de rester auprès d'elle. Tu joueras ton rôle, tu empêcheras qu'on lui fasse des avances et tu l'inviteras à danser une seule fois. Ça ne durera que deux minutes, tout au plus. Ensuite, tu la ramèneras chez elle, tu l'embrasseras sur la joue, tu lui souhaiteras bonne nuit et ce sera terminé. Trop facile !

Ensuite, tout redeviendrait normal et le souvenir de cette robe finirait par s'effacer de sa mémoire. Ils seraient seulement amis.

C'était ce qu'il voulait. Il n'avait aucune envie de s'engager dans une nouvelle relation. Pas vraiment. C'était horrible, de perdre quelqu'un, et il ne voulait pas perdre Cara, si cela tournait mal.

Il était capable de bien se comporter, en gentleman.

Et c'était ce que Cara méritait.

5.

Cara avait un jour de congé et elle était bien décidée à en profiter pour s'acquitter de toutes les corvées qu'elle avait négligées. Elle devait réparer une porte de placard et remplacer un tuyau, sous l'évier.

Elle utilisa une application de son smartphone pour travailler en musique, puis elle commença à rassembler le matériel dont elle aurait besoin.

Tout en s'affairant, elle pensait à cette soirée shopping, avec Tom. Chaque fois qu'elle avait essayé une nouvelle robe, elle s'était sentie nue devant lui, et elle avait éprouvé des sensations incroyables. À une ou deux reprises, elle avait failli ne pas sortir de la cabine, mais elle s'était forcée, curieuse de connaître sa réaction. Il était son ami, mais c'était aussi un mâle au sang chaud et quelques-unes de ces tenues étaient... osées.

Il avait paru embarrassé, comme s'il ne savait pas où poser les yeux. Il était clair qu'il la trouvait ridicule, dans ces robes délicieusement féminines. Elles auraient mieux convenu à Victoria, avec ses longues jambes et son ventre plat.

Elle-même n'avait rien de girly.

J'étais bien naïve, si je croyais que Tom me trouverait séduisante.

Elle n'avait jamais joué de ses atouts féminins. Elle n'avait pas besoin que les hommes la regardent. Tom était le seul qui était important, le seul qui comptait. Et elle voulait savoir ce qu'il pensait de ces robes dans lesquelles elle se sentait si mal à l'aise.

Sauf la dernière, la dorée. Elle dissimulait ce qu'il fallait : les épaules que Cara trouvait trop larges, les bras un peu trop musclés, les seins trop petits et les cuisses d'athlète.

Elle s'était sentie relativement confiante, dans cette robe. La réception allait être suffisamment pénible, avec son père toujours aussi intrusif, son faux fiancé et le souvenir de sa mère, dont on célébrait la mort, en quelque sorte.

Il lui fallait au moins une robe qui l'aide à se sentir bien.

Cara aurait adoré que Tom soit vraiment son petit ami. Quand ils arriveraient ensemble, en tant que couple, ils causeraient une certaine surprise parmi ses collègues pompiers. Elle leur expliquerait tout plus tard, mais pendant quelques heures elle serait heureuse.

Ils marcheraient peut-être main dans la main ? Ce serait génial. Elle savait que Tom serait attentif. Il entourerait sa taille d'un bras, la main posée sur sa hanche, leurs deux corps pressés l'un contre l'autre. C'était ce qui lui permettrait de supporter cette soirée, mais son cœur battrait sans doute à cent à l'heure.

Ensuite, Tom la reconduirait chez elle, il la raccompagnerait jusqu'à sa porte et il déposerait un baiser sur sa joue avant de lui dire au revoir. Elle réprimerait l'envie de l'inviter à entrer pour boire un café…

Je ne peux pas l'obliger à m'aimer, ou faire en sorte qu'il me regarde autrement.

En outre, il fallait penser à Gage. Elle l'aimait de tout son cœur, mais il avait déjà vécu une terrible épreuve et elle savait bien qu'elle ne pourrait jamais remplacer sa mère. Tom n'était pas le genre d'homme à s'engager à la légère.

Pourrait-elle en parler avec lui ? Lui demander gentiment s'il pourrait envisager de sortir encore avec elle ?

Et si un jour, il en choisissait une autre ? Ce serait horrible !

Le tuyau tomba et elle fut aspergée. Elle le remplaça, puis elle le fixa, s'assurant qu'il n'y aurait pas de fuites.

Le résultat était plus que satisfaisant.

Si seulement elle avait été aussi performante dans sa vie amoureuse !

— Son coude est luxé, annonça Tom au père de la petite fille blottie dans ses bras.

Sa patiente n'avait que deux ans et l'accident était arrivé quand son père l'avait fait tourner autour de lui en la tenant par les mains.

— C'est ma faute, dit le père. Je me sens tellement coupable ! On va devoir l'hospitaliser ?

Tom secoua la tête.

— Non. Je peux faire la manipulation ici. C'est d'habitude assez facile mais quand je vais remettre son coude en place, il se peut qu'elle pleure pendant un moment. D'accord, Lacey ? Je vais réparer ton bras.

L'enfant se serra contre son père. C'était normal. Tom était un étranger, pour elle. Il remonta la manche de la petite fille, puis il tint son coude dans sa main droite afin de savoir quand l'os reprendrait sa position normale. Ensuite, il prit la main de l'enfant dans sa main gauche et la tourna vers le plafond. Enfin, il tira sur son bras et sentit le claquement signalant la remise en place du coude.

Lacey se mit à pleurer, mais quand Tom lui offrit un abaisse-langue, elle utilisa son bras gauche pour la première fois depuis la luxation.

— Tu vois ? dit Tom. C'est réparé.

— C'est extraordinaire ! s'exclama le père. Je ne sais comment vous remercier. J'ai vraiment cru que je lui avais brisé le bras.

— Si j'ai pu soulager votre culpabilité, tant mieux ! Alors, ma chérie, peut-être que ton papa va t'offrir quelque chose de bon pour te récompenser d'avoir été aussi courageuse.

— Une glace ! dit Lacey en levant les yeux vers son père.

Tom se mit à rire, juste au moment où la sonnerie de son téléphone retentit. Dès qu'il l'eut sorti de sa poche, il fronça les sourcils. L'appel venait du jardin d'enfants.

— Excusez-moi, il faut que je décroche.

Il sortit dans le couloir.

— Allô ?

— Vous êtes le papa de Gage ?

— En effet.

— Je suis désolée de vous déranger. Ici Fiona Goddard, du

jardin d'enfants Tournesol. Votre fils ne se sent pas très bien. Vous pourriez venir le chercher ?

— Je travaille, malheureusement.

— Je comprends, mais nous ne pouvons pas le garder. Un membre de votre famille pourrait vous remplacer ?

Tom réfléchit à toute vitesse. Qui pouvait-il appeler ? Avec qui Gage se sentirait-il le mieux ? La réponse était évidente.

— Il faut que j'en parle à une amie, ensuite je vous rappelle.

— Très bien.

Après avoir raccroché, il forma le numéro de Cara. Lorsqu'elle répondit, il entendit de la musique en arrière-fond.

— Salut ! C'est moi. Où est-ce que tu es ? Dans une discothèque ?

— Pas tout à fait. On est en 1986, ici. Je suis en train de réparer un placard. Qu'est-ce que je peux faire pour toi ?

Tom laissa échapper un soupir.

— Je suis désolé de t'imposer une corvée, mais le jardin d'enfants vient de me prévenir que Gage ne se sent pas bien. On me demande d'aller le chercher, mais…

— J'y vais tout de suite et je le ramène chez toi. Il y a toujours une clé cachée sous un pot de fleurs ?

— Oui… et merci ! Je sais que c'est ton jour de congé.

— J'ai presque terminé mon bricolage et ensuite je comptais regarder un film. Je pourrai le faire avec Gage. Qu'est-ce qui ne va pas ?

— Il a mal au ventre.

— Je peux gérer ça, pas de souci.

— Merci, Cara. Je ne sais pas ce que je ferais sans toi.

Il y eut un bref silence.

— Tu te débrouillerais très bien.

— J'en doute.

C'était sincère. Il pensait vraiment que sans Cara, il serait encore plongé dans le chagrin et la culpabilité. Elle éclairait ses journées, elle parvenait à le persuader qu'il pouvait tout faire à condition d'y croire. Et bientôt, il allait être son cavalier à un bal. Bien sûr, ce ne serait qu'un rôle, mais il avait hâte de la revoir dans cette robe.

— En tout cas, Gage et moi, ça va le faire. Tu préviens le jardin d'enfants ?

— Bien sûr.

— À plus tard.

Cara raccrocha et Tom fixa un instant son téléphone avant d'appeler le jardin d'enfants. Lorsqu'il remit l'appareil dans sa poche, il retourna dans la salle de séjour et sourit à Lacey et à son père. La petite fille était assise par terre et jouait avec un chat en peluche.

— Vous êtes un magicien, dit le père.

Mais Tom ne le pensait pas. La seule magicienne, c'était Cara. Grâce à elle, il souriait, il riait de nouveau. Après la mort de Victoria, il avait cru que cela ne lui arriverait plus jamais.

Cara installa Gage sur le canapé de la salle de séjour, puis elle s'agenouilla devant lui, un large sourire aux lèvres.

— OK, opération mal de ventre. De quoi parlons-nous, exactement ? Est-ce que ça fait juste un peu mal, ou est-ce qu'on a besoin d'une bassine ?

Le petit garçon sourit.

— Ça fait juste mal.

— Montre-moi où.

Il pointa le milieu de son ventre.

— OK. Je pense que je vais devoir opérer. Allonge-toi et sois courageux, je vais faire vite.

Gage obéit en gloussant. Cara glissa un oreiller derrière sa tête, puis elle prit un couvre-lit en crochet plein de trous et recouvrit le petit corps.

— Tu veux que j'allume la télé ?

Il hocha la tête.

— Qu'est-ce que tu as envie de voir ? Un débat politique ? Les informations ?

— Des dessins animés.

— Je crois que je peux arranger ça.

Cara braqua la télécommande vers l'écran, puis elle rechercha la chaîne qui diffusait des dessins animés toute la journée.

— Pas plus de trois, dit-elle. Ensuite je te lirai une histoire et tu pourras peut-être dormir, d'accord ?

— D'accord.

— Tu veux boire quelque chose ?

— Du lait !

— Avec un mal de ventre ? Qu'est-ce que tu dirais d'un jus de fruits ?

— D'accord.

Posant la main sur le front de l'enfant, Cara constata qu'il ne devait pas avoir de fièvre.

— Tu regardes la télé pendant que je vais préparer ta boisson, ensuite je reviendrai m'asseoir près de toi. Ça te va ?

Le petit garçon hocha la tête. Cara lui ébouriffa les cheveux avant de se rendre dans la cuisine. Elle fut bientôt de retour et regarda avec lui un dessin animé qu'elle fit semblant d'adorer. Ses yeux se posèrent sur une photographie de Victoria, posée sur la cheminée. Elles s'étaient liées d'amitié, même si cela n'avait pas duré longtemps. Qu'aurait-elle pensé si elle avait connu les sentiments secrets de Cara pour son mari ? Ses fantasmes ? Elle aurait été horrifiée, bien sûr. Elle se serait sentie trahie.

Je n'ai pas le droit !

Elle but son thé et à la fin du troisième dessin animé, elle éteignit la télévision.

— Non ! s'écria Gage.

— C'est l'heure de l'histoire, jeune homme. Je ne veux pas que tu aies les yeux carrés, à force de regarder la télé.

Gage porta la main à son visage.

— J'ai pas les yeux carrés !

Cara se mit à rire.

— C'est juste une façon de parler. Ils ne vont pas changer de forme.

— Ça serait drôle.

— Sûrement.

Il y avait une petite pile de livres pour enfants sur la table basse. Cara les prit et les présenta au petit garçon à la façon d'un jeu de cartes.

— Choisis !

Pinçant les lèvres, Gage désigna un livre.

— Excellent choix, monsieur.

Elle reposa les autres livres, puis elle s'installa sur le canapé et tira le couvre-lit sur ses jambes avant de commencer à lire. Gage l'écoutait avec attention, mais peu à peu ses paupières s'alourdirent et il s'endormit au bout de trois pages.

Cara ferma le livre en souriant, puis elle s'étendit près de lui et le regarda dormir, songeant combien ce serait merveilleux d'avoir sa propre petite famille. Que n'aurait-elle donné pour avoir un petit garçon comme Gage ?

La chaleur du couvre-lit et la douceur du canapé eurent raison d'elle, elle sentit qu'elle sombrait à son tour dans le sommeil et le livre glissa sur le sol.

Le service de Tom se termina à midi. Il avait commencé à 7 heures, mais quand il avertit le Contrôle que son fils était malade, on l'autorisa à rentrer chez lui plus tôt. On savait qu'il était père célibataire et la direction se montrait accommodante en cas d'ennui.

Ne sachant si Gage était endormi, il ouvrit doucement la porte d'entrée. La maison était silencieuse. Réprimant l'envie d'appeler, il enleva ses chaussures et gagna la salle de séjour sur la pointe des pieds.

Sur le seuil de la pièce, il fut submergé par un sentiment d'adoration. Cara et Gage dormaient sur le canapé, recouverts par la couverture en loques que Victoria avait confectionnée dans le but d'apprendre quelque chose de nouveau. Il y avait des trous de toutes tailles, les couleurs étaient mal assorties, mais elle l'avait fait avec amour et après sa mort, il n'avait pas eu le cœur de le jeter.

Il resta immobile pendant un moment, couvant la femme et l'enfant d'un regard adorateur, puis il sortit son téléphone de sa poche et prit une photo.

Le déclic réveilla Cara. Battant des paupières, elle se redressa, une partie de sa chevelure aplatie par le coussin sur lequel elle avait posé sa tête. À la vue de Tom, elle rougit, puis elle baissa les yeux vers Gage.

— Seigneur ! Je suis désolée, j'ai dû m'endormir.

— En effet, chuchota Tom avec un sourire en tournant l'écran vers elle pour qu'elle puisse voir la photo.

— Je devais être plus fatiguée que je ne croyais ! Je ressemble vraiment à ça, quand je dors ?

— Apparemment.

— J'espère que je ne bave pas.

Tom activa le zoom pour examiner la photo.

— Pas de bave. Comment va le patient ?

— Bien. Il a juste mal au ventre, mais pas de fièvre ou de vomissements. Il n'a pas rendu son jus de fruit et… j'allais voir s'il voulait déjeuner.

— Je vais m'en occuper. Tu peux partir et profiter de ce qui te reste de congé.

— Ce n'est pas un souci. J'étais très bien, ici.

— C'est ce que j'ai vu. Je vais le mettre au lit, donne-moi une minute.

Il souleva délicatement son fils, qui ne se réveilla pas, sauf qu'il se blottit contre la poitrine de son père pendant que Tom grimpait l'escalier.

— Coucou, papa, marmonna-t-il.

— Bonjour, toi. Comment te sens-tu ?

— Bien.

— C'est parce que tu avais une bonne infirmière pour veiller sur toi.

Gage sourit.

— Elle peut rester ?

Tom éprouva une petite douleur, mais il était presque parvenu sur le palier et il pouvait chuchoter sans être entendu de Cara.

— Pas aujourd'hui.

— Tu pourrais lui demander si elle veut bien faire une soirée pyjama.

— Peut-être.

— C'est pas grave, si c'est pas encore la nuit. La semaine dernière, au jardin d'enfants, on a fait semblant d'en faire une. On a raconté des histoires et bu du chocolat chaud.

— Ça devait être bien.

— Elle peut dormir dans mon lit, avec moi.

Tom sourit, appréciant l'innocence d'un petit garçon de trois ans.

— Peut-être, quand tu iras mieux.

— Et on pourrait soigner Cara, quand elle a mal au ventre.

— Absolument.

— Avec toi, les gens se sentent tout le temps mieux, papa.

Tom coucha son fils et tira la couette sur lui.

— Repose-toi et je t'apporterai quelque chose à manger. Qu'est-ce que tu aimerais ?

— Un hot-dog.

— Commençons par quelque chose de plus simple, d'accord ? Qu'est-ce que tu dirais d'une délicieuse tartine grillée et beurrée ?

Le petit garçon acquiesça d'un signe de tête.

— Parfait. Je reviens vite.

Au rez-de-chaussée, Tom trouva Cara en train de plier la couverture crochetée avant de la poser sur le canapé.

— Je me souviens de Victoria, quand elle la confectionnait, dit-elle.

— Moi aussi.

— Elle n'arrêtait pas de jurer, ajouta Cara avec un sourire.

— Victoria n'était pas très douée, pour fabriquer des choses… Sauf Gage, qui est parfait.

— Tu y es aussi pour quelque chose.

— Je vais lui faire des toasts. Tu restes déjeuner ?

Tom se sentit nerveux à l'idée qu'elle refuse… et à l'idée qu'elle accepte.

— Très volontiers.

Le lendemain, Cara était depuis quatre heures à la caserne, quand un appel les avertit qu'une cycliste avait été renversée par un bus. Immédiatement, les membres de l'équipe enfilèrent leurs tenues et grimpèrent dans le camion. Toutes sirènes hurlantes, Reed, qui conduisait, se dirigea vers le lieu de l'accident.

C'était une rue très fréquentée et la circulation était à l'arrêt. Reed klaxonnait pour inciter les gens à s'écarter. Dès qu'ils furent au plus près, Cara bondit hors du véhicule. Dans le lointain, elle entendait les sirènes de la police et des ambulances qui se frayaient un chemin dans le trafic.

Hodge parvint le premier devant le bus, qui se trouvait à quelques mètres de son dernier arrêt. La collision avec la cycliste avait dû se produire juste après que le dernier passager était monté. Mais… où était la victime ?

Cara se mit à quatre pattes et vit un corps sous le bus. La roue avant reposait à demi sur la jambe de la femme, qui pleurait doucement.

— Il faut stabiliser le bus ! cria-t-elle.

À plat ventre, elle essaya d'établir un contact visuel avec la cycliste, qui était hors d'atteinte.

Tom arriva au moment où les pompiers installaient des cales de roues pour stabiliser le véhicule.

— Qu'est-ce qu'on a ? demanda-t-il.

— D'après ce que je vois, elle a une jambe coincée, mais j'ignore si la roue est d'abord passée sur la poitrine ou le bassin.

— Elle est consciente ?

— Oui. On va devoir utiliser un dispositif de gonflage pour soulever le bus. Ensuite, on pourra la libérer.

— D'accord. Je vais préparer les antalgiques à injecter.

Cara reporta son attention sur la cycliste.

— On va bientôt vous sortir de là. Comment vous appelez-vous, ma chérie ?

— Penny.

— D'accord, Penny. Concentrez-vous sur moi. Il va y avoir de l'agitation autour de vous, mais ça ne doit pas vous inquiéter. Continuez simplement de me parler. Où avez-vous le plus mal ?

— Je… je ne sais pas. Mon estomac…

Cela ne présageait rien de bon.

— Vous sentez vos jambes ?

Penny se tut, puis elle secoua la tête, terrifiée.

— Non !

— D'accord. J'ai besoin que vous restiez calme. Ce n'est peut-être qu'un choc spinal. Nous ne le saurons que lorsque vous serez à l'hôpital, alors restez positive.

Penny renifla.

— D'accord.

— Où alliez-vous aujourd'hui, Penny ?

— À la banque et à la poste.

— Régler des factures, ou sortir de l'argent ?

— En sortir pour les vacances.

— Super ! Quelle destination ?

Pendant que Cara distrayait Penny, le reste de l'équipe installait le système de gonflage.

— En Crète. J'ai de la famille, là-bas.

— Vos parents ?

— Oui. La dernière fois que je les ai vus, c'était avant la pandémie. J'ai fait des économies pour me payer le voyage. Vous pensez que je pourrai y aller ?

— Peut-être pas demain, mais on va dire oui… vous pourrez vous rendre en Crète.

Penny fixa un instant Cara.

— Comment vous appelez-vous ?

— Cara.

— C'est un joli prénom. J'ai connu une Cara, à l'école. À l'internat Monroe.

Cara fronça les sourcils… elle avait fréquenté cet établissement. Était-ce… ?

— Penelope Moorcroft ?

Penny battit des paupières.

— Cara Maddox, la lady ?

— C'est moi, affirma Cara avec un sourire.

— Mais… Tu es… pompière ?

— C'est ça. Je ne m'attendais pas à te revoir de cette façon.

— Tu étais tellement gentille. Je me rappelle que j'avais très peur, le premier jour, et tu m'as emmenée à l'infirmerie parce que j'avais une migraine.

— On dirait que je vais encore devoir te confier au personnel médical. On devrait arrêter de se rencontrer de cette façon.

Penny émit un petit rire.

— Peut-être. Pourquoi je ne sens plus mes jambes, Cara ?

— Les médecins le diront quand ils t'auront examinée, répondit Cara le plus calmement possible.

— Est-ce que je vais mourir ? J'ai de plus en plus froid.

— Elle est en état de choc, murmura Tom. Il faut qu'on la sorte très vite.

— Je sais.

— Pourquoi vous chuchotez ? demanda Penny.

— Ce n'est pas ce qu'on fait. On cherche juste le moyen de te libérer le plus rapidement possible.

— Dans l'idéal, il faudrait lui injecter les antalgiques avant que vous souleviez le bus, dit Tom. Vous l'avez sécurisé, donc il ne peut plus bouger.

— Tom...

— Elle va souffrir comme une damnée, lorsqu'elle sera soulagée de ce poids. On risque même un syndrome des loges. Toutes les toxines afflueront vers son cœur, ce qui causera un arrêt cardiaque. Il faut que je me glisse près d'elle.

— Je ne peux pas te laisser prendre ce risque, Tom.

— Je ne risque rien, affirma-t-il avec un sourire. Pas avec la Garde verte veillant sur moi.

— Je dois en parler à Hodge. Penny ? Je reviens dans une minute.

Mais à peine eut-elle tourné le dos, Cara décela un mouvement du coin de l'œil. Pivotant sur elle-même, elle vit les bottes de Tom qui dépassait de dessous le bus, tandis qu'il traînait son sac derrière lui.

— Tom !

Elle n'arrivait pas à croire qu'il ait fait ça. C'était dangereux et si quelqu'un avait dû s'introduire sous le bus, c'était elle. À l'idée qu'il pouvait lui arriver quelque chose, elle eut la nausée et des gouttes de sueur ruisselèrent le long de son dos.

— Hodge ! Tom est sous le bus !

Aussitôt, Hodge se mit à quatre pattes.

— À quoi jouez-vous, Tom ?

— Je garde ma patiente en vie et sans douleur.

De nouveau, Cara se mit à plat ventre pour voir ce qui se passait, mais Tom lui bloquait la vue de Penny.

— Quand tu auras fait cette injection, tu reviens tout de suite ! Tu m'entends, Tom Roker ?

— Oui, madame.

Cara jura intérieurement, puis elle se tourna vers Reed, Garret et David Garcia qui pointaient tous leurs pouces vers le ciel. Ils étaient prêts à actionner le dispositif de gonflage.

— Tu as terminé, Tom ?

— Presque… c'est bon, je reviens.

Le rythme cardiaque de Cara se calma à mesure que Tom réapparaissait sain et sauf de dessous le bus. Son uniforme était souillé par l'huile, sale et froissé, mais il adressa à Cara un sourire qui apaisa sa colère l'espace d'un instant. Il était en sécurité, c'était tout ce qui comptait.

— Penny ? dit-elle. On va soulever le bus, maintenant. Tu n'en as plus que pour quelques secondes.

— Elle ne te répondra pas. Je lui ai administré de la kétamine, si bien qu'elle est shootée.

— Très bien, dit Hodge. Libérons cette pauvre jeune femme, ajouta-t-il en adressant un signe à ses hommes.

Cela sembla prendre des siècles, mais un instant plus tard, les jambes de Penny furent dégagées. Tom, Hodge et Cara la sortirent de son piège, puis Tom commença les premiers soins avec d'autres ambulanciers surgis de nulle part et un médecin arrivé en hélicoptère, à en juger par sa tenue orange.

Ensuite, les pompiers firent redescendre le bus. Les policiers avaient établi un cordon de sécurité et bloquaient la voie. Tom et les autres installèrent Penny sur une planche dorsale, puis ils l'emportèrent jusqu'à une ambulance pour qu'elle soit au chaud pendant que le médecin l'examinerait.

Cara regardait les roues géantes du bus et imaginait leur poids sur un bassin ou une colonne vertébrale. Si Penny avait beaucoup de chance, les séquelles ne seraient pas trop lourdes. Le plus probable était qu'elle allait subir de nombreuses opérations et des séances de rééducation durant les mois à venir.

Quand l'hélicoptère s'éleva dans l'air avec la patiente à bord, Cara rejoignit Tom. Lui prenant le bras, elle l'obligea à se tourner vers elle.

— Ne me fais plus *jamais* ça.

6.

Tom n'avait jamais vu une telle colère dans les yeux de Cara. Elle avait été furieuse contre lui. Depuis qu'il la connaissait, elle avait toujours été calme, drôle, heureuse, attentive et affectueuse.

Mais de la colère ? De la *peur* ?

Il avait tenté de s'excuser, mais en réalité, il ne regrettait rien. S'il n'avait pas agi de cette façon, Penny aurait horriblement souffert pendant que les pompiers soulevaient le bus.

Une fois qu'elle avait été libérée, le personnel médical avait découvert qu'elle souffrait d'une fracture instable du bassin, ses deux fémurs étaient brisés et on soupçonnait une fracture de la colonne vertébrale, dans la partie inférieure.

Comme elle était engourdie par les antalgiques, tout s'était bien passé, et c'était parce qu'il s'était glissé sous le bus.

C'était sans danger, puisque le véhicule était stabilisé, c'est pourquoi la réaction de Cara l'avait déconcerté. Était-ce celle d'une amie, ou bien fallait-il y voir autre chose ?

Maintenant, ils roulaient de nouveau en direction du centre commercial. Il devait aider Cara à trouver les chaussures qui iraient avec sa robe dorée, mais elle demeurait silencieuse. Ce silence était gênant et il ne savait pas trop comment le gérer. Il ne voulait pas empirer les choses, mais il supportait mal de ne pas pouvoir lui parler.

— Si je comprends bien, dit-il, on ne s'adresse plus la parole ?

Cara soupira.

— On peut, à condition que tu admettes avoir été imprudent.

— Je ne crois pas que ce soit vrai.

Elle le foudroya du regard.

— Silence de rigueur, alors.

— Je suis désolé si je t'ai effrayée, ce n'était pas mon intention.

— Nous n'avions pas la confirmation que le bus était stable, Tom ! S'il était retombé sur toi ? Tu pouvais être gravement blessé. Que deviendrait Gage, sans son père ?

Tom entendait bien ce qu'elle disait, mais il entendait aussi ce qu'elle ne disait pas *à voix haute*. Clairement, elle aurait été affectée, elle aussi. Et si c'était le cas, qu'est-ce que cela voulait dire ? Peut-être qu'elle avait pour lui des sentiments plus forts qu'une simple amitié, et alors…

Non. Il était ridicule. Elle s'inquiétait certainement à l'idée qu'elle aurait dû lui porter secours, et ensuite prendre Gage en charge.

Il réfléchit un instant aux moyens d'alléger l'atmosphère.

— Eh bien, nous n'avons ni l'un ni l'autre une grande expérience des boutiques de chaussures, mais ce devrait être amusant.

— Tu peux me déposer, si tu veux. J'irai seule.

— Je t'en prie, Cara, j'essaie de te dire que je suis désolé, là.

Elle se tourna vers lui.

— J'ai eu la peur de ma vie, Tom. Je me suis sentie impuissante. Je savais que s'il t'arrivait quelque chose, je serais incapable de te protéger.

Il ne s'était pas trompé. Elle craignait juste d'avoir à sauver deux personnes, au lieu d'une. Cela ne signifiait pas qu'elle avait des sentiments pour lui. Cette constatation l'attrista.

— Tout s'est bien passé.

— Heureusement. Est-ce qu'on ne vous apprend pas, à vous autres ambulanciers, qu'on ne se précipite pas vers un patient sans vérifier auparavant que le site est sans danger ?

— Il l'était, puisque vous aviez stabilisé le bus.

— Mais il fallait que Hodge le confirme. Il était responsable de la sécurité de toutes les personnes présentes… pas toi.

— J'ai compris… et je suis désolé de t'avoir effrayée.

Il appréciait quand même qu'elle s'inquiète pour lui, même en tant qu'amie. Ce n'était pas ce qu'il voulait, mais elle restait sa meilleure amie.

Tendant le bras, il posa sa main sur celle de Cara. Sa peau était douce et chaude.

— Pardonne-moi, dit-il. Je te promets de ne plus jamais te mettre dans cette situation.

— Et tu attendras que je te dise que quelque chose est sûr avant d'enfourcher ton cheval blanc ?

— J'attendrai.

Elle eut un petit sourire.

— Tant mieux. Je déteste être en colère contre toi.

— Moi aussi.

Il continua de conduire sans lui lâcher la main, heureux du plaisir qu'il en tirait et tâchant de ne rien en déduire. S'il avait pu tenir la main de Cara pour toujours, il l'aurait fait, mais il semblait qu'ils étaient voués à n'être qu'amis.

— Comment va Gage, aujourd'hui ? demanda Cara.

— Très bien, heureusement. Il est retourné au jardin d'enfants.

— Je suis contente.

— Il voulait savoir si tu pourrais lui apprendre à jongler avec le ballon sans qu'il touche le sol, comme un vrai footballeur.

— Tu ne peux pas lui montrer ?

— Je ne sais pas le faire, et il a besoin de la meilleure coach.

— Dis-lui que je viendrai ce week-end, répondit Cara en riant.

En approchant du centre, Tom dut lâcher la main de Cara pour effectuer quelques manœuvres. Soudain, la sienne lui parut tellement vide qu'il eut envie de reprendre celle de Cara. Mais il savait que c'était le geste d'un petit ami, ce qu'il n'était pas.

L'instant magique était passé.

La première boutique dans laquelle ils entrèrent proposait toute une gamme de chaussures de sport. Cara resta en admiration devant des baskets noires, ornées d'une bande vert néon au niveau du talon.

Tom l'arracha à sa contemplation.

— On est là pour trouver quelque chose qui aille avec ta robe !

Elle se laissa guider à regret jusqu'à la partie du magasin où se trouvaient les escarpins. Cara les regarda, complètement perdue.

Qu'était-elle censée faire ? Devait-elle choisir des chaussures dorées pour aller avec une robe dorée ? Ou une couleur neutre était-elle préférable ?

— Comme fille, je ne vaux rien, gémit-elle.

— Tu es parfaite, répliqua Tom en riant.

Elle prit des sandales roses.

— Tu les trouves bien ?

— Elles ne vont pas avec ta robe. Je te conseille plutôt celles-ci, répondit-il en prenant une paire de hauts talons dorés.

— Comment suis-je censée marcher, perchée là-dessus ?

— Gracieusement.

Cara se mit à rire.

— Tu m'as déjà vue en talons hauts ?

— Non.

— Il y a une bonne raison à cela. Je ressemble à un bambin qui vient d'enfiler les chaussures de sa mère. Soit je serai ridicule, soit je me casserai la figure. Si j'enfile celles-ci, je me briserai les chevilles.

— Essaie-les.

Laissant échapper un long soupir, Cara s'assit sur un tabouret, puis elle ôta une basket, une socquette, et mit un escarpin à la place. Elle se demanda si elle aurait dû se vernir les ongles… Tom pensait-il qu'elle avait des pieds affreux ?

Elle était contente qu'ils se parlent de nouveau. Être en colère contre lui avait été pénible !

Après avoir bouclé la lanière, elle se leva et tenta de marcher. Mais comme elle avait gardé une basket, elle se retrouva complètement déséquilibrée, si bien qu'elle se rassit pour enfiler l'autre escarpin. Elle pouvait à peine marcher. Elle vacillait tellement qu'elle dut s'agripper à une étagère.

— Waouh ! s'écria Tom. Ça va ?

— C'est comme de réapprendre à marcher.

Ces chaussures étaient belles, élégantes, stylées… Elle aurait juste souhaité qu'elles ne soient pas si hautes. Elle fit un pas, puis un autre et chancela.

Tom lui prit brièvement la main, puis il la lâcha.

Elle resta immobile, tentant de conserver son équilibre, mais son centre de gravité la trahissait, et elle avait peur de bouger.

— Elles sont très jolies, dit Tom.

— Je savais que tu allais dire ça. Tu es un homme.

— Tu ne les trouves pas géniales ?

— Si, mais je ne suis pas certaine de pouvoir marcher. Elles sont parfaites si tu comptes me porter dans la salle de bal et m'asseoir devant le bar, de façon que je ne bouge plus de toute la nuit.

Elle rougit à l'idée que Tom la porte sur son épaule, comme un pompier… ou un homme des cavernes.

— Essaie, au moins.

— D'accord.

Cara jeta un œil autour d'elle. Personne ne regardait dans sa direction. Il n'y avait qu'elle et Tom, qui la couvait du regard comme un parent fier que son enfant fasse ses premiers pas.

Elle fit un pas maladroit, puis un deuxième et un troisième. C'est cet instant que sa cheville choisit pour la lâcher. Elle tomba en avant et atterrit dans les bras de Tom.

Il la retint contre lui, l'empêchant de s'étaler sur le sol, le visage en avant. Mais maintenant, elle se retrouvait dans une situation délicate…

La tête sur l'épaule de Tom, elle percevait les battements de son cœur. Ils étaient rapides, sans doute à cause de la surprise causée par sa chute. Elle sentait les muscles jouer, sous sa chemise, elle respirait son odeur… un parfum masculin très excitant. Très rouge, elle leva les yeux vers lui et quelque chose d'étrange se passa entre eux. Il exerçait sur elle un tel magnétisme qu'elle en oublia de se dégager.

Elle ne tenta pas de bouger.

Parce qu'être dans ses bras, si près que le souffle de Tom l'effleurait, c'était grisant.

— Merci, je…

Les lèvres de Tom étaient entrouvertes, ses yeux écarquillés tandis qu'il la fixait. Mais le bon sens reprit bientôt ses droits.

Il ne ressentait rien, pour elle ! S'il l'avait rattrapée, c'était tout simplement parce qu'elle tombait, rien de plus.

Écarlate, elle s'écarta de lui et retourna s'asseoir. Elle se pencha en avant pour défaire les lanières, si bien que ses cheveux masquèrent son visage.

Je voulais l'embrasser.

Est-ce qu'il s'en était aperçu ? Avait-elle laissé ses sentiments transparaître ?

Victoria aurait marché avec grâce, ces escarpins aux pieds. Tom devait la trouver stupide, d'essayer de faire quelque chose dont elle n'était pas capable.

— Les chevilles, ça va ? demanda-t-il.

— Oui… Merci.

Se levant, elle posa les chaussures sur une étagère.

— Si on continuait à chercher ? suggéra-t-elle.

— Oui. J'ai soif, pas toi ? Je vais nous chercher des cafés.

Sur ces mots, il gagna la sortie et sortit du magasin.

Bizarre… Il avait peut-être décelé quelque chose, dans son regard, quand il l'avait rattrapée ? Il n'osait pas lui dire que rien ne se passerait jamais entre eux, qu'ils étaient seulement amis.

S'il le faisait, elle serait obligée de protester, de lui mentir.

En tout cas, il avait l'air incroyablement gêné, à l'instant. Il cherchait sans doute la façon de lui dire qu'il ne la verrait jamais autrement que comme une amie.

C'était tellement humiliant !

Tom faisait la queue devant le stand de boissons chaudes, tâchant de se calmer. Il venait de se passer un événement étrange, entre Cara et lui. Elle avait trébuché, il l'avait empêchée de tomber, et puis…

Est-ce qu'il s'était trompé ?

Son imagination lui jouait-elle des tours ?

C'était Cara ! Elle ne ressentait rien de romantique à son égard. Pourtant, il aurait juré qu'elle l'avait regardé avec… amour.

Mais nous sommes simplement des amis.

— Deux cafés au lait, s'il vous plaît.

Devait-il lui en faire la remarque, en retournant auprès d'elle ? Ou valait-il mieux se comporter comme s'il n'était rien arrivé ? C'était sûrement lâche, mais il ne voulait pas prendre le risque de gâcher leur relation.

Tom avait besoin de Cara dans sa vie, et s'il la perdait, il ne se le pardonnerait jamais.

Cara aurait souhaité que cette soirée soit terminée. Elle voulait rentrer chez elle, prendre un bon bain chaud et faire comme si tout était normal. Quelle importance, si ces talons étaient trop hauts ? Elle n'avait qu'à s'exercer à la maison, puisqu'il lui restait une semaine ou deux avant le bal.

Elle prit donc les escarpins dorés, se rendit à la caisse et les paya. Quand son téléphone se mit à sonner, elle craignit que Tom ne l'appelle pour lui dire qu'il était rentré chez lui. Après avoir sorti l'appareil de son sac, elle vit que le nom de son père s'affichait sur l'écran.

Génial ! Exactement ce dont j'ai besoin.

— Allô ?

— Cara chérie ? Comment vas-tu ? Je t'appelle au bon moment ?

— Je suis dans un magasin de chaussures.

— Pour le bal ? Merveilleux ! J'ai hâte de te voir, ainsi que tes frères. La famille sera de nouveau réunie.

— Tu voulais me demander quelque chose ?

— Non. Je voulais juste te tenir au courant, en ce qui concerne l'organisation de la soirée. J'ai parlé avec Hodge, ton chef. Je sais qu'il avait suggéré qu'on engage un DJ, mais comme le bal a lieu au manoir, j'ai pensé que ce serait un peu commun. J'ai donc décidé que nous aurions un orchestre.

— Un orchestre ! Papa !

— Rien d'extraordinaire, rassure-toi, juste un groupe local. Mais j'ai voulu te prévenir pour que tu t'entraînes un peu à la danse.

Cara fixa les escarpins avec désespoir. Danser ? C'était à peine si elle pouvait marcher.

— Tu sais, continua-t-il, la valse, ce genre de choses. Ta mère adorait cela, ce serait lui rendre hommage. Et il ne faut pas que les invités pensent qu'ils ne sont là que pour ouvrir leur porte-monnaie.

— Bien sûr.

Levant les yeux, Cara vit Tom arriver avec deux gobelets. Danser… Dans cette robe… avec ces talons.

Elle allait s'agripper à Tom toute la nuit. Quelques secondes avaient suffi à la mettre hors d'elle. Comment parviendrait-elle à dissimuler ses sentiments toute une nuit ?

Le camion de pompiers fonçait à toute allure à travers les rues sombres, projetant sur les immeubles des lueurs bleues et rouges. La Garde verte se rendait dans une zone industrielle située derrière celle où cet ouvrier avait eu le bras pris dans une machine à imprimer. Au loin, ils voyaient déjà les flammes orange et la fumée qui s'élevait dans le ciel.

Normalement, Cara n'était pas de service, mais elle avait accepté de remplacer un membre de la Garde bleue malade. De toute façon, elle n'avait pas envie de rester chez elle à se morfondre en pensant à Tom et au bal. Cette situation la rendait folle et elle avait eu la migraine toute la journée.

Quand Tom était revenu dans le magasin, les gobelets de café à la main, il avait eu l'air surpris en constatant qu'elle avait acheté les escarpins dorés. Mais elle lui avait assuré qu'elle allait s'exercer, ensuite elle avait prétendu être fatiguée.

Ils étaient rentrés en silence. Cara avait préféré ne pas parler du coup de fil de son père. Si Tom apprenait qu'ils devaient s'entraîner à la danse de salon… elle craignait qu'il ne renonce à l'accompagner, finalement.

Quand le camion s'arrêta sur le lieu de l'incendie, ils virent qu'il y en avait deux autres qui les avaient précédés. Hodge bondit à terre pour coordonner les actions avec l'autre responsable. Pendant ce temps, Cara commença à préparer les tuyaux.

Hodge revint et donna ses instructions :

— Bon. Vous deux, vous allez au coin est du bâtiment.

Garret, il manque un homme de la Garde rouge, tu peux les aider au coin ouest ?

Aussitôt, Garret se mit à courir.

Cara sentit la pression de l'eau monter et elle braqua le tuyau sur les flammes, qui jaillissaient vers le ciel. Le feu avait déjà creusé des trous dans le toit.

— Il manque un gardien de nuit ! hurla Hodge. Tu viens avec moi, Cara. On va contourner le bâtiment et fouiller la loge.

Cara passa le tuyau à Reed, puis elle se mit à courir avec Hodge, prenant soin de ne pas approcher trop des murs. La loge du gardien était vide, mais une tasse de café entamée se trouvait sur la table.

— Où est-il, bon sang ! grommela Hodge en s'emparant d'une feuille de présence collée au mur. On dirait qu'il fait sa tournée à minuit, 3 heures et 5 heures du matin.

Cara consulta sa montre.

— Il est minuit et quart. Tu crois qu'il est à l'intérieur ?

— J'espère que non.

Lorsqu'ils regagnèrent l'entrée du bâtiment, plusieurs ambulances étaient arrivées, ainsi que Tom, dans son véhicule d'intervention rapide.

À l'idée de se retrouver en face de lui, Cara sentit son estomac se nouer, si bien qu'elle rejoignit les collègues qui tentaient d'éteindre l'incendie. L'eau faisait un peu d'effet, et ils progressaient vers la façade.

Soudain, un membre de la Garde rouge sortit de la bâtisse, portant quelqu'un sur l'épaule. Était-ce le gardien manquant ? Elle l'espérait. Tout en avançant, elle jeta un coup d'œil à Tom, qui posait un masque sur le visage de l'homme inanimé.

Je ne dois pas me concentrer sur Tom, mais sur ce que je fais.

Tom eut l'impression de prendre un coup de poing dans la poitrine lorsqu'il vit Cara s'éloigner sans lui accorder la moindre attention. Il tâcha de se convaincre qu'elle était focalisée sur son travail, mais depuis qu'elle avait failli tomber, dans ce magasin, l'ambiance était bizarre, entre eux.

Cette idée le perturbait. Il s'était même tourné et retourné dans son lit toute la nuit, se disant qu'il était certainement le jouet de son imagination.

Mais si elle l'évitait…

Peut-être était-elle embarrassée ? Avait-elle vu quelque chose, dans ses yeux, qui l'avait effrayée ?

Il y a un incendie qu'on doit éteindre. Elle ne va pas s'arrêter pour venir me parler.

Mais un sourire, un petit hochement de tête auraient été possibles.

Quelque chose n'allait pas, il le sentait.

Tom se focalisa sur son patient. Il présentait des blessures légères au niveau des mains, mais l'inhalation de fumée avait causé des difficultés respiratoires. Il avait de la suie dans la gorge et les narines. Dieu seul savait quels produits chimiques il avait pu inhaler.

Il aida l'homme à s'installer sur un brancard. Une minute plus tard, une ambulance l'emmenait aux urgences.

Tom espérait qu'il vivrait. Apparemment, il avait été pris en charge à temps, mais la vie ne tenait souvent qu'à un fil.

Il était bien placé pour le savoir.

L'incendie avait été vaincu. Il ne restait plus que de la fumée, tourbillonnant vers le ciel. Cara put enfin retirer son casque, dézipper sa veste et permettre à l'air frais de caresser son visage et son corps.

Elle aimait son métier, elle aimait se battre contre les flammes. Et bien que le feu ait tenu plusieurs heures, tout était désormais sous contrôle. Une enquête allait commencer, mais selon Hodge il semblait qu'un accélérateur ait été délibérément répandu dans l'entrepôt.

Le gardien de nuit était-il le coupable ? L'hôpital les avait déjà avertis qu'il avait survécu, mais refusait de parler à la police, alors…

— Salut !

Cara se retourna. Dès qu'elle vit Tom, son cœur s'emballa immédiatement.

— Salut, dit-elle avant de se focaliser de nouveau sur les murs noircis du bâtiment.

— Ça n'a pas été facile, remarqua-t-il.

— C'est vrai.

— Je suis épuisé. J'ai hâte de rentrer chez moi et de prendre une douche.

Elle acquiesça. Une douche, ce serait génial. Et avec Tom, ce serait encore mieux.

— Gage n'est pas à la maison ?

— Il est chez mes parents. Ils partent en croisière demain, et ils emmènent Gage. Ils seront partis trois jours.

— Il va te manquer.

Tom hocha la tête.

— À moi aussi, ajouta Cara.

Autre hochement de tête.

— Est-ce que ça va, entre nous ? demanda-t-il.

Le cœur de Cara fit des bonds dans sa poitrine.

— Bien sûr ! Pourquoi ça n'irait pas ?

— Tant mieux. J'avais l'impression que l'ambiance était un peu bizarre depuis…

— J'ai trébuché, c'est tout. Ensuite, j'ai eu d'autres préoccupations.

— Je peux t'aider ?

Elle sourit. En dépit de tout, il était toujours là pour elle.

— Mon père veut que j'apprenne à valser. Il a engagé un orchestre pour le bal.

— Ça te pose un problème ?

— Pas du tout ! Je suis la reine du cha-cha-cha.

— Pour de bon !

— Non. J'ai deux pieds gauches, qui vont être perchés sur des talons vertigineux. Comment tu crois que ça va se passer ?

— Je vais mettre des chaussures de sécurité, pour me protéger.

Cara se tut un instant. Elle voulait lui donner la possibilité de se sortir de cette situation.

— Tu n'es pas obligé de m'accompagner, tu sais. Je peux y aller seule et toi, tu danseras avec une partenaire qui ne te brisera pas tous les os des pieds. De mon côté, j'affronterai Xander, ou Peregrine, ou celui avec qui mon père essaiera de me caser.

— Tu plaisantes ? Je t'ai donné ma parole et je ne reviens jamais sur une promesse que j'ai faite.

Tom réfléchit un instant, avant de reprendre :

— J'ai une idée.

— Si tu envisages qu'on n'y aille pas, c'est impossible en ce qui me concerne.

— Non, non. Je pense à Daphné, ma belle-sœur. Elle peut être notre arme secrète.

— Comment ça ?

— Elle est professeur de danse. C'est la propriétaire du Mango Dance Studio. Elle pourrait t'apprendre la valse.

— Je sais que cet endroit est très fréquenté. Tu crois qu'elle aura du temps à m'accorder ?

— Je peux toujours demander.

— D'accord, mais reste réaliste. Ne lui dis pas que je suis douée, ou quelque chose du genre. Elle doit savoir qu'elle aura affaire à une débutante, qui n'a aucun sens du rythme, aucune grâce. Dis-lui que je suis comme un bébé éléphant, ou hippopotame.

Tom se mit à rire.

— Quelques heures avec Daphné, et tu seras aussi gracieuse qu'un cygne.

— Tu n'as pas oublié à quoi je ressemble, perchée sur ces talons ?

— Non.

— Tu crois qu'il est trop tard pour me trouver une doublure ?

De nouveau, Tom émit un rire joyeux dont elle adora le son. Elle était heureuse qu'ils puissent de nouveau se parler normalement.

— Bien trop tard ! De toute façon, j'ai hâte de danser avec toi, affirma Tom d'une voix douce.

— C'est vrai ?

— Tu plaisantes ! Tu vas être la reine du bal.

— Tu resteras près de moi toute la soirée ? Parce que je ne suis pas sûre de pouvoir tenir debout.

— Toujours.

Elle lui sourit, puis elle se détourna. Lorsqu'elle le regardait dans les yeux, toutes sortes de pensées interdites lui traversaient l'esprit. C'était un vrai gentleman, un chevalier blanc en armure étincelante. Mais il était aussi un veuf éploré et elle était une bien mauvaise personne, si elle continuait de voir en lui l'amour de sa vie.

— Tu sais danser, dit-elle. Je t'ai déjà vu.

Il haussa les épaules.

— Je connais quelques pas.

En tout cas, il était meilleur danseur qu'elle. Si le pire devait arriver, elle ôterait ses talons et tournoierait dans ses bras pieds nus.

N'importe quoi pour connaître cette félicité.

7.

Le Mango Dance Studio se trouvait dans la grand-rue, au-dessus d'une épicerie turque et d'une boutique de prêteur sur gages.

Ne sachant comment elle devait s'habiller pour ce cours de danse, Cara avait décidé de porter la tenue qu'elle avait adoptée en salle de sport : une brassière de sport sous un ample T-shirt à manches longues, un pantalon de jogging et des baskets.

Dans un sac, elle apportait les escarpins aux talons vertigineux au cas où Daphné lui demanderait de les mettre, mais elle espérait que ce ne serait pas le cas.

Elle était anxieuse à l'idée de rencontrer la belle-sœur de Tom, c'est-à-dire la sœur de Victoria. Daphné serait sûrement curieuse de voir la femme que Tom lui amenait, elle voudrait savoir quel genre de relation ils entretenaient.

Si elle la détestait au premier coup d'œil ?

Si elle devinait les sentiments que Cara mettait tant de soin à dissimuler ?

Après avoir poussé la porte du studio, celle-ci se retrouva au pied d'un escalier aux murs gris clair, ornés de photos de danseurs ou même de corps de ballet. Tout en haut des marches, quelques-uns d'entre eux avaient même été photographiés au côté de célébrités qui leur avaient dédicacé la photo.

Il était clair que Daphné était ambitieuse, pour ses élèves, et elle le faisait savoir à tous ceux qui franchissaient la porte.

Parvenue sur le palier, Cara ouvrit une porte de verre. Une jeune femme blonde se tenait derrière un bureau sur lequel trônait un vase rempli d'orchidées.

— Que puis-je faire pour vous ?

— J'ai rendez-vous avec Daphné.

— Votre nom ?

— Cara Maddox.

— Oh ! ils vous attendent. La salle se trouve au bout du couloir.

Tom devait être arrivé. Cara remercia la réceptionniste et emprunta un couloir dont les murs, là encore, étaient ornés de photographies. Cette fois, il s'agissait de posters représentant un tableau du *Lac des cygnes*, ou bien une danseuse sur ses pointes, les bras gracieusement levés au-dessus de la tête. Les costumes étaient extraordinaires et tous les danseurs semblaient heureux et fiers ;

La main sur la poignée de la dernière porte, Cara faillit faire demi-tour. Mais la perspective de voir son père se réjouir de sa maladresse l'incita à franchir le seuil de la salle.

Tom se trouvait à l'autre extrémité, vêtu d'un pantalon de jogging sombre et d'un T-shirt, riant avec une grande et mince amazone, qui était le portrait craché de Victoria.

La bouche sèche, Cara ressentit un coup au cœur.

Daphné lui rappelait pourquoi Tom avait épousé sa femme. Elle était svelte, belle, élancée. Elle portait un justaucorps qui moulait ses seins parfaits et soulignait la minceur de sa taille, ainsi qu'une jupe d'un noir diaphane couvrant ses fesses et ses hanches. En dessous, ses longues jambes musclées se dessinaient.

— Cara ! Tu es venue !

Tom vint vers elle pour la serrer dans ses bras et planter un baiser sur sa joue, mais Cara était trop nerveuse pour en profiter. Elle avait les yeux rivés sur Daphné, qui observait la scène avec curiosité.

— Je n'aurais pas manqué ça ! Bonjour, Daphné, je suis Cara, dit-elle en s'approchant de la danseuse pour lui serrer la main. Vous pensez vraiment pouvoir enseigner quelques pas à quelqu'un d'aussi maladroit que moi ?

Pourquoi fallait-il toujours qu'elle se déprécie ? Essayait-elle de dire à Daphné qu'elle n'avait rien de spécial et qu'elle ne menaçait pas la mémoire de Victoria ?

— Bien sûr, Cara. Tom m'a beaucoup parlé de vous.

— En bien, j'espère ?

Cara arborait un sourire figé, telle une marionnette de ventriloque, les lèvres perpétuellement étirées par un rictus.

— Tom ne parle jamais mal de personne.

Bien. Très bien. Elle avait raison, Tom était incapable de critiquer les gens à voix haute.

— Génial.

Cara jeta un coup d'œil à Tom, qui la regardait avec amusement.

— On commence ? demanda Daphné

— Faisons ça, dit Cara.

— Vous avez déjà dansé, auparavant ?

— Non. Je vais plutôt en salle de sport et je soulève des poids.

— Combien, sur banc à presse ?

— Cent kilos.

— Impressionnant ! Vous êtes forte. Tom m'a dit que vous êtes pompière, alors il faut l'être.

— Oui, mais ça me plaît. Ce n'est pas une corvée, pour moi.

— Donc, le travail acharné ne vous effraie pas ?

— Non.

— Excellent, parce que c'est ce qui vous attend. Commençons. Tom m'a dit que vous deviez apprendre à valser. Avant d'en venir aux pas de base, les fleckerls et les mouvements tournants, nous avons besoin de définir parfaitement le cadre. Tom, tu te joins à nous ?

Pas de base ? Fleck-quoi ? Définir le cadre ?

Cela impliquait de se rapprocher de Tom en présence de Daphné ! Était-ce la jumelle de Victoria ? Elle s'en souviendrait, si Victoria en avait eu une !

Il lui semblait maintenant que Victoria en personne se tenait près d'elle et lui demandait de se rapprocher de Tom.

— Pour une valse standard, le cadre doit être rapproché, comme ceci.

Daphné se mit à les manipuler comme s'ils étaient des mannequins. Elle enlaça leurs doigts, plaça leurs coudes, redressa leurs dos et remonta leurs hanches jusqu'à ce qu'elle juge la position parfaite.

Cara ne se rappelait pas avoir été aussi proche de Tom.

Daphné recula de quelques pas, comme un sculpteur qui admire son œuvre.

— Très bien. Maintenant, vous allez devoir maintenir ce cadre tout du long.

Cara adressa un sourire timide à Tom, dont la main droite était posée sur son épaule gauche. La sienne occupait sensiblement la même position. Leurs corps étaient en contact bien qu'ils soient légèrement à droite l'un de l'autre.

— Cessez de vous regarder. Chacun de vous doit avoir le regard braqué sur la gauche.

D'accord. Cela rendait les choses plus faciles…

— On dirait que votre nuque est brisée, Cara. Tom ne va pas danser avec un zombie. Faites comme moi, dit Daphné en étirant gracieusement son cou. C'est une danse de grâce, de douceur. Imaginez que vous exposez votre nuque de façon qu'un homme puisse y planter un baiser.

Cara rougit à l'idée que Tom le fasse. Elle devait avoir pressé son épaule, car il pressa la sienne en retour, comme pour lui dire : « Ne t'inquiète pas, tu vas y arriver. »

— Bien. Maintenant je vais vous apprendre à tourner à droite, puis à gauche. Ce sont des pas basiques, d'accord ?

La demi-heure qui suivit fut éreintante. Cara avait de moins en moins l'impression d'apprendre à danser, mais plutôt de subir les agressions d'un sergent instructeur de l'armée. Daphné encourageait Tom, elle le complimentait, mais elle ne cessait de critiquer Cara. Elle n'était pas dans le rythme, ou bien elle perdait le cadre.

Il arriva même qu'elle se glisse entre les bras de Tom et dise :

— Comme ceci.

Traitée comme une petite fille grondée par sa maîtresse d'école, Cara sentit que la rage commençait à bouillonner en elle. Elle n'avait jamais dansé auparavant ! Daphné ne pouvait-elle pas lui témoigner un peu de bienveillance ?

Elle était en sueur, fatiguée, elle avait mal aux bras. Elle en avait assez de compter *un-deux-trois, un-deux-trois*, de penser à la position de ses pieds et au cadre à maintenir.

— On peut faire une pause ?

S'écartant de Tom, Cara se dirigea vers le piano sur lequel une carafe était posée, et se servit un verre d'eau. Elle le but d'un trait, puis elle se retourna, les mains sur les hanches et le regard dur.

— Vous ne vous améliorerez jamais en prenant des pauses, remarqua Daphné en lui adressant un sourire.

— Ah, bon ? Je crois plutôt que je n'apprendrai rien, vu la façon dont vous enseignez.

Daphné regarda Tom, comme si une telle insolence était absolument inadmissible.

— Pardon ?

— Je ne veux pas devenir danseuse professionnelle ! J'apprécie que vous m'accordiez du temps, Daphné, mais on dirait que vous me préparez à un concours de danse. Ce n'est qu'un bal chez mon père et c'est censé être amusant !

— Vous ne vous amusez pas ?

— Non ! Je veux connaître les pas basiques de la valse, ne pas me couvrir de ridicule devant ma famille et mes amis. Personne ne va m'attribuer une note ou m'exclure de la compétition si je marche accidentellement sur le pied de Tom. Je veux juste…

Daphné et Tom la fixaient.

— Quoi ? demanda Daphné.

— Je veux danser avec Tom et que ce soit agréable.

Cara regarda Tom qui lui sourit comme s'il était fier d'elle, et pour le moment, c'était tout ce qui comptait. Mais quand elle se tourna de nouveau vers Daphné, le visage de la danseuse n'exprimait pas exactement de la fierté.

— Je n'ai pas besoin que vous me fassiez constamment comprendre que Victoria dansait à la perfection, reprit-elle. Je n'essaie pas de la remplacer !

— Je suis désolée. D'habitude, je prépare mes élèves à des compétitions ou à des auditions. J'ai peut-être été un peu… rude.

Cara s'essuya le front avec sa manche.

— Il faut que j'aille aux toilettes, excusez-moi.

Elle s'éloigna, se sentant humiliée et honteuse.

Daphné avait-elle délibérément voulu lui faire comprendre qu'elle n'arrivait pas à la cheville de Victoria et qu'elle n'aurait jamais Tom, si tel était son plan ?

Elle espérait qu'il la défendrait.

Dès que la porte se referma derrière Cara, Tom fit face à Daphné.

— Elle a raison. Tu as vraiment été dure.

Daphné eut la décence de paraître embarrassée.

— Désolée. C'est juste que… quand tu m'as dit que tu amenais cette femme, j'ai cru que tu oubliais ma sœur.

— Je n'oublierai jamais mon épouse, Daphné, jamais. Mais la vie continue, j'ai tourné la page. Cara est ma meilleure amie, elle m'a soutenu quand personne ne pouvait le faire. Grâce à elle, j'ai pu traverser ces mois affreux et elle m'aide encore aujourd'hui.

— Tu l'aimes ?

— Bien sûr que oui, puisqu'elle est ma meilleure amie.

Tom fixa sa belle-sœur dans les yeux, espérant ne pas trahir ses vrais sentiments pour Cara, mais il n'était pas certain d'être un très bon acteur.

Danser avec Cara avait été aussi excitant qu'exaltant, son cœur s'était emballé et souvent, il avait été responsable des faux pas, et non elle.

— J'ai eu l'impression qu'elle était plus qu'une amie, et ça m'a fait peur, dit Daphné.

— Tu t'es trompée.

— Eh bien… si jamais il y avait la moindre chance que tu puisses trouver le bonheur avec elle, saisis-la. Je veux que tu sois heureux, Tom, ainsi que Gage. Victoria le souhaiterait aussi.

Tom la regarda avec gratitude, mais en réalité, il était toujours habité par le doute. Outre le fait qu'il craignait de gâcher son amitié avec Cara, il se rappelait qu'il n'avait pas été un bon partenaire pour Victoria. Qu'est-ce qui prouvait qu'avec Cara, ce serait mieux ?

En plus, il ignorait les sentiments de Cara. Si elle devait le repousser, il ne le supporterait pas. C'était sans doute lâche, mais il adorait leur relation actuelle. Il aimait la voir tous les jours, lui parler, partager une partie de sa vie avec elle.

Et son amour pour elle ?

Il pouvait s'en accommoder, même si c'était une torture quotidienne.

Cara était géniale, non seulement avec lui, mais aussi avec Gage. Gage l'aimait… il l'adorait ! Elle s'adapterait parfaitement à leur petite famille.

Je ne lui ai même pas demandé de sortir avec moi et je l'imagine comme un membre de ma famille.

— Merci, dit-il à sa belle-sœur. J'apprécie.

— Elle est différente.

— C'est vrai.

Cara était unique ! Elle ne ressemblait pas à toutes ces filles girly, et il aimait cela. Il aimait sa force. Il aimait qu'elle ignore combien elle était belle. Cette innocence était fascinante.

— Et peut-être as-tu besoin de cette différence ? suggéra Daphné. Je sais que Vic et toi, vous aviez des problèmes.

Tom laissa échapper un soupir. D'habitude, quand il avait des doutes, il en parlait à Cara… Sauf que là, c'était impossible.

Cara s'était aspergé le visage à l'eau froide. Elle fixait son reflet, dans le miroir, regrettant de s'être laissée aller à un accès de colère avec Daphné. Ce n'était pas sa faute, si Cara n'avait aucun sens du rythme et était incapable de danser.

Je vais y retourner et m'excuser.

Elle se lança un regard sévère. Non seulement elle s'était montrée ingrate envers Daphné, mais elle avait mis Tom dans une position délicate.

Quand elle ouvrit la porte, il y avait de la musique dans le studio. Elle reconnut la mélodie et… miracle… se surprit en train de compter les trois temps. Apparemment, son esprit avait enregistré quelques-unes des instructions de Daphné.

Tom et Daphné valsaient au centre de la salle. Un sourire aux lèvres, Cara les regarda, souhaitant être aussi gracieuse.

Lorsqu'ils la virent, ils se séparèrent et Tom vint vers elle.

— Tu te sens mieux ?

— Oui. Et je suis désolée, je n'avais pas l'intention d'élever la voix de cette façon.

— Ne t'inquiète pas pour ça. Daphné a quelque chose à te dire.

— Ah, bon ?

Cara se tourna vers Daphné, qui se dirigeait vers elle, aussi gracieuse qu'un cygne.

— Cara, je veux m'excuser encore une fois.

— Oh ! vous n'avez pas à…

— Si. J'ai eu tort de me montrer aussi dure envers vous. Je veux vous aider, Tom et vous, mais cela doit rester amusant. Prenez la main de Tom.

Cara n'en croyait pas ses oreilles. Rougissante, elle se glissa entre les bras de Tom, prenant bien soin de respecter le cadre. Elle sentit aussitôt la force bienveillante de son étreinte, la pression de son corps ferme contre le sien, elle vit le regard rassurant qu'il lui adressait. Son dos protesta un peu, son cou était douloureux et il lui sembla que ses bras pesaient encore très lourd.

Mais Daphné recula et dit :

— Écoutez la musique, suivez bien le rythme et on verra ce qui se passe.

Ils commencèrent à danser.

Au début, ce fut un peu maladroit. Cara marcha à deux reprises sur les pieds de Tom. Très rouge, elle s'excusa chaque fois, mais Tom et Daphné l'encouragèrent et elle finit par acquérir les pas de base.

— J'y suis ! dit-elle. On a réussi.

Daphné applaudit, mais alors qu'elle s'approchait du piano, la sonnerie de son téléphone retentit dans son sac. Cara et Tom s'immobilisèrent.

Daphné regardait son écran.

— Désolée, les amis, mon mari me rappelle poliment que nous avons des billets pour un spectacle, ce soir.

— Vous allez fermer le studio, alors, en déduisit Cara.

— Non ! Continuez, tous les deux. Naomi s'en va à 20 heures. Vous avez tout le temps de vous entraîner.

— Si tu es sûre…

— Absolument ! J'ai été ravie de faire votre connaissance, Cara.

Sur ces mots, Daphné embrassa Cara sur les deux joues et se rua hors de la salle, sa jupe diaphane flottant autour d'elle.

Seule dans le studio avec Tom, Cara émit un rire nerveux en le regardant.

— Tu veux continuer ?

— Je ne vois pas pourquoi on arrêterait.

— Très bien.

Elle prit la main de Tom, mais tout lui semblait différent, maintenant qu'ils n'avaient plus Daphné comme chaperon. C'était plus intimidant… plus intime.

Interdit.

Son cœur battait follement, dans sa poitrine… Si fort que Tom devait forcément s'en apercevoir et elle n'osait pas le regarder. Mieux valait se concentrer sur les pas.

La musique n'avait pas été interrompue.

Un pas en avant. Un pas à droite. Les deux pieds se rejoignent.

Un pas en avant, un pas à gauche, les deux pieds se rejoignent.

Une fois de plus, Cara marmonna une excuse après avoir marché sur les pieds de Tom, puis ils prirent le coup de main et Cara parvint à retenir le rythme. Elle se sentait plus capable, plus à l'aise. Et quand Tom la faisait tourner, elle le suivait avec plaisir.

— On y est arrivés ! s'exclama-t-elle quand la musique se tut.

— Absolument.

— Tu penses que je devrais essayer avec les talons ?

— Pourquoi pas ?

Ils s'écartèrent l'un de l'autre. Cara était hors d'haleine, mais excitée et enthousiaste. Elle enfila très vite les escarpins, grimaçant quand ses pieds protestèrent. Elle s'était entraînée à les porter et elle voulait montrer à Tom qu'elle était capable de marcher avec, désormais, même si elle devait endurer les pires des ampoules.

— Waouh ! s'exclama-t-il. Regarde-toi !

Elle aimait la façon dont il la parcourait des yeux, de bas

en haut. Il la regardait comme si elle était une femme, non sa meilleure amie…

Son cœur se mit à palpiter d'anticipation.

De nouveau, elle fut dans ses bras. Son centre de gravité avait changé, mais elle mit peu de temps à s'adapter. Dans les bras de Tom, il lui semblait qu'elle pouvait tout faire, être une autre, y compris une danseuse élégante.

Ils dansèrent, leurs deux corps tout proches, savourant le rythme de la valse, savourant leur proximité. Quand la musique entreprit un crescendo, Tom la fit tourner, la serrant contre lui. Il lui souriait et l'intensité de son regard fit battre plus vite le cœur de Cara.

Quand la musique se tut, ils restèrent face à face, à quelques centimètres l'un de l'autre. Cara ne put s'empêcher de fixer les lèvres entrouvertes de Tom. Sa respiration était rapide et il la contemplait comme s'il… la désirait. Frissonnant de tous ses membres, elle leva un bras et caressa la joue de Tom, ses mâchoires énergiques, et soudain ils s'embrassèrent.

L'esprit de Cara s'emballa, submergé par la surprise, l'incrédulité, l'effroi, voire la terreur. Ce baiser était exactement ce qu'elle avait imaginé. Les lèvres de Tom étaient douces, il l'embrassait avec passion, comme s'il nourrissait ce désir secret depuis longtemps. Comme s'il ne s'en cachait plus et s'en délectait.

Cara aurait voulu que cet instant ne prenne jamais fin. Elle glissa ses doigts dans les cheveux de Tom, qui laissa échapper un gémissement, ce qui excita Cara encore davantage. Le reste du monde disparut. Seules importaient ces quelques minutes magiques et elle ne voulait pas penser aux conséquences. Elle ne voulait pas savoir ce qui se passerait *après* ce baiser, grisée par les lèvres de Tom sur les siennes, sa langue dans sa bouche et par ce qu'elle éprouvait dans ses bras.

C'était suffisant.

C'était tout ce dont elle avait besoin.

Et puis… ils reprirent tous les deux leur souffle.

Hors d'haleine, Cara plongea dans les yeux de Tom. Le monde réel fit irruption. Le studio de danse. Qui ils étaient et ce qu'ils faisaient. Comment ils venaient de modifier à jamais leur relation.

— Qu'est-ce qu'il faut en conclure ? demanda Tom, les mains toujours posées sur sa taille.

— Peut-être que nous sommes un peu plus que des amis.

— Tu crois que c'est possible ?

— À nous de le découvrir.

C'était la réception d'anniversaire de Gage. Ses grands-parents venaient de le ramener de leur croisière de trois jours à Bruges. Le petit garçon avait rapporté toutes sortes de chocolats achetés dans la ville belge.

Il avait horriblement manqué à Tom. En l'absence de son fils, il avait vécu une vie de célibataire. Il était sorti, il avait dansé, il avait embrassé une fille. Et maintenant, il pensait qu'il était peut-être engagé dans une relation dont il ne savait où elle le mènerait.

Il serrait encore Cara dans ses bras, quand la réceptionniste avait ouvert la porte pour les prévenir qu'elle allait bientôt fermer le studio. Ils s'étaient très vite écartés l'un de l'autre et avaient rassemblé leurs affaires. Le cœur battant, il n'avait pas cessé de regarder Cara. Il aurait voulu qu'ils aient le temps de parler, il aurait voulu lui poser des questions, mais il craignait de gâcher le moment merveilleux qu'ils avaient partagé.

Jusqu'alors, il avait eu une seule relation amoureuse, avec Victoria, et il l'avait perdue. Leur romance avait tourné au vinaigre peu de temps après qu'ils avaient échangé les alliances. Mais c'était la vie, non ?

L'existence ne pouvait pas être un chemin ensoleillé et pavé de fleurs…

Ou était-ce possible ?

Peut-être… à condition de trouver la bonne personne. Ses grands-parents ne s'étaient jamais disputés et ils s'étaient tenus par la main jusqu'à la fin de leur vie. Quand sa grand-mère était morte, son grand-père avait eu tellement de chagrin qu'il l'avait suivie dans la tombe quelques semaines plus tard.

C'était le genre d'amour que Tom voulait.

Mais pour l'instant, il vivait un véritable cauchemar.

Une aire de jeux sécurisée… C'était là que Gage avait voulu organiser son anniversaire. Il avait invité toute sa classe, si bien qu'il y avait vingt-cinq enfants. Le bruit était assourdissant, et il y avait une odeur bizarre de transpiration et de plastique, pendant que les chérubins glissaient le long des toboggans ou plongeaient dans les piscines à boules.

Gage venait justement d'atterrir au pied d'un toboggan.

— Tu m'as vu, papa ?

— Oui.

— Je l'ai fait la tête la première.

— Je sais.

Il sentit plus qu'il ne vit Cara arriver, comme si son corps était connecté au sien. Elle franchit les portes battantes, un paquet à l'emballage scintillant à la main. Elle le posa près de Tom.

— Salut !

— Salut, toi-même.

— Cara ! cria Gage en se précipitant dans ses bras.

Elle le fit tourner autour d'elle, ce qui déclencha une cascade de rires.

— Tu es venue !

— Je n'aurais jamais manqué ta fête d'anniversaire, tu penses bien !

— Je veux te montrer ma cachette.

Cara jeta un coup d'œil à Tom.

— Conduis-moi.

Gage s'engouffra dans un tunnel en filet, se retournant pour vérifier qu'elle le suivait.

— Tu viens ?

— Oui ! Tu es d'accord, Tom ?

— Bien sûr.

Il lui sourit, heureux de constater que tout allait bien, entre eux. Apparemment, elle n'avait pas de regrets, ce qui le réjouissait et l'inquiétait en même temps, cela voulait dire qu'ils prenaient une direction inconnue, avec cette relation nouvelle qui s'établissait entre eux.

— Je ferais bien d'y aller, dit-elle.

— Je crois, en effet.

Il la regarda suivre son fils à quatre pattes, aimant la façon dont Gage lui avait pris la main pour l'entraîner plus loin jusqu'à ce qu'il les perde de vue.

Pouvait-il espérer quoi que ce soit de mieux, à cet instant ?

Ils étaient toujours en bons termes, ils n'avaient de regrets ni l'un ni l'autre, et son fils *adorait* Cara.

Alors pourquoi avait-il l'impression de se trouver au bord d'un abîme ?

Cara proposa de coucher un petit garçon épuisé.

— Tu n'as pas besoin de faire ça ! protesta Tom.

— C'est un plaisir ! Je ne lui ai pas lu d'histoires depuis des siècles.

Le petit bout lui avait manqué, mais son absence lui avait donné l'occasion de se rapprocher de Tom. Ce baiser avait été… Elle ne cessait de se repasser le film dans sa tête.

Elle n'avait jamais imaginé que cela puisse arriver un jour. Elle en avait rêvé, mais cette fois c'était réel, et Tom avait semblé la désirer autant qu'elle le désirait.

En se rendant à la fête d'anniversaire, elle avait craint qu'il ne se comporte différemment avec elle, ou qu'il ne l'attire dans un coin pour lui expliquer que c'était une erreur.

Mais il ne l'avait pas fait.

Après avoir joué avec Gage, elle s'était mêlée aux parents, et quand personne ne les regardait, elle avait frôlé la main de Tom de la sienne. C'était très excitant ! Ensuite, Tom avait profité du fait que les enfants mangeaient leurs nuggets ou leurs burgers frites pour lui presser la hanche en passant. Ce contact avait été électrifiant.

Dans la voiture, sur le trajet du retour, Gage n'avait pas cessé de papoter, répétant combien la fête avait été réussie et combien il s'était amusé.

Lorsqu'elle mit Gage au lit, il bâillait et s'empara de son ours en peluche pour un câlin. Cara s'assit auprès de lui et commença à lui lire son histoire, mais il ne fallut pas longtemps pour que les paupières du petit garçon s'alourdissent.

Cara posa le livre sur la table de chevet et quitta la chambre en laissant la porte entrouverte pour qu'un rai de lumière trace son sillon sur le sol.

Tom l'attendait dans le couloir, souriant. Il tendit le bras pour repousser une mèche de cheveux derrière l'oreille de Cara.

— Grâce à toi, il a eu un merveilleux anniversaire.

— C'est toi qui as tout organisé. Je n'ai fait que me montrer.

— Te montrer et le poursuivre dans ce labyrinthe pendant près de deux heures. Honnêtement, je ne sais pas où tu as trouvé cette énergie.

— On a toujours de l'énergie, quand quelque chose nous plaît.

Cara trouvait difficile de se concentrer, quand Tom était si près d'elle et la touchait. Il continuait de caresser ses cheveux, son oreille, son cou… Maintenant, il la prenait par la taille et l'attirait contre lui. Elle retint son souffle. Elle en avait rêvé tant de fois ! Était-ce vraiment en train d'arriver ?

Parce que s'il l'embrassait, peut-être valait-il mieux descendre au rez-de-chaussée. Le baiser qu'ils avaient déjà partagé avait été merveilleux, mais si cela devait mener à autre chose…

Depuis Léo, Cara n'avait plus eu de relation avec un homme. Et Léo lui avait dit des choses blessantes, à propos de son physique. Tom aimait l'embrasser, mais s'il la voyait nue, la trouverait-il trop masculine, lui aussi ?

Elle estimait qu'elle avait les bras trop courts, les jambes trop solides, les seins trop petits, sans parler de ses muscles. Son corps était robuste et ferme. Léo lui avait dit qu'aucun homme hétéro ne voudrait d'une femme qui ressemblait à un garçon, qu'elle n'était pas assez féminine, qu'elle n'était pas gracieuse. Tom avait vécu avec Victoria, qui avait été une svelte amazone aux cheveux blonds, d'une beauté presque éthérée.

Tom ferma la porte de Gage.

— Qu'est-ce que tu fais ?

— Je ne veux pas qu'il nous entende.

— Qu'il entende quoi ?

Tom la serra contre lui en souriant. Ses lèvres taquinèrent la nuque de Cara, diffusant dans tout son corps de délicieux frissons.

Elle ferma les yeux, plongée dans un abîme de délices. Elle aurait voulu pouvoir se laisser aller, avoir confiance en son propre corps. Mais sur ce plan, elle avait toujours déçu ses proches. Sa mère aurait voulu l'habiller en rose, mais elle avait préféré jouer avec ses frères, chasser, batailler. La plupart de ses amis étaient des hommes et maintenant, elle était pompière, elle faisait de la musculation, elle portait des jeans, des baskets ou des bottes. On était loin de la lady que sa mère aurait voulu qu'elle soit !

Léo avait dit qu'elle était plus masculine que lui.

Je ne soutiens pas la comparaison, avec Victoria !

Au prix d'un énorme effort, elle posa ses mains sur la poitrine de Tom et le repoussa.

— Non ! Arrête ! Je ne peux pas.

— Qu'est-ce qu'il y a ?

— C'est juste que… je ne peux pas !

Se détournant de lui, elle dévala l'escalier et se rua vers la porte d'entrée.

8.

Tom était allongé dans son lit, seul. Il fixait le plafond, cherchant en vain la raison pour laquelle Cara avait fui de cette façon.

La fête d'anniversaire avait été une réussite, ils s'étaient amusés, ils avaient ri ensemble, et Cara avait veillé sur son fils comme si rien au monde ne lui faisait plus plaisir. Elle l'avait poursuivi sur l'aire de jeux, elle avait joué avec lui sans jamais paraître lassée.

Leur entente avait réchauffé le cœur de Tom. Grâce à Cara, il avait pu discuter avec les autres parents, échanger des anecdotes avec eux, ou converser comme le font les adultes.

Il avait remarqué que les mères célibataires le regardaient. C'était agréable, mais il n'avait d'yeux que pour une femme. Il y avait eu des moments, quand il avait frôlé son bras ou que leurs doigts s'étaient enlacés, à peine quelques secondes, où ils avaient échangé un sourire. Il avait senti que quelque chose *montait*, fait d'anticipation, d'excitation à l'idée qu'il allait être seul avec elle.

Ils étaient rentrés. Cara avait couché Gage, elle lui avait lu une histoire et Tom était resté devant la porte de la chambre, l'écoutant imiter toutes les voix des personnages, ce qui suscitait des petits gloussements de la part de son fils. Cara rendait Gage heureux, et elle *le* rendait heureux. Il n'arrivait pas à croire qu'il avait attendu aussi longtemps, alors qu'ils étaient clairement attirés l'un par l'autre.

Quand Cara s'était glissée hors de la chambre, un grand sourire aux lèvres, il avait su qu'il voulait lui faire l'amour. À l'idée qu'il allait l'entraîner dans sa chambre, explorer son corps et découvrir ce qui la menait au plaisir, il avait ressenti une excitation presque insupportable.

C'est pourquoi il n'avait pas résisté au besoin de la toucher, croyant qu'elle le voulait aussi. Lorsqu'il lui avait embrassé le cou, elle avait presque ronronné… ou était-ce un gémissement de plaisir ? Il avait imaginé toutes les vilaines choses qu'il allait lui faire, et alors…

Quelque chose avait changé. Elle s'était raidie, elle avait posé ses mains sur sa poitrine et elle l'avait doucement repoussé. Elle semblait… terrifiée.

« Non ! Arrête ! Je ne peux pas. »

Six petits mots qui l'avaient déconcerté, puis elle était passée près de lui, elle avait descendu l'escalier et était sortie de la maison.

Bien sûr, il s'était lancé à sa poursuite.

« Cara ! » avait-il appelé.

Comment allait-elle rentrer chez elle ?

Il lui avait envoyé un SMS :

Reviens, je t'en prie. Il faut qu'on parle.

Mais elle n'avait pas répondu. Si bien qu'il était resté toute la nuit allongé sur son lit, à se demander s'il avait fait ou dit quelque chose de mal.

Peut-être avait-il voulu aller trop vite. Après tout, ils avaient toujours été amis, puis ils s'étaient embrassés une fois et soudain, il avait voulu pousser les choses plus loin. Il était possible qu'elle ait été prise de panique… parce que s'ils couchaient ensemble et que ce n'était pas génial, ils ne retrouveraient jamais leur amitié passée.

Tom ne pouvait imaginer que faire l'amour avec Cara puisse être décevant.

Ou alors c'est la faute de ce salaud de Léo. Il lui a dit des choses affreuses, prétendu qu'elle n'était pas assez féminine pour lui.

Il ne lui restait plus qu'à espérer qu'elle ait eu une bonne nuit de sommeil. S'il avait la chance de pouvoir parler avec elle, il la rassurerait, il lui dirait que dorénavant ce serait elle qui déciderait à quel rythme ils iraient.

Se sentant un peu plus optimiste, il parvint à dormir une

heure avant que son alarme le prévienne qu'il était l'heure
d'aller travailler.

Cara tournait distraitement sa cuillère dans son thé, debout
dans la petite cuisine de la caserne.

— Allô ? La terre à Cara ?

La voix de Reed l'arracha à sa rêverie.

— Quoi ?

Il se mit à rire.

— Tu fixes ton thé sans le voir depuis au moins cinq minutes.
Il y a quelque chose dont tu aimerais parler ?

Il y en avait. Mais pas à lui. Jamais à un homme comme lui.
En tant que pompier, elle avait parfaitement confiance en Reed,
elle lui aurait sans problème confié sa vie et elle savait que c'était
réciproque. En revanche, il ne serait jamais son confident.

Posant sa cuillère sur l'évier, elle prit sa chope et la posa sur
une table.

— Pas vraiment. En tout cas, pas à toi.

Il fit semblant d'avoir été poignardé en plein cœur.

— Ouh ! Ça fait mal !

Elle sourit et but une gorgée de thé.

— Des problèmes avec ton papa ? demanda-t-il.

Cara l'ignora.

— Trop de lords courent après notre jolie lady ?

— La ferme, Reed.

— Ou bien c'est ton amoureux qui te cause des problèmes.

— Je n'ai pas d'amoureux.

— Parce que tu tournes trop autour d'un certain ambulancier.

— Ce n'est pas ce que je fais.

— Non ?

À cet instant, elle détesta Reed. Pourquoi se mêlait-il toujours
de tout ? Qu'est-ce que cela lui apportait ? En tout cas, s'il attendait
une réaction, elle n'allait pas lui donner ce plaisir.

Elle sirota tranquillement sa propre boisson.

— Non.

— Tout va bien, entre Tom et toi ?

— Bien sûr.

— Ah ! tu as hésité.

— Pas du tout !

Reed se mit à rire.

— Oh ! mais si ! Il se passe quelque chose. Quelque chose que tu peux dire à ton oncle Reed.

— Pour que ma vie privée circule dans la caserne ? Encore plus que maintenant ? Non merci.

— Donc, il y a quelque chose, tu viens de me le confirmer. Hum… Qu'est-ce que ça pourrait être ? Tu lui as finalement dit combien il te plaisait et il t'a repoussée ?

C'était donc ce que Reed pensait, lui aussi ? Qu'elle était trop masculine pour qu'un homme veuille d'elle ?

Mais apparemment, Tom était bel et bien attiré par elle. Le problème ne venait pas de lui, mais d'elle.

Humiliée, elle se détourna de Reed, qui prit un air choqué.

— J'avais raison ? Waouh ! Je n'arrive pas y croire. J'étais persuadé que tu lui plaisais aussi. J'aurais parié de l'argent, là-dessus. Finalement, on ne connaît jamais vraiment les gens, pas vrai ? Tu veux que je lui botte le derrière ?

Les larmes aux yeux, Cara fit face à Reed. Soudain, elle lui était reconnaissante de la soutenir. Bien sûr, la plupart du temps, il la prenait à rebrousse-poil, et en l'occurrence il se trompait complètement, mais il était là pour elle. Elle faisait partie de son équipe et ils formaient tous une famille.

— Merci, mais non merci. Tu fais erreur et j'ai besoin de me débrouiller seule.

— D'accord, mais si tu veux, je peux me tenir derrière toi, une hache à la main. Tu n'as qu'un mot à dire.

Cara n'eut pas le temps de rire, car l'alarme retentit. Quittant la cuisine, ils dévalèrent tous les deux l'escalier et enfilèrent leurs tenues. Ils montaient dans le camion, quand Hodge les rejoignit, une feuille à la main.

— Maison en feu, annonça-t-il.

Cara hocha la tête. Quoi qu'il se soit passé entre Tom et elle,

elle devait l'oublier pour le moment. Quelqu'un, quelque part, pouvait tout perdre.

Et elle savait ce qu'on ressentait.

Tom avait été appelé sur les lieux d'un incendie, dans un important parc de logements sociaux. Il y avait une grande concentration de logements collés les uns aux autres, à l'exception de quelques rangées de maisons comportant deux chambres, construites à l'époque victorienne.

Il était content d'avoir une mission à accomplir.

Lorsqu'il s'engagea dans Gardenia Street, il réalisa qu'il était derrière le camion de Cara. Il espéra qu'elle était de service. Ce serait bien, s'il pouvait lui parler, lui assurer que tout allait bien et que si elle n'en avait pas envie, ils continueraient comme avant.

En parvenant sur le lieu du sinistre, il vit qu'aucune fumée ne s'élevait vers le ciel. Les résidents avaient-ils réussi à vaincre l'incendie ?

Mais lorsqu'il se gara à l'adresse indiquée, il aperçut un groupe d'adolescents sur leurs vélos, au bout de la rue, qui hurlaient de rire.

Était-ce un canular ? Encore fallait-il le vérifier.

Il vit Hodge frapper à la porte. Cara se trouvait derrière lui, ainsi que Reed, qui lui jeta un coup d'œil bizarre. Il voulut lui faire signe, mais le pompier se détourna.

Étrange…

Une femme vêtue d'un peignoir sale, une cigarette à la main, ouvrit la porte. Elle parut surprise de voir Hodge, et encore plus quand elle vit les véhicules d'urgence réunis dans la rue.

— Oui ?

— Madame, nous avons reçu un appel nous informant qu'un incendie s'était déclaré chez vous, dit Hodge.

— Quoi ? Oh ! non ! Ce sont encore ces petits voyous ! Attendez que je les attrape !

— Si je comprends bien, il n'y a aucun problème ?

— Bien sûr que non !

— On peut entrer pour vérifier ?

— Pour quoi faire ? Je vous ai dit que ces gamins m'ont fait une farce. Ils m'ont harcelée toute la semaine.

Sur ces mots, la femme claqua la porte.

Tom laissa échapper un soupir. Pourquoi les gens agissaient-ils ainsi ? Pendant qu'ils perdaient leur temps en répondant à de faux appels, quelqu'un pouvait avoir désespérément besoin de leur aide, et même mourir !

Il croisa le regard de Cara. Détournant brièvement les yeux, elle retira son casque et se dirigea vers lui. Reed la saisit par le bras et lui dit quelques mots à voix basse, mais elle secoua la tête.

— Tout va bien se passer, dit-elle.

De quoi s'agissait-il ? Avait-elle raconté à Reed ce qui s'était passé entre eux ? Pourquoi aurait-elle fait ça ?

Comme elle s'approchait de lui, il sentit son cœur s'emballer.

— Tout va bien ? demanda-t-il.

Elle acquiesça tout en évitant de croiser son regard.

— Oui.

— Il n'y a pas de souci, entre Reed et toi ?

Le pompier foudroyait justement Tom du regard.

— Il veut juste me protéger.

— Contre moi ?

— Il s'est aperçu que j'étais plutôt distraite, ce matin.

Tom soupira.

— Écoute, je suis désolé pour hier. Je suis allé trop vite, alors que tu n'étais pas prête. Je ne voulais pas te bouleverser, tout comme je ne veux pas que notre relation soit moins fluide. Tu comptes beaucoup pour moi, Cara. Est-ce qu'on ne peut pas revenir à la situation antérieure ?

Cette fois, elle le regarda.

— Ça me plairait bien.

Le rose qui lui monta au jour charma Tom.

— On se retrouve toujours au studio, ce soir ?

— Pour nos exercices de danse ? Bien sûr.

Cette réponse réjouit Tom. Il avait craint que Cara n'annule cette séance. S'ils passaient un peu de temps ensemble, il pourrait discuter avec elle de ce qui s'était passé… ou plutôt de ce qui ne s'était pas passé. Du moins, si elle était d'accord. La priorité était de ne pas l'effrayer, ce que Léo avait certainement fait un nombre incalculable de fois.

— Eh bien... à plus tard, donc.

Cara lui adressa un sourire hésitant avant de s'éloigner. Elle grimpa dans le camion tandis que Tom appelait le Contrôle pour prévenir que l'appel n'était qu'un canular. Il était donc prêt à remplir une prochaine mission.

Il n'avait repris le volant que depuis deux minutes, quand un appel concernant un éventuel arrêt cardiaque lui parvint. Toutes sirènes hurlantes, il se rendit immédiatement à l'adresse indiquée.

Cara avait failli annuler cette séance d'apprentissage de la valse. Avait-elle vraiment envie de revoir si vite Tom ? Voulait-elle vraiment affronter Daphné ? Mais c'était la dernière leçon, ils devaient travailler les changements de direction et les fleckerls. Il y avait aussi les transitions à revoir afin que la danse reste fluide.

Elle craignait de n'avoir commis une énorme erreur en acceptant ce rapprochement avec Tom. Même si elle souhaitait plus que tout être avec lui, elle était terrorisée à l'idée qu'au dernier moment il ne soit pas physiquement attiré par elle. Bien sûr, il lui avait souvent répété qu'elle était belle et que Léo n'était qu'un imbécile.

Elle aurait voulu le croire, elle s'efforçait de le croire, mais la blessure et le doute demeuraient en elle.

Cara voulait être aimée pour ce qu'elle était.

L'amour de son père était étouffant, si bien qu'elle l'avait fui. Celui de sa mère était conditionnel, si bien qu'elle l'avait fui. Celui de Léo... si tant est qu'on puisse parler d'amour... se nourrissait de critiques, si bien qu'elle l'avait fui.

Et Tom ? Tom était différent, mais est-ce qu'il ne finirait pas par la comparer à Victoria ? La parfaite, la svelte, la féminine Victoria.

Pourquoi trouver l'amour était-il aussi difficile ?

Pouvait-elle vraiment risquer de perdre son meilleur ami, ainsi que Gage ?

Elle leva les yeux vers les fenêtres du studio.

Je peux m'en aller... je peux même ne pas aller au bal... il me suffit de faire un don pour les Webster.

Mais quelque chose l'incita à pousser la porte d'entrée. Elle monta lentement l'escalier, comme un animal qu'on mène à l'abattoir, et elle entra.

Naomi, la réceptionniste, l'accueillit chaleureusement et lui dit que Tom et Daphné l'attendaient.

Seigneur ! Tom et Daphné se connaissent bien. Est-ce qu'il lui a parlé de ce qui s'est passé entre nous ?

Parce que Daphné la détesterait sûrement.

Elle ralentit le pas, mais une petite voix, dans sa tête, lui assura qu'elle n'avait rien fait de mal.

Elle franchit donc le seuil de la salle, un grand sourire aux lèvres, et se dirigea vers Tom qui se tenait avec Daphné près du piano.

Le visage radieux, il vint à sa rencontre et planta un baiser sur sa joue.

— Je suis content de te voir. Je commençais à penser que tu ne viendrais pas.

— J'ai dit que je viendrais.

— Parfait, parfait, intervint Daphné. On va commencer. J'espère que vous vous êtes exercée.

Elle pointa sa télécommande vers la chaîne hi-fi, qui diffusa aussitôt un air de valse.

— On reprend le cadre, dit la danseuse. Montrez-moi ce dont vous vous souvenez.

Cara prit la main de Tom et tenta de retrouver la position tout en fixant un point éloigné, par-dessus l'épaule gauche de son cavalier. Elle ne voulait pas étirer son cou, *comme si un homme l'embrassait*, ainsi que l'avait dit Daphné.

— Qu'est-ce que c'est que cet espace ? protesta Daphné en rapprochant leurs deux corps. Je pourrais faire passer un poids lourd entre vous.

C'était un calvaire, que d'être serrée contre Tom, alors que c'était la seule chose qu'elle ait jamais voulue… et la seule chose qu'elle n'aurait pas pu supporter maintenant.

Daphné prit un air excédé.

— Vous avez tout oublié ?

Non, je suis juste morte de trouille.

— Bon. Voyons les pas de base. On y va !

Cara essayait désespérément de se les rappeler et de faire preuve de la grâce qu'elle avait acquise la fois précédente, mais c'était comme de repartir de zéro. Elle se sentait tellement mal à l'aise, dans les bras de Tom, qu'elle lui marcha immédiatement sur les pieds. Brisant le cadre, elle recula et demanda pardon.

— On reprend la position, ordonna Daphné.

Cara reprit la main de Tom, mais une minute plus tard, elle lui marchait de nouveau sur les pieds. Soudain très rouge, elle réprima une forte envie de pleurer.

— Qu'est-ce qui se passe ? demanda Daphné en fronçant les sourcils. L'autre jour, vous réussissiez parfaitement les pas.

— C'est bon, on va y arriver, intervint Tom. Cara ? Regarde-moi.

Elle obéit, même si plonger dans les yeux de l'homme qu'elle aimait, sachant qu'il pouvait la rejeter, était presque insupportable. Ensuite, elle aurait tout perdu.

— Oubliez les pas, dit Daphné, et laissez-vous porter par la musique.

Malgré tous ses efforts, Cara accumula les erreurs, serrant les dents pour persévérer. Soudain, elle perçut une odeur familière… Était-ce de la fumée ?

Brisant de nouveau le cadre, elle recula d'un pas et renifla.

— Non ! s'écria Daphné. Reprenez la position, vous y étiez !

— Je sens de la fumée.

— Quoi ?

À cet instant, la réceptionniste fit irruption dans la salle.

— Il y a le feu dans la maison d'à côté.

— Appelez les pompiers, ordonna Cara. Tom, Daphné, sortez de l'immeuble et assurez-vous que tout le monde en fait autant. Vous savez combien de personnes se trouvent ici ?

— Il y a un registre pour chaque cours, à la réception.

— J'en ai besoin. Tout le monde dehors.

Cara se rua hors de la salle, elle prit les registres, puis elle passa de salle en salle pour s'assurer que tout le monde sortait. Ensuite, elle quitta à son tour le studio et demanda aux élèves et aux professeurs de se ranger de l'autre côté de la rue pour qu'elle puisse les compter. Personne ne manquait.

Elle se retourna alors pour regarder l'incendie, qui s'était déclaré dans le bâtiment inhabité adjacent au studio. Les flammes jaillissaient déjà par les fenêtres.

Mon Dieu !

L'immeuble n'était pas vide ! Il y avait des gens qui frappaient à une vitre. Étaient-ils coincés ?

— Restez là ! ordonna-t-elle.

Elle traversa en courant et utilisa une chaise qui se trouvait à la terrasse d'un café pour briser la porte d'entrée vitrée.

— Cara ! appela Tom. Attends les pompiers !

Mais elle ne pouvait pas attendre. Ces gens n'en avaient pas le temps non plus et il devait y avoir un moyen de les sauver.

Elle connaissait le feu, elle savait comment il se comportait. Pendant son apprentissage, elle avait tout appris sur les points d'inflammation et les explosions possibles. Elle avait conscience de tous les dangers auxquels on s'exposait en pénétrant dans un bâtiment en feu.

Seulement cette fois, elle ne portait pas sa tenue ignifugée et elle n'avait pas non plus son appareil respiratoire. Elle sentait déjà la fumée pénétrer ses poumons et sa gorge. Tout en toussant, elle chercha des yeux un escalier. Il y en avait un sur la droite, à l'arrière de l'immeuble. Il était en ciment, si bien qu'il ne s'enflammerait ni ne s'effondrerait. Elle gravit les marches quatre à quatre, tenant sa chemise contre sa bouche pour filtrer l'air. Sur le palier, il y avait une porte, mais elle était verrouillée.

Cara regarda autour d'elle et vit un extincteur accroché au mur. Il ne fonctionnait peut-être plus, mais il pouvait encore être utile. Le soulevant dans ses deux mains, elle s'en servit pour faire sauter la serrure, après quoi elle enfonça la porte avec son pied.

Les flammes ondoyaient autour d'elle. Il y avait des chiffons et des sacs par terre, et aussi ce qui ressemblait à un réchaud à gaz. Des squatters ? Est-ce qu'ils l'avaient utilisé ? Il risquait d'exploser. Elle actionna l'extincteur pour réduire un peu le feu et rejoindre les gens qui se trouvaient devant la fenêtre.

— Eh ! Par ici !

— Mon Dieu ! Je croyais que nous allions mourir !

Certains d'entre eux se ruèrent vers la porte défoncée, abandonnant derrière eux une femme qui toussait si fort qu'elle pouvait à peine tenir debout. Cara se précipita vers elle, elle la souleva et la balança sur son épaule, après quoi elle reprit le chemin de la sortie.

Elle parvenait en bas des marches de ciment, quand une brigade de pompiers arriva et elle aperçut un camion dans la rue. Tom était là, lui aussi.

— Je suis ambulancier, expliqua-t-il à cette équipe inconnue.

Cara toussait, elle sentait la suie dans sa gorge et des larmes s'échappaient de ses yeux douloureux.

— Cara ? Tu vas bien ? demanda Tom.

— Oui.

Elle se força à tousser davantage, pour évacuer de ses poumons les substances cancérigènes qu'elle avait respirées.

— Tu dois être examinée.

— Occupe-toi plutôt d'elle, répondit Cara en désignant la femme.

Ensuite, elle dut se contenter de suivre l'intervention de ses collègues. Des ambulanciers prirent en charge la femme. L'un d'entre eux enveloppa Cara dans une couverture et l'emmena jusqu'à une ambulance pour qu'elle reçoive un peu d'oxygène. Elle resta assise, sentant sa respiration devenir peu à peu plus facile, jusqu'à ce qu'elle n'ait plus besoin d'oxygénothérapie.

Tom la rejoignit finalement à l'arrière de l'ambulance.

— J'ai eu la peur de ma vie, quand tu es entrée dans cet immeuble.

— Je savais ce que je faisais.

— Tu n'étais pas en tenue. Tu aurais pu être blessée ou tuée.

— Mais ce n'est pas arrivé.

— Si tu avais fini sur un lit d'hôpital, sous respirateur, si j'avais dû te voir ainsi…

Cara fixa Tom, les sourcils froncés.

— Ce ne sera pas le cas.

— Quand je t'ai vue sortir cette femme…

La voix de Tom se brisa et il regarda ailleurs.

Cara en déduisit aussitôt que comme Léo, il la trouvait trop masculine pour qu'un homme veuille d'elle. Il l'avait vue avec cette femme sur son épaule et c'était peut-être la première fois qu'il était témoin de sa force physique.

Après tout, c'était peut-être mieux ainsi. Parce que maintenant, il ne voudrait plus la voir nue et elle éviterait d'avoir le cœur brisé.

— Très bien, je comprends, dit-elle pour lui donner une porte de sortie.

Si c'était plus facile pour lui, ça le serait aussi pour elle. Ils resteraient amis et elle oublierait ce baiser, tout comme elle oublierait qu'elle était amoureuse de lui.

— Nous exerçons tous les deux des métiers dangereux, reprit Tom, mais le tien… Je… J'ai besoin de stabilité. Pas seulement pour moi, mais pour Gage. Il a déjà perdu sa mère, et je dois le protéger. Il est ma priorité. Et qu'est-ce que je fais ? Je te cours après.

Je te cours après.

Comme s'il avait fait un choix insensé. Les joues ruisselant de larmes, elle hocha la tête. Il était en train de lui dire que quoi qu'ils aient commencé, c'était fini. Et il avait raison. Gage était plus important que tout.

— Il n'y a pas de problème. Je comprends. C'est probablement mieux, tu as raison.

Elle s'efforça de plaquer un sourire courageux sur ses lèvres, alors que son cœur se brisait.

9.

En dehors d'une toux irritative, Cara ne garda aucune séquelle, après avoir pénétré sans son équipement dans une maison en feu. Elle pouvait le supporter, même si elle avait dû tousser jusqu'à la fin de sa vie. En revanche, la détérioration de sa relation avec Tom était bien plus dévastatrice.

Elle aurait dû savoir dès le début que Tom ne pourrait jamais l'aimer. Il avait raison : son fils était sa priorité.

De toute façon, elle n'était pas assez bien pour lui.

Depuis toujours, on n'avait pas cessé de lui répéter qu'elle ne se comportait pas comme une femme devait le faire.

À commencer par sa mère !

« Mets une robe, Cara ! Fais-le pour moi. »

« Personne ne te remarquera, si tu t'habilles tout le temps comme un garçon. »

Et puis il y avait eu Léo. Au début, sortir avec une pompière l'avait sans doute amusé, mais dès que leur relation était devenue physique, il avait mis des distances entre eux. Elle s'était demandé si elle avait fait quelque chose de mal.

Il était son premier amour et elle l'adorait.

Léo avait fini par lui dire la vérité :

« Tu ne m'attires pas physiquement. »

« Tu es trop musclée, et même plus que moi. »

Cara regarda par la fenêtre tandis que le camion roulait en direction d'un immeuble où s'était déclaré un incendie. Peut-être que si elle avait choisi un autre métier, Tom et elle seraient ensemble maintenant.

N'importe quoi ! Si j'étais une lady, je n'aurais jamais rencontré Tom !

Sa vie aurait-elle été différente, si elle avait été plus girly ? Si elle avait porté des jupes et des robes ? Si elle ne s'était pas fait tatouer ?

Devant le camion, une fumée épaisse tournoyait dans le ciel. C'était un vrai incendie, pas un canular. Les habitants des appartements étaient rassemblés en face de l'immeuble. Certains d'entre eux toussaient, d'autres pleuraient.

Dès que le camion s'arrêta, Cara sauta sur le trottoir. Elle était chargée de recenser les occupants qui pouvaient encore se trouver à l'intérieur.

L'un des habitants, un homme d'une quarantaine d'années, passa la main dans ses cheveux.

— Je ne sais pas… je ne vois pas Jason… il habite au troisième étage. Et il y a aussi les Kimble, je ne les vois pas. Il s'agit de Tansy, une maman célibataire, et de son fils de quatre ans. Ils vivent sur le même palier que Jason.

— Comment s'appelle l'enfant ?

— Khaya.

— D'accord.

Il sembla à Cara que quelqu'un criait son prénom, mais elle entra dans l'immeuble, vêtue de sa combinaison de protection, et cette fois, elle avait son appareil respiratoire. Elle commença sa recherche avec méthode.

On pouvait se sentir claustrophobe, quand on cherchait des gens dans un immeuble en feu. La vision était souvent limitée par une fumée épaisse, on se trouvait parfois dans des espaces étroits, les plafonds pouvaient s'effondrer autour de vous ou le plancher s'ouvrir devant vos pieds.

Reed la suivait. Il tourna à gauche, dans un couloir, tandis qu'elle empruntait celui de droite. Certains occupants avaient laissé la porte ouverte, ce qui permettait à Cara d'entrer facilement dans leur appartement pour vérifier qu'il était désert. D'autres avaient verrouillé leur porte et elle fut forcée de les ouvrir à coups de pied.

Elle était parvenue au deuxième étage et elle devait le fouiller, même si les personnes manquantes habitaient au troisième. Elle ne se le serait jamais pardonné, si quelqu'un mourait parce qu'elle n'avait pas bien fait son job.

Tom avait appelé Cara lorsqu'il l'avait vue entrer dans l'immeuble en feu. Il mourait de peur pour elle. L'incendie était féroce et l'immeuble semblait sur le point de s'effondrer à tout moment. C'était un préfabriqué fragile construit dans les années 1970, et il ne correspondait sans doute plus aux normes de sécurité depuis longtemps.

Il était arrivé derrière la Garde verte. Pour commencer, il s'était précipité parmi les résidents pour voir si personne n'avait besoin d'une aide médicale. Voyant Cara parler à un homme, il avait tenté de croiser son regard car il voulait absolument lui parler.

La veille, il avait commis une terrible erreur. Il s'était comporté de façon stupide, sans penser aux sentiments de Cara tant il était absorbé par les siens. Il y avait la culpabilité de désirer une autre femme que son épouse défunte. La peur de détruire son amitié avec Cara et surtout… cette horreur à l'idée qu'il pourrait la perdre si elle était blessée.

Mais la nuit dernière, il avait parlé avec Gage avant de le mettre au lit.

« Je voudrais que Cara soit là tout le temps, papa », avait dit son fils.

« Pour de bon ? »

Gage avait hoché la tête tout en bâillant.

« J'aime bien jouer avec elle. Pas toi, papa ? »

« Oui, moi aussi. »

« C'est super. Pasque quelquefois tu es triste et je crois qu'avec Cara on est plus heureux. »

Cela lui avait rappelé combien Cara aimait son fils.

Le cœur battant la chamade, il attendait maintenant que Cara sorte de l'immeuble. Il n'oubliait pas le danger qu'elle courait et le risque qu'il prendrait en étant trop proche d'elle, mais son amour pour elle l'emportait.

Cara retrouva Reed et ils montèrent ensemble au troisième étage. Les marches de béton ne brûlaient pas, mais l'atmosphère était chargée d'une épaisse fumée.

Lorsqu'ils atteignirent le troisième étage, ils aperçurent les flammes à travers la petite fenêtre creusée dans la porte.

— On reste ensemble, dit Reed.

Elle acquiesça avant de pousser la porte, puis elle rasa le mur qui devait la conduire à travers les flammes jusqu'aux deux appartements situés sur la gauche.

La chaleur était épouvantable et la sueur ruisselait dans le dos de Cara, mais elle le remarquait à peine. Il parvint à la première porte. De la fumée sortait par en dessous, indiquant qu'il y avait éventuellement un feu actif derrière elle. Reed la défonça et ils entrèrent.

Il y avait un long couloir, avec des chambres de chaque côté, emplies d'une fumée noire où perçaient parfois des éclairs orange et rouges. Cara entra dans la première pièce, qui était vide. Elle inspecta la penderie et regarda sous le lit.

Rien.

En progressant davantage, ils parvinrent à une salle de bains dont la porte était verrouillée. De nouveau, ils la défoncèrent facilement. Un homme se trouvait tout habillé dans la baignoire pleine d'eau.

— Vous êtes Jason ? cria Cara à travers son masque.

Il hocha la tête.

Reed saisit son bras.

— Venez avec moi, dit-il en le sortant de l'eau.

Avant de partir, il se tourna vers Cara.

— Fais attention à toi.

— Compte sur moi.

Sachant que les Kimble ne se trouvaient pas dans cet appartement, Cara fouilla quand même toutes les pièces pour s'assurer qu'il ne restait personne.

Elle retourna ensuite dans le couloir, et avança jusqu'à la porte voisine. Elle était fermée et brûlante, ce qui indiquait que le feu faisait rage à l'intérieur. Elle s'écarta aussitôt après l'avoir ouverte, s'attendant à voir une flamme en jaillir. Elle la regarda lécher le plafond de la chambre.

Entendait-elle quelque chose ? Des cris ? Quelqu'un appelait-il à l'aide ?

Se penchant en avant, elle entra, un bras au-dessus de la tête pour se protéger contre la chute de débris. Une épaisse fumée empêchait de bien voir et elle alluma sa torche. Une télévision fonctionnait encore dans la salle de séjour et près de la fenêtre, il y avait une femme qui tenait dans ses bras un petit enfant apparemment inconscient.

Cara progressa prudemment dans leur direction, sautant sur le côté lorsque le plafond s'effondra devant elle, faisant pleuvoir sur elle une pluie de plastique et de bois en feu. Elle trébucha et fut projetée contre le mur, mais très vite elle se redressa et finalement parvint jusqu'à la mère et l'enfant.

— Tansy ? Khaya ?

La femme tourna vers elle un visage crispé par la peur.

— Je n'arrive pas le réveiller !

— C'est à cause de la fumée.

Cara prit l'enfant et le rapprocha du sol, là où la fumée était moins épaisse. Posant deux doigts sur son cou, elle trouva son pouls.

Derrière les deux femmes, le plafond s'effondra complètement, leur bloquant la route. Il allait falloir trouver un autre moyen pour sortir.

La fenêtre était entrouverte. Regardant autour d'elle, Cara vit une chaise. Elle rendit le petit garçon à sa mère, à qui elle recommanda de s'écarter. Elle prit ensuite la chaise et la balança dans la vitre, qui explosa. Elle retira ensuite les derniers débris de verre de l'huisserie et regarda dehors pour voir si les échelles étaient dressées.

Elles l'étaient !

Cara braqua sa torche vers la rue et l'agita pour signaler à son équipe qu'il y avait deux personnes à sauver. Un instant plus tard, Hodge grimpait vers elle, Garret derrière lui.

Cara ôta son masque et le mit sur le visage du petit garçon, puis elle vérifia une seconde fois l'encadrement de la fenêtre pour s'assurer qu'aucun débris de verre ne pourrait blesser ses protégés.

— Vous serez bientôt dehors, dit-elle à Tansy.

— J'ai le vertige ! cria la jeune femme.

— Tout va bien se passer, n'ayez pas peur.

Cara protégea le corps de Tansy avec le sien, car les flammes se rapprochaient. Et puis Hodge parut à la fenêtre et Cara lui passa l'enfant. Garret était là, lui aussi, et ils aidèrent une Tansy pétrifiée à poser les pieds sur les barreaux de l'échelle. Soudain, il y eut une explosion derrière Cara, qui se pencha et sentit le souffle passer au-dessus d'elle.

Qu'est-ce que c'était ?

Elle enjamba la fenêtre et passa à son tour sur l'échelle qui s'abaissa lentement. L'air devenait plus respirable et Cara laissa échapper un soupir. Ils avaient réussi. Pour autant qu'elle le sache, ils avaient sauvé tout le monde. Et s'il restait quelqu'un, l'autre équipe s'en chargerait. Elle savait que Hodge ne la laisserait pas repartir… pas avant qu'on l'ait examinée.

Tom se tenait au pied de l'échelle, attendant ses patients. Son visage était crispé. Elle aurait voulu se précipiter dans ses bras, le serrer contre elle et lui dire qu'elle était saine et sauve. Elle aurait voulu qu'il s'exclame : « Dieu merci ! J'étais tellement inquiet pour toi ! »

Mais elle savait que cela n'allait pas arriver. Si elle voulait être aimée d'un homme comme Tom, elle devait changer, ne plus être qui elle était. Elle n'était pas sûre de pouvoir le faire car ce serait jouer un rôle.

Peut-être était-elle destinée à être seule pour toujours.

Lorsqu'ils parvinrent en bas, Tom s'occupa immédiatement de Khaya.

Sachant combien ce devait être pénible pour lui, de traiter un enfant du même âge que le sien, elle s'approcha.

— Tu crois qu'il va se remettre ?

Il leva vers elle un regard fatigué.

— Je vais faire mon possible.

Il avait raison. C'était son métier et cette question était stupide. Furieuse contre elle-même, Cara regagna le camion. Les larmes aux yeux, elle donna plusieurs coups de pied dans un pneu.

Le jour du bal de charité était arrivé. Cara était censée arriver au bras de Tom, vêtue comme une lady.

Quelle farce !

Ils savaient tous les deux qu'elle n'avait rien d'une lady. D'ailleurs, tout le monde le savait. Les membres de sa famille seraient là et ils riraient derrière son dos, tout comme ses collègues.

Et Tom ?

Il serait sûrement très gêné… du moins, s'il se montrait.

Depuis qu'il lui avait fait nettement savoir où ils en étaient, tous les deux, elle n'avait pas eu de nouvelles de lui. Les SMS que Cara lui avait envoyés étaient restés sans réponse. Elle lui avait même laissé un message vocal sur son répondeur. Il n'allait tout de même pas lui poser un lapin ! Même si toute relation amoureuse était impossible entre eux, il était son meilleur ami !

Cara laissa échapper un soupir. Il était temps d'enfiler sa robe, de se coiffer et de se maquiller. Mais auparavant, elle jeta un dernier coup d'œil à l'écran de son téléphone.

Toujours rien.

Ce silence lui disait sans doute tout ce qu'elle avait besoin de savoir… Il ne viendrait pas. Elle entrerait dans la maison de son enfance sans cavalier à son bras.

Elle s'assit devant sa coiffeuse et commença par se brosser les cheveux tout en réfléchissant à la meilleure façon de les coiffer. Elle se décida pour un chignon. Elle avait acheté quelques jolies épingles, mais toutes ses tentatives se soldèrent par un échec.

Comment font les autres filles ?

Finalement, elle consulta le tutoriel qu'elle avait trouvé sur Internet.

Ah ! je comprends mieux.

Elle avait tout fait de travers. Il fallait procéder mèche par mèche…

Plutôt joli !

Cara prit ensuite la palette de maquillage qu'elle s'était offerte dans la même boutique. Elle voulait obtenir un effet « smoky eyes », mais pour cela elle dut chercher de nouveau une démonstration en ligne.

Au premier essai, elle avait tout d'un panda et les larmes n'arrangèrent rien. Après avoir tout enlevé avec une lingette, elle recommença et le résultat fut bien meilleur.

J'apprends vite.

Après avoir accroché les seules boucles d'oreilles qu'elle possédait, elle mit sa robe, qui la moulait exactement comme il le fallait, puis elle s'assit pour enfiler les escarpins dorés. Lorsqu'elle se regarda dans la glace pour vérifier à quoi elle ressemblait, elle laissa échapper un cri. Elle ne s'était jamais vue coiffée, maquillée et vêtue d'une aussi jolie robe.

C'était… stupéfiant ! Grandiose !

Soudain, elle comprenait pourquoi ses consœurs aimaient s'apprêter. Cela leur permettait de dévoiler différents aspects d'elles-mêmes. À cet instant précis, c'était comme si elle se préparait à marcher sur un tapis rouge et elle se sentait… *spéciale*.

Cara regretta soudain que sa mère ne soit pas là pour la voir. Elle aurait été fière, elle aurait sûrement pleuré, Cara le savait parce que ses propres yeux se mouillaient de larmes.

— Qu'est-ce que tu en penses, maman ? demanda-t-elle à voix haute.

Bien sûr, il n'y eut pas de réponse.

Que ferait Tom, s'il la voyait maintenant ? Reviendrait-il sur sa décision ?

Non. Il faut plus qu'une jolie robe et des talons hauts pour qu'un homme change d'avis.

Elle vérifia l'heure. La voiture n'allait pas tarder à arriver, et Tom aurait dû être là. Seulement, il n'y était pas, et cette défection était presque insupportable.

On frappa à la porte. C'était Jamison, le chauffeur de son père.

— Lady Cara, dit-il en saluant brièvement, vous êtes éblouissante.

— Merci, Jamison.

Accablée par un terrible sentiment de solitude, Cara suivit le chauffeur jusqu'à la voiture après avoir refermé derrière elle.

Elle n'entendit pas la sonnerie du téléphone, dans l'entrée.

Quand Jamison s'engagea dans l'allée qui menait au manoir, Cara laissa échapper un soupir en voyant la maison où elle avait passé son enfance. Elle en gardait de nombreux souvenirs heureux. Elle avait joué dans les écuries, elle était montée à cheval, elle avait fabriqué des cabanes avec ses frères, elle avait joué à cache-cache avec eux dans tous les greniers. Cara pouvait presque entendre la voix de sa mère les appeler pour le thé. Elle avait la nostalgie de ce temps. Sa mère lui manquait…

J'ai peut-être complètement raté ma vie amoureuse, maman, mais regarde-moi dans cette robe !

Sa mère aurait poussé un cri de plaisir en la voyant. Elle aurait voulu prendre des photos qu'elle aurait fait ensuite encadrer pour les exposer de façon stratégique de façon que tout le monde puisse les admirer.

Lady Cara Maddox. C'était ainsi qu'elle devait se présenter. Mais elle n'était jamais entrée dans le moule et elle avait suivi sa propre voie, quoi que les autres puissent en dire.

Soudain, la portière s'ouvrit et son père fut là.

— Cara ! Tu es splendide !

La prenant par les deux mains, son père l'embrassa sur les deux joues avant de reculer de quelques pas pour mieux l'admirer.

— Éblouissante ! Tout simplement éblouissante !

Il lui sourit avec fierté avant de regarder derrière elle, les sourcils froncés.

— Pas de galant ambulancier ?

Cara secoua la tête, décidée à ne pas pleurer.

— Il n'a pas pu venir.

Peut-être aurait-elle dû dire qu'il serait en retard… mais les gens finiraient par constater son absence et elle aurait droit à des commentaires compatissants :

« Pauvre Cara ! Encore une autre déception ! »

— C'est dommage, mais j'espère que tout va bien, entre vous.

— Parfaitement bien.

— Tant mieux. Mais il n'est pas question que ma fille ne danse pas ce soir. Tu danseras avec moi et je pense que Tarquin ou Xander ne demanderont pas mieux que de me succéder, tellement tu es ravissante.

— Je préférerais de loin ne pas m'aventurer sur la piste, papa. Ces talons ne sont pas vraiment adaptés aux jeux de jambes.

— Absurde ! Ta mère dansait avec des talons hauts et tu m'as bien dit que tu t'étais entraînée.

Le père de Cara disparut dans la foule avant qu'elle puisse découvrir comment il savait qu'elle avait pris des leçons de valse.

Elle gagna la salle de bal, toujours aussi magnifique. Des rangées de colonnes en marbre reliées par des rideaux de velours rouge en faisaient le tour. De beaux tableaux et des portraits représentant les ancêtres de la famille Maddox ornaient les murs. De nombreux couples évoluaient sur la piste… Des hommes en habits, des femmes aux robes de toutes couleurs. Cela ressemblait étrangement à un parterre de fleurs virevoltant sous l'effet de la brise. Sur le côté, un orchestre jouait une douce mélodie tandis que des maîtres d'hôtel et des serveuses slalomaient entre les danseurs, proposant aux invités des flûtes de champagne et des plateaux de petits fours.

Parmi tous ces gens, jamais Cara ne s'était sentie aussi seule.

Assis à l'arrière du taxi, Tom s'efforçait en vain d'ajuster son nœud papillon.

— On ne peut pas aller plus vite ? demanda-t-il.

— On n'est pas tout seuls, l'ami. Je ne peux rien faire, répliqua le chauffeur en mâchant son chewing-gum.

Ils se trouvaient dans la longue queue des véhicules attendant de remonter l'allée jusqu'au manoir Higham. Incapable de patienter davantage, Tom donna quelques billets au chauffeur avant de sauter hors de la voiture.

Un gros paquet sous le bras, il se mit à courir.

Il s'était comporté comme un imbécile ! Comment avait-il pu imaginer une seconde qu'il lui suffisait d'exclure Cara de sa vie pour cesser de s'inquiéter pour elle ? Depuis qu'il lui avait annoncé qu'ils ne pouvaient pas être ensemble, il ne cessait de penser à elle.

Et puis, il y avait eu cette conversation avec Gage.

« Nous ne verrons plus Cara, à partir de maintenant », avait-il dit à son fils.

Gage avait paru très triste.

« Pourquoi ? »

« Parce que… Parce qu'elle est très occupée. »

« Elle a un nouveau travail ? »

« Non. »

« Alors pourquoi elle ne peut pas nous voir ? Elle vient souvent à la maison, elle joue avec moi et elle me lit des histoires le soir. »

« C'est juste que quand on est adulte, la vie devient plus compliquée. »

« Si elle vivait avec nous, ça serait pas important, qu'elle soit occupée. »

Tom avait fixé son fils.

« Quoi ? »

Gage avait soutenu le regard de son père.

« Je veux voir Cara. »

« Elle a un métier dangereux, mon chéri. Elle peut… »

Les mots s'étaient étranglés dans sa gorge.

« Elle peut mourir ? Comme maman ? »

Tom avait hoché la tête, incapable de parler.

Gage s'était tu un instant, plongé dans une profonde réflexion.

« Papa, si elle est courageuse, nous aussi, on peut être courageux », avait-il conclu.

La sagesse de ce petit garçon de presque quatre ans avait estomaqué Tom. Il n'avait pas répondu aux messages de Cara. Il s'en voulait de les ignorer, tout comme il savait qu'il devait respecter son engagement vis-à-vis d'elle. Maintenant que tout était fini entre eux, il ignorait comment il pourrait jouer le rôle qu'elle lui avait dévolu.

Mais cette discussion avec Gage l'avait fait réfléchir.

En excluant Cara de sa vie, il ne sauvait pas son cœur, il le tuait ! Pourquoi s'éloigner d'elle, alors que chaque moment passé en sa compagnie était un cadeau du ciel ?

Certes, elle exerçait un métier dangereux, et s'il lui arrivait quelque chose, ce serait terrible. Mais la connaître aurait été une bénédiction, pour Gage et lui.

Alors oui, il s'était comporté comme un imbécile.

À cet instant, elle devait croire qu'il l'avait abandonnée, mais il allait lui prouver qu'elle se trompait et il danserait avec elle. D'ailleurs, ils devaient discuter de certaines choses.

Parvenu devant les portes du manoir, il demanda à un maître d'hôtel en livrée s'il pouvait l'aider à mettre son nœud papillon.

— Absolument, monsieur.

Souriant patiemment, l'homme lui rendit ce service, puis il sortit un peigne d'une poche intérieure.

— Puis-je vous suggérer, monsieur… ?

Tom se mit à rire. C'était sans doute une bonne idée.

— Bien sûr, merci. Où est la salle de bal ?

— Droit devant vous, monsieur. Suivez la musique.

Après avoir mis un peu d'ordre dans ses cheveux, Tom prit la direction indiquée. Une serveuse lui présenta un plateau de flûtes de champagne, Il en prit une et la vida d'un trait avant de la reposer.

Il cherchait la plus belle femme du monde, vêtue d'une robe dorée. Il parcourut des yeux les groupes qui bavardaient le long des murs, puis son regard tomba sur la piste et il entrevit un éclat doré et une chevelure flamboyante. Elle dansait avec son père.

Le cœur battant follement, il se fraya un chemin parmi les danseurs.

— Excusez-moi… Désolé… Puis-je… Merci.

Enfin, il parvint près de Cara. Elle était éblouissante de beauté, bien qu'un peu mal à l'aise, apparemment.

— Puis-je vous interrompre ?

Cara se tourna vivement vers lui, laissant échapper un petit cri.

Le père de Cara sourit largement et s'écarta de sa fille.

— Bien volontiers. Je vous en prie.

Tom sourit à Cara.

— Je suis désolé de ne pas avoir répondu à tes appels.

— Où étais-tu ?

— Je perfectionnais ma technique en imbécillité. Tu es magnifique.

Elle rougit.

— Je t'ai acheté un cadeau, reprit-il. Je voulais t'offrir une fleur à attacher à ton poignet, mais quand j'ai vu ça…

Tom exhiba le gros paquet glissé sous son bras. L'emballage et le ruban étaient dorés. Lorsqu'elle les eut déchirés, Cara sourit à la vue des baskets étincelantes et dorées, nichées dans du papier de soie blanc.

— J'ai pensé que lorsque tu les aurais aux pieds, tu pourrais danser avec moi plus longtemps, dit Tom.

Cara se courba pour ôter les escarpins et glissa ses pieds dans les baskets. Tom prit les chaussures à talons et les mit dans la boîte, qu'il tendit à une serveuse.

— Pouvez-vous vous en débarrasser, s'il vous plaît ?

Dès que la jeune femme s'éloigna, Cara se redressa et leva vers Tom un regard empreint d'appréhension.

— Je croyais que tu ne viendrais pas.

— Je n'aurais jamais manqué un tel événement. Pardonne-moi, si je t'ai inquiétée.

Après l'avoir contemplée un instant, il écarta les bras dans la position qu'ils connaissaient tous les deux. Et lorsqu'elle glissa sa main dans la sienne, il sentit que tout allait bien se passer.

— Il faut que je te dise ce que j'éprouve pour toi, commença-t-il.

— Il n'y a pas de souci. Je sais que je ne ressemble pas à Victoria, et ça n'arrivera jamais. Tout comme je ne changerai jamais de métier.

— Je ne cherche pas une autre Victoria et je ne veux pas que tu changes.

Il attendit qu'elle lève les yeux pour continuer :

— Je me suis conduit comme un imbécile et un lâche.

— Et moi, je n'ai pensé qu'à moi. J'ai oublié que Gage était ta priorité. Mon métier fait de moi une compagne à risques. Je suis absorbée par ce que je fais et j'ai foncé dans un immeuble en feu, j'ai utilisé mon corps pour protéger d'autres personnes. Gage n'a pas besoin de quelqu'un comme moi, ni toi d'ailleurs.

— Tu plaisantes ? Ton altruisme et ton courage sont deux merveilleuses qualités. Pour rien au monde je ne souhaiterais que tu changes. Tu es parfaite exactement comme tu es. Et quand je t'ai vue sortir du bâtiment, portant cette femme sur ton épaule, j'ai réalisé à quel point tu me terrifiais.

Cara fronça les sourcils, troublée.

— Qu'est-ce que tu veux dire ?

— J'ai compris que je pouvais te perdre et cette pensée a été insupportable, parce que… je suis amoureux de toi.

Un petit sourire étira les lèvres de Cara.

— Tu es amoureux de moi ?

— Oui, et je le serai toujours. J'espère seulement que tu me pardonneras d'avoir fui, d'avoir eu peur, parce que ce n'est plus le cas. Je veux que ce ne soit plus une comédie destinée à ton père… Je veux que ce soit un vrai rencard. Qu'est-ce que tu en penses ?

— Je ne sais pas quoi dire.

Les joues de Cara étaient écarlates et il aurait voulu l'embrasser devant tout le monde. Que cela devienne réel. Que chacun sache, dans cette salle, qu'il aimait cette femme.

— Tu veux bien être ma petite amie pour de bon ? demanda-t-il en la serrant contre lui.

Elle se mit à rire.

— Je t'ai aimé dès la première seconde où je t'ai vu, Tom. Tu sais à quel point ça a été dur, pour moi ?

— Tu n'as pas encore répondu à ma question.

— Laquelle ?

— Tu veux bien être ma petite amie ?

— Oui.

— Parfait. Maintenant, embrasse-moi avant que je prenne feu sous tes yeux.

Se haussant sur la pointe des pieds, Cara l'embrassa comme il n'avait jamais été embrassé auparavant.

Épilogue

La porte de sa chambre d'enfant s'ouvrit et Cara se retourna. Sur le seuil de la pièce, son père poussa un cri de surprise.

— Cara… Tu es très belle.

Rougissante, elle se tourna vers le miroir. Sa robe de mariée était blanche, avec une traîne et un décolleté en forme de cœur, orné de dentelles et de perles. Elle portait sur la tête un diadème de diamant et un long voile qui flottait autour de son corps.

— Merci.

— Si ta mère était là…

La voix de son père se brisa. Lui prenant la main, Cara la serra légèrement. Sa mère aurait pleuré de joie, si elle avait vu sa fille le jour de son mariage.

— Je voudrais qu'elle soit présente, murmura-t-elle.

— Moi aussi, dit son père. J'ai conscience d'avoir été un peu… insupportable, quelquefois. Comme tu me l'as souvent répété, je me suis mêlé de ce qui ne me regardait pas.

Cara lui sourit.

— Un peu, mais ça n'a plus d'importance, papa. Aujourd'hui, on n'évoquera que les souvenirs heureux.

— Tu as raison, mais je voulais profiter de cet instant pour m'expliquer, avant de donner ta main à Tom.

Il se tut un instant puis reprit :

— Quand ta mère est morte, j'étais anéanti… Nous l'étions tous. Mais je la retrouvais en toi. À de nombreux égards, vous êtes semblables. Tu as le même sourire qu'elle, le même rire, la même façon de pencher la tête quand tu écoutes quelqu'un parler, comme tu le fais maintenant. Quand tu es partie, je ne supportais pas d'être séparé de toi. J'avais besoin de garder ce contact avec elle, à travers toi. J'ai essayé de te façonner pour que tu sois exactement comme elle, mais j'aurais mieux fait de m'abstenir. Tu es devenue celle que tu devais être et je voulais te dire aujourd'hui que j'ai réalisé à quel point j'ai eu tort. Alors… je te demande pardon.

— Oh ! papa ! s'exclama Cara en prenant son père dans ses bras.

Cette étreinte dura jusqu'à ce que l'organisatrice du mariage, Harriet, entre dans la pièce, sa tablette à la main.

— C'est l'heure ! Vous êtes prêts à y aller, tous les deux ?

Cara s'écarta de son père, qui fouilla dans la poche de sa veste.

— Selon la tradition, tu dois avoir sur toi quelque chose d'emprunté, dit-il en lui tendant un écrin.

Elle l'ouvrit, non sans lui lancer auparavant un regard interrogateur. Le collier de diamants de sa mère se détachait sur un coussin de velours vert.

— Papa…

— Elle voudrait que tu le portes… comme elle, le jour de notre mariage. Mais tu peux refuser, si tu me trouves…

— C'est parfait, papa, je suis honorée.

Elle se tourna pour qu'il puisse lui passer le bijou autour du cou, puis elle se regarda dans le miroir. Sa mère serait toujours avec elle, mais ce collier la lui rendait encore plus proche.

Elle glissa une main sous le bras de son père.

— Je suis prête.

Harriet quitta la chambre et adressa un signe à quelqu'un, au pied de l'escalier. Aussitôt, les premières notes de la *Marche nuptiale* retentirent.

Après avoir ajusté son voile, Cara sortit lentement de sa chambre et descendit l'escalier, dont les rampes étaient parées de guirlandes de fleurs fraîches.

Leurs invités étaient réunis dans le grand hall. Il y avait les amis, la famille, les collègues, des gens qu'elle avait sauvés et qui étaient restés en contact avec elle. Elle contemplait leurs visages heureux et leurs sourires, elle les trouvait tous très beaux. Mais il y avait une seule personne qu'elle voulait vraiment voir.

Tom.

Il se tenait devant une arche fleurie, en habit comme son père, ses beaux yeux bleus braqués sur elle tandis qu'elle descendait l'escalier. À son côté, Gage était vêtu d'une queue-de-pie miniature, un chapeau haut-de-forme sur la tête. Il tenait entre ses mains le coussin rouge sur lequel étaient posées les alliances.

La joie fit battre plus vite le cœur de Cara.

Tous ses rêves se réalisaient.

À son passage, les invités murmuraient des souhaits de bonheur. Elle croisait regard heureux après regard heureux. Reed lui adressa un clin d'œil et Hodge inclina légèrement la tête.

Enfin, elle parvint près de Tom. Son père la laissa avancer seule et recula.

— Tu es éblouissante, dit Tom en lui prenant la main.

— Merci.

— Tu les portes ?

Cara souleva sa robe pour lui montrer les baskets de mariage qu'il avait achetées pour elle. Elles étaient blanches et parsemées de cristaux qui accrochaient la lumière.

Il se mit à rire.

— Tu es parfaite.

— Toi aussi, répliqua-t-elle avec un sourire.

JULIETTE HYLAND

Le play-boy
du Mercy General

Traduction française de
MARIE CHÉNÉ

Titre original :
RULES OF THEIR FAKE FLORIDA FLING

1.

— Avant que vous acceptiez d'opérer ce patient, savez-vous que trois chirurgiens ont renoncé à le prendre en charge, docteur Parks ?

Asher Parks haussa les épaules.

— Oui, mais moi, ce n'est pas pareil, répondit-il au Dr Levern, le patron du service de chirurgie.

Il ne se vantait pas. Pas vraiment. C'était la vérité. Il était le meilleur neurochirurgien du Mercy General, le meilleur de la ville d'Orlando, le meilleur de Floride, un des meilleurs du pays. Il avait conscience de ses compétences.

C'était la difficulté qui l'avait attiré, dans la neurochirurgie. Pendant ses études, tout lui avait semblé simple. Au moins, la neurochirurgie représentait un défi, et il adorait cela.

L'opération en question était difficile, et même impossible selon certains. La plupart des chirurgiens ne s'y risqueraient pas, malgré l'énorme esprit de compétition de la profession. Mais il était certain de pouvoir relever le défi.

Le Dr Levern consulta les clichés sur la tablette.

— Une tumeur primitive du rachis. C'est ce qui s'appelle ne pas avoir de chance.

Asher se recula dans son siège.

Non, ce n'était pas de chance, et c'était même statistiquement assez improbable.

Jason Mendez avait vingt ans, il était à peine sorti de l'adolescence et avait la vie devant lui. Il aurait dû ne se soucier que de ses études, de sa future carrière ou de sa vie sentimentale. Mais la tumeur avait tout bouleversé.

— Elle a grossi de trois centimètres en six mois.

Asher se leva, repoussant tout sentiment d'impuissance. Pour faire ce métier, mieux valait ne pas se laisser gagner par l'émotion.

Une tumeur dans la cavité rachidienne, c'était dangereux. Trois chirurgiens avaient étudié la localisation de la tumeur et conseillé au patient de se préparer au pire.

Mais Asher n'avait pas dit son dernier mot.

Jason était au courant des risques, il savait que la moindre maladresse pouvait le laisser paralysé, qu'un développement non détecté empêcherait sans doute l'ablation complète de la tumeur. Il avait également conscience qu'il pouvait ne pas survivre à l'opération. Il y a toujours un risque pendant une procédure chirurgicale, et ce risque est beaucoup plus élevé en neurochirurgie. Mais comme Jason l'avait lui-même souligné, il était déjà en danger de mort, alors autant tenter sa chance.

Asher était plus que d'accord pour essayer. Il comptait d'ailleurs réussir à la perfection cette opération, qui durerait en tout six heures si tout se déroulait comme prévu.

Le Dr Levern fit de nouveau claquer sa langue.

— Vous écrirez un article ? Vous répondrez aux questions, le cas échéant ? Vous accepterez les interviews ?

— Évidemment.

Asher savait ce que son patron avait en tête. Au moins un communiqué de presse de l'hôpital et une parution dans un journal médical. Cela n'aurait pas dû entrer en ligne de compte, mais c'était ainsi que les choses fonctionnaient dans la vraie vie. Et il était prêt à tout pour ses patients.

— Il y a des risques, dit le Dr Levern tout en tapotant son bureau du bout de son stylo. Il faut constituer la meilleure équipe, avec un accord écrit…

L'opération était approuvée !

Malgré son envie de lancer le poing en l'air pour fêter sa victoire, Asher resta professionnel.

— Je comprends.

Jason allait passer sur le billard, et lui manierait le scalpel. Certains y trouveraient peut-être à redire, mais la plupart des collègues de l'hôpital lui étaient redevables d'une manière ou d'une autre.

— Le Dr Miller vous est reconnaissante, dit le Dr Levern en lui rendant la tablette.

— Bien sûr, répondit-il d'un ton plus mesuré. Le Dr Miller et moi nous entendons très bien.

L'affirmation était un peu exagérée, mais le Dr Levern ne releva pas.

La réunion terminée, Asher partit à la recherche de Rory Miller, l'anesthésiste.

La gagner à la cause prendrait peut-être un peu de temps, mieux valait la voir avant que l'information circule.

Rory et lui se supportaient. Ils n'avaient pas de problème pour travailler ensemble, mais leurs personnalités étaient diamétralement opposées. Lui était un boute-en-train, il avait besoin d'évacuer son stress, alors qu'on la surnommait le Roc tant elle était impassible. C'était une grande professionnelle, elle se souciait des patients, elle était à leur écoute, mais elle ne laissait transparaître aucune émotion. Cette femme ne flanchait jamais, elle semblait ne pas connaître l'inquiétude en salle d'opération… Sauf lorsqu'il s'agissait de manifester son agacement à son égard ! Ils étaient voisins depuis presque cinq ans, collègues depuis six, mais il n'était pas certain d'avoir déjà vu son sourire.

Pourtant, il avait essayé ! C'était même son objectif secret. Six ans sans le moindre succès. Chaque tentative avait été brillamment repoussée. Le Roc était un bourreau de travail et de constance… Mais lui non plus ne lâchait rien. Un jour, il trouverait la faille.

Ils s'étaient rencontrés lors de la journée d'accueil organisée pour les nouvelles recrues. Être assis à côté de cette rousse aux yeux verts aurait dû être le point d'orgue de sa matinée. Les consignes de sécurité tiraient en longueur, et il s'était penché vers elle pour lui susurrer une blague dont il ne se souvenait pas. Ce qu'il se rappelait parfaitement, en revanche, c'était l'expression horrifiée de Rory. Elle avait secoué la tête, ses yeux lançaient des éclairs. Il avait perdu contenance tandis que la belle le jaugeait, manifestement pas à son avantage.

Il avait encore en tête son petit laïus à propos de la sécurité, du souci des patients, position avec laquelle il était parfaitement d'accord. Il s'était simplement moqué de l'ennui de la présentation, mais le mal était fait.

Il aimait faire rire, sourire. Parfois la plaisanterie tombait à plat, et on passait à autre chose. Il était drôle, facile à vivre d'après le reste de l'équipe, mais avec le Dr Rory Miller, il perdait toute spontanéité. Ses blagues et ses sourires n'avaient pas de prise sur le Roc. Si celle-ci avait pu l'imposer, le bloc opératoire aurait été silencieux. Guindé. D'une ambiance stérile, comme si les rires étaient aussi dangereux que les microbes.

Ils avaient des visions complètement différentes de l'attitude professionnelle à avoir. Rory était austère, lui exubérant. En toute situation, il était bavard, jovial même. Au bloc, il plaisantait sur les événements de la journée, la vie sportive, il aimait écouter du hard rock en opérant…

Il avait appris très tôt que personne n'est assuré de voir le lendemain. Une rupture d'anévrisme dans le cerveau lui avait arraché sa mère alors qu'elle était en chien tête en bas, pendant son cours de yoga du mardi. Ça avait été une autre motivation pour se former à la neurochirurgie. Il rencontrait plus de succès que d'échecs, mais, même avec toutes ses compétences, il ne pouvait pas repousser la Faucheuse chaque fois. Alors, il blaguait. Il souriait et riait tant qu'il pouvait. Jamais il ne se renfrognait, même pas lorsqu'il aurait voulu mourir. Après tout, mieux vaut rire que pleurer… Mais ce comportement dérangeait Rory. Elle le qualifiait de désinvolte, et elle avait raison.

— Ça me désole, mais pour le coup je ne peux vraiment rien faire pour aider le Dr Miller.

La phrase de l'infirmière Sienna Garcia, entendue depuis le couloir, retint aussitôt l'attention d'Asher.

Tout ce qui pouvait le mettre dans les bonnes grâces du Dr Miller était bon à prendre. Un prêté pour un rendu. Elle n'en avait jamais eu besoin par le passé, mais il y a une première fois à tout.

— Elle a besoin d'aide pour quoi ? demanda-t-il avec son plus beau sourire en passant la tête dans le bureau des infirmières. Je peux être d'un grand secours.

— Elle cherche un chevalier servant pour aller à un mariage, répondit Sienna en lui retournant son sourire.

— Et nous savons à quel point tu aimes aider, ajouta Angela, l'infirmière en chef, avec un clin d'œil à sa collègue.

Il avait eu une histoire de six semaines avec Angela, deux ans auparavant. Ou était-ce déjà trois ? Ils s'étaient séparés en bons termes, mais l'expérience lui rappelait qu'il vaut mieux séparer vie professionnelle et vie privée. Il en avait gardé une réputation de play-boy à l'hôpital. Il était célibataire depuis plus d'un an et n'était sorti avec personne de l'hôpital après Angela, mais les réputations ont la vie dure.

Sienna s'en alla, et il se tourna vers Angela.

— Un chevalier servant pour un mariage ? Ça ne devrait pas être trop compliqué à trouver. Il doit y avoir autre chose.

Rory était très belle avec sa chevelure rousse et bouclée, ses jambes musclées et ses taches de rousseur. Elle était aussi très douée, une des meilleures dans son domaine. Elle n'était certes pas très souriante, mais elle trouverait sans peine un accompagnateur. Si elle se détendait ne serait-ce qu'un peu, elle aurait tout pour plaire.

Une bague de fiançailles passée dans une chaîne en or se balançait au cou d'Angela, et il en fut content pour elle.

Le mariage, ce n'était pas pour lui. Une fois, il avait failli se laisser convaincre, et il avait perdu dans l'histoire sa fiancée et son meilleur ami. Kate et Michael étaient désormais divorcés depuis longtemps, mais il avait retenu la leçon. Il s'en tenait à des relations courtes, un mois et demi de plaisir et pas plus, règle dont il informait d'entrée de jeu ses compagnes. Six semaines permettaient de profiter du désir, du jeu de la séduction, et de s'arrêter avant qu'un sentiment plus profond se développe. Les sentiments profonds mènent à l'amour, et l'amour aux chagrins d'amour. Il n'aimait pas les chagrins d'amour.

Ce qui ne l'empêchait pas de se réjouir quand les autres trouvaient un compagnon pour la vie.

— Elle a juste dit qu'elle cherchait quelqu'un pour l'escorter au mariage de sa sœur.

— L'escorter ?

— C'est le mot que Rory a employé. J'aimerais bien lui trouver quelqu'un. Elle demande si rarement un service. En fait, elle ne demande jamais rien. C'est le seul docteur qui ne demande rien.

— Nous avons tous des défauts, concéda-t-il en levant les mains au ciel.

— Ça, je te le confirme, répondit Angela en pouffant.

— Je parie que je pourrais me libérer pour escorter le Dr Miller.

Angela se mit à rire pour de bon.

— Promets-moi une chose : fais en sorte que je sois là quand tu lui en parleras. Je rêve de voir la réaction du Roc à la proposition du play-boy.

Gardant une expression joueuse, il plaça la main à plat sur son torse.

— Je suis très bon en chevalier servant.

— Pour un court laps de temps, d'accord, répondit Angela en hochant la tête.

Puis elle attrapa sa tablette et se dirigea vers la chambre d'un patient.

Il ne prit pas mal sa remarque. Elle voulait une famille, le mariage et tout le toutim. Il espérait que son fiancé lui apporterait tout cela, mais ce n'était pas la vie dans laquelle lui-même se projetait.

Faisant demi-tour, il rejoignit la salle des chirurgiens de garde.

Ce soir-là, il faisait équipe avec Rory et le Dr Petre. Avec un peu de chance, Rory ferait de la paperasse ou se reposerait, même si cette dernière hypothèse était peu crédible. Cette femme était perpétuellement en action.

À sa grande satisfaction, le Dr Petre n'était pas dans la pièce.

— Docteur Miller, comment allez-vous ce soir ?

Rory le regarda droit dans les yeux et soupira.

— Je vais très bien, docteur Parks. Je fais des papiers, répondit-elle d'un ton plat qui n'invitait pas au bavardage.

Il ne se laissa pas démonter.

— Les tâches administratives, c'est ce que j'ai le plus de mal à faire. Si c'est calme ce soir, je suivrai peut-être votre exemple. Nous pourrons repousser le flot de paperasse ensemble.

— Tout est numérique, désormais. Il n'y a pas de flot à repousser, docteur Parks. Et si Ang vous entendait espérer que la soirée soit calme, elle vous accuserait de nous jeter un sort.

Et elle retourna à sa paperasse.

— Mais pas vous ? demanda-t-il. Vous n'y croyez pas ?

Lui-même qui n'était pas particulièrement superstitieux, il avait grimacé en s'entendant prononcer la phrase. Mais il ne savait absolument pas si Rory croyait à ce genre de choses, même s'ils travaillaient ensemble depuis des années.

— C'est peut-être le cas, ou pas, répondit-elle sans lever les yeux de son ordinateur.

— Formulation intéressante, murmura-t-il.

Il ne savait toujours pas si Rory était superstitieuse. Comme il s'installait face à elle, elle repoussa ses lunettes sur son front d'un air agacé.

— Bon, venez-en au fait, docteur Parks.

— Asher, précisa-t-il avec un faible sourire.

Rory gardait une distance professionnelle avec tous ses collègues, mais pour que sa stratégie fonctionne, mieux valait qu'elle le voie comme Asher. Après tout, on ne donne pas du « docteur » à son partenaire de danse.

Rory joignit les mains et plissa les yeux en le regardant.

— Il paraît que vous cherchez quelqu'un pour vous accompagner à un mariage.

Rory ouvrit la bouche, et ses joues se colorèrent.

Une réaction spontanée ! C'était une première, même s'il aurait préféré que celle-ci ne soit pas due à de la gêne.

Elle ferma brièvement les yeux et secoua la tête.

— C'est vrai, mais non merci.

— Vous n'avez pas entendu mon argumentaire, renchérit-il en se penchant vers elle, avant de se reprendre pour ne pas envahir son espace personnel.

— Je n'ai pas besoin de votre argumentaire, docteur Parks.

— Asher, répéta-t-il.

Rory le regarda. Elle le regarda vraiment, et il fallut une grande détermination à Asher pour ne pas détourner les yeux.

Rory Miller était le Roc, mais elle était aussi d'une beauté renversante. Une fois ses cheveux roux domptés par une charlotte chirurgicale, sa concentration en salle d'opération était un atout qu'il aurait adoré avoir dans son jeu, même si elle était trop sérieuse.

— Qu'est-ce que vous voulez, *Asher* ? demanda-t-elle en indiquant la tablette qu'il avait apportée. Autant me le dire franchement.

Il détesta la résignation qu'il percevait dans sa voix, et le fait qu'elle ait vu juste.

— J'ai un patient avec une tumeur à la colonne vertébrale, dit-il en faisant glisser la tablette vers elle. Trois chirurgiens ont refusé de l'opérer avant moi.

— Mais vous, ce n'est pas pareil.

Il ne put se retenir de sourire. C'était un compliment, ce qui était rare venant du Roc.

— C'est exactement ce que j'ai dit au Dr Levern.

Elle consulta quelques documents, et ses lèvres se pincèrent.

— Je travaille avec vous depuis six ans, docteur Parks. Vous vous croyez capable de tout.

Ça, ce n'était pas un compliment.

— Souvent à raison, répondit-il avec un clin d'œil qu'elle ne vit pas.

— Ce n'est pas un stéréotype, le chirurgien – et particulièrement le neurochirurgien – qui se prend pour un dieu. Il y a dix heures de chirurgie, Asher. Au minimum.

— Six si la tumeur est encapsulée, mais ça peut aller jusqu'à dix, oui.

— Et finalement…

— Finalement, Jason rentre chez lui sur ses deux jambes, débarrassé du cancer et en pleine possession de ses moyens, répondit-il en croisant les bras.

Il connaissait les risques, mais y prêter une trop grande attention menait à la catastrophe. Il y a un temps pour la prudence et un temps pour l'espoir. Il choisissait l'espoir.

Rory lui rendit la tablette.

— Envoyez-moi le dossier complet. Je veux le consulter et rencontrer Jason. Mais… les trois chirurgiens précédents avaient de bonnes raisons de refuser ce cas…

Elle leva la main en l'air pour qu'il la laisse finir.

— Je sais que vous êtes bon. Mais statistiquement, cela ne fait pas une grande différence. Même entre les mains des meilleurs, dont vous faites partie, on est bien en dessous des cinquante pour cent de réussite complète.

— Eh bien, avec vous à l'anesthésie et moi au scalpel, je pense qu'on remonte largement au-dessus des cinquante pour cent, déclara-t-il en se levant. Et pour le mariage, je vais être le partenaire idéal.

Rory se passa la main sur le visage en retournant à son ordinateur.

— Je n'ai pas encore accepté de participer à l'opération, et je ne marchande pas de services personnels en échange de patients.

— Je sais, mais ça ne m'embête pas d'aller au mariage. Si vous ne voulez pas y aller seule, je suis toujours mieux que rien.

Pourquoi utiliser cet argument ridicule ? Rory avait accepté de se pencher sur le dossier de Jason, il avait atteint son objectif. Mais la phrase d'Angela ne le quittait pas.

« Rory ne demande jamais rien. »

C'était vrai. Pour qu'elle l'ait fait, il fallait vraiment qu'elle ne veuille pas assister seule à la cérémonie.

— Ou alors vous pourriez ne pas y aller. Dire que vous avez une opération importante. On pourrait même s'arranger pour que ce soit le cas, en fonction de la date.

Rory ne quittait pas son ordinateur des yeux.

— C'est le mariage de ma sœur, Asher. Je suis demoiselle

d'honneur. Ne pas y aller, ce n'est pas vraiment possible, dit-elle en se mordant la lèvre, comme si elle en avait trop dit. Envoyez-moi le dossier du patient.

— Je…

Son bipeur vibra, et celui de Rory sonna au même moment.

— Docteur Miller, dit-elle en décrochant. Le Dr Parks est avec moi. Une urgence ?

Il articula « merci » tandis qu'elle prenait les informations en notes.

Femme de trente-huit ans. Anévrisme cérébral. Préparation bloc opératoire.

Plus question de plaisanter. Les ruptures d'anévrisme tuent souvent en silence. Les chances de survie augmentent si le patient est amené à temps à l'hôpital, mais vingt-cinq pour cent d'entre eux mouraient néanmoins dans les vingt-quatre heures.

Comme sa mère.

En tant que neurochirurgien, il avait pratiqué cette opération à de nombreuses reprises, mais cela ne devenait pas plus simple pour autant.

— On arrive.

Rory répondit à ses questions avant qu'il les formule :

— L'anévrisme n'a pas rompu. Elle est arrivée en se plaignant de la pire des migraines, et un interne des urgences l'a immédiatement envoyée passer une IRM. Il avait dû voir des symptômes qui sont souvent négligés au moment du triage.

Le stress retomba légèrement. Sans rupture de l'anévrisme, les chances de succès augmentaient drastiquement !

Il se concentra sur la procédure à venir, mais il n'avait pas dit son dernier mot pour ce qui était d'accompagner Rory au mariage.

Rory surveillait les multiples écrans qui suivaient la respiration, les battements de cœur et l'activité cérébrale de Tabitha Osborn. C'était une opération en urgence, mais il lui fallait quand même s'assurer que la patiente était bien endormie.

— On peut y aller ?

Il y avait de l'impatience dans la voix du Dr Parks.

Les cas d'anévrisme cérébral étaient particulièrement dangereux, mais elle n'avait jamais rencontré de chirurgien qui n'aime pas opérer.

Elle leva un pouce en l'air.

— Oui, elle est endormie, dit-elle en se préparant mentalement à subir le fond sonore que le Dr Parks aimait écouter.

Elle détestait le hard rock. Asher n'y était pour rien, c'était la musique que Landon, son ex-fiancé, écoutait en opérant.

Son ex-fiancé… Et le fiancé actuel de sa sœur Dani, la pédiatre au tempérament de feu. Il l'épousait, lui qui trouvait Rory « à fleur de peau », alors qu'elle avait eu un seul mauvais jour à l'hôpital du temps de leur internat.

Un mauvais jour. Pouvait-on seulement qualifier ainsi le jour où elle avait perdu Heather, sa collègue et amie ? Pourtant, Landon l'avait traitée de pleurnicharde. Cela avait été le mot de trop dans une relation déjà tendue. Puis il était sorti avec sa sœur Dani quand il avait intégré la clinique de leur père. Ou du moins avait-ce été le début officiel de leur relation, car Landon la trompait avec Dani, ce qu'ils avaient refusé de reconnaître quand elle leur avait dit qu'elle était au courant de leur petit secret.

Et elle était désormais censée être demoiselle d'honneur, faire comme si rien de tout cela ne l'affectait, comme si leur trahison ne posait pas problème !

Elle perfectionnait depuis l'enfance l'art de faire comme si de rien n'était. La seule personne qui parvenait à l'agacer était l'homme qui tenait le scalpel. Ne pas réagir à ses pitreries lui coûtait. Elle restait de marbre extérieurement, mais elle était sensible aux blagues, aux piques d'Asher. Alors, elle gardait ses distances. C'était plus simple pour échapper à son charisme lorsqu'elle était en sa présence.

Le Dr Asher Parks était l'exact opposé de son père. Elle avait passé son enfance à chercher l'assentiment de cet homme qui méprisait les émotions, qu'il voyait comme des faiblesses.

Dani, elle, avait renoncé à lui plaire. Elle l'avait au contraire forcé, lui et le monde tout entier, à accepter ses émotions. De toutes natures ! « Reine du drame », ce n'était pas une étiquette sympathique, mais elle correspondait à la réalité.

Sa sœur était le contraire de ce que Landon avait prétendu aimer, mais après une vie de compétition à arriver deuxième derrière elle, Dani avait enfin réussi à lui voler quelque chose. En fait, celle-ci aurait mérité mieux, mais c'était son choix.

Landon lui importait peu. Ce qui troublait Rory, c'était que sa famille veuille enterrer le passé et les tensions qu'il aurait pu générer. Cela la déstabilisait.

Elle n'aimait pas Landon. Avec le recul, elle ne l'avait peut-être jamais aimé. Mais qu'il la remplace par sa sœur, qui lui ressemblait tant physiquement, l'ébranlait. Leur père n'avait jamais cessé de mettre ses filles en concurrence pour son amour. Que Landon la quitte et qu'il reste proche de son père la blessait.

Mais dans la famille Miller, on ne se laissait pas émouvoir, et on ne parlait pas. On enterrait les problèmes et on allait de l'avant pour accomplir de nouvelles grandes choses.

C'était peut-être lâche, mais l'idée d'aller seule au mariage la répugnait, d'autant que Dani avait proposé de demander à un des médecins de la clinique de leur père.

Non merci !

— Ang, tu le sais, toi, que je suis très bon sur une piste de danse, non ? la questionna Asher d'un ton joueur.

Angela, une des meilleures infirmières de bloc, chercha son regard, et elle y lut de la complicité. Asher Parks allait faire l'andouille, elle le savait. Les chirurgiens n'avaient pas de secrets pour elle.

Quand les yeux sombres d'Asher la fixèrent, le rouge lui monta aux joues.

Il n'était pas pour elle et il ne l'intéressait pas, mais elle était au courant qu'il était sorti avec bon nombre de collègues quelques années auparavant. Depuis quelque temps, il choisissait plutôt ses conquêtes en dehors de l'hôpital.

Cela, elle n'aurait pas dû le savoir ni même le retenir ! Mais elle avait vu différentes femmes sortir régulièrement de chez lui au petit matin, puis disparaître du jour au lendemain.

Il ne restait proche de personne pendant longtemps. Comme elle, il était marié à son travail… Même s'ils étaient à l'opposé l'un de l'autre pour le reste.

— Ang ? insista Asher sans lever les yeux de son travail.

— Oui. Tu es le meilleur sur une piste de danse.

— Et je sais faire la conversation, aussi ? demanda-t-il en fronçant le nez.

— Quelque chose ne va pas ? demanda Rory.

Si Asher fronçait le nez, c'était que quelque chose ne se passait pas comme prévu.

— Non, j'essaie juste d'arracher des compliments à Ang pour que vous compreniez que je suis le bon candidat pour vous accompagner au mariage…

Puis il leva les yeux de la patiente et prit une profonde inspiration, toute malice ayant quitté sa voix.

— C'est bon pour moi.

La vie et la mort étaient en jeu en neurochirurgie plus que dans n'importe quelle autre spécialité médicale. Asher aimait s'amuser, mais ses patients passaient avant tout. Rory était épatée par sa capacité à basculer du sérieux à la légèreté, elle était même un peu jalouse, pour dire la vérité.

Elle modifia le dosage de l'anesthésie de Tabitha pour la ramener doucement à l'état conscient. La patiente n'était pas véritablement réveillée, mais elle pouvait répondre aux questions et bouger ses extrémités. Les études montraient que les patients conscients au moment du clipping de l'anévrisme s'en sortent mieux.

— C'est de la musique ? demanda Tabitha d'une voix vaporeuse.

— C'en est. Même si votre anesthésiste dirait peut-être le contraire, répondit Asher, de nouveau tout sourire, en tendant la main vers Angela pour récupérer ses instruments.

— J'aime bien, mais c'est un peu étrange.

Tabitha parlait d'une voix égale, ce qui était bon signe, même si Rory désapprouvait ses goûts musicaux.

— Être réveillée doit vous paraître bizarre en ce moment, mais je vais clipper votre anévrisme. Sienna, une de nos infirmières les plus expertes, va vous poser quelques questions, pour nous assurer que nous ne clippons que ce qui doit l'être.

Il fallait établir que le clipping ne cause pas de problème moteur et n'affecte pas la parole ou la vision de Tabitha, mais mieux valait ne pas entrer dans les détails avec elle.

Le clipping en lui-même ne dura pas longtemps, et Asher se plaça bientôt de nouveau dans le champ de vision de la patiente.

— Le Dr Miller va vous rendormir le temps que je termine.

— Je vais aller bien ?

— Vous avez été parfaite, répondit-il, puis il fit signe à Rory.

Elle augmenta de nouveau le dosage tout en surveillant les constantes. Celles-ci semblaient impeccables, mais les événements pouvaient basculer en un instant.

— Elle est de nouveau endormie.

— Bien, dit Asher en prenant les instruments que lui tendait Angela. Comme nous le disions, je suis un très bon candidat pour vous accompagner au mariage.

Elle hocha la tête mais ne relança pas.

Asher n'en avait pas besoin, il procédait ainsi depuis des années. Au fond, ça ne la dérangeait pas. Pas vraiment. Après tout, elle était le Roc, solide comme un roc. Elle avait entendu murmurer cela dans les couloirs pendant une bonne année avant que quelqu'un le lui dise en face : « l'anesthésiste impassible qui ne montrait aucune émotion ».

C'était un compliment, désormais. Tous les chirurgiens voulaient travailler avec elle. Elle ne laissait rien passer, elle était impassible. Ses collègues voyaient cela comme une qualité.

Mais elle avait aussi entendu d'autres qualificatifs qui lui avaient été attribués : « froide », « sans cœur »…

La vérité, c'était qu'elle ressentait tout très profondément. Elle trouvait certaines plaisanteries très drôles, en particulier celles d'Asher. Elle pourrait éclater en sanglots dans la salle de pause quand une opération tournait mal, et même hurler quand l'administration faisait du sauvetage de vies humaines une affaire de statistiques et de lignes comptables. Mais elle faisait en sorte que cela reste secret.

Il ne fallait surtout pas qu'elle montre ses faiblesses. Elle était une femme dans une spécialité médicale principalement masculine. Elle devait être deux fois meilleure, ne serait-ce que pour passer la porte. Elle faisait en sorte d'être irréprochable.

— Alors, docteur Miller, vous en dites quoi ?

— L'opération s'est bien passée. Les constantes de Tabitha sont stables.

Asher rit doucement, et Angela sourit.

— Je parlais du mariage, dit-il. Est-ce que je cire mes chaussures de danse ?

— Mais pourquoi voudriez-vous venir ?

Angela et quelques membres de l'équipe frémirent. Ils ne s'étaient sans doute pas attendus à ce qu'elle réponde – et elle n'aurait pas dû le faire.

Mais Asher finit les dernières sutures comme si de rien n'était.

— C'est bon. Elle est prête pour la phase de convalescence.

Il déposa les instruments à désinfecter dans le chariot, et Rory expira profondément tout en adaptant la perfusion de Tabitha qui allait être transférée en salle de réveil.

L'opération terminée, Asher allait sans aucun doute oublier sa question. Ou du moins passer à sa prochaine lubie.

Elle s'attarda dans la salle d'opération pour reprendre ses esprits, réprimer les émotions soulevées par les plaisanteries d'Asher.

Elle aurait aimé accepter sa proposition. Il avait raison, ça aurait été un compagnon parfait le temps d'un week-end de mariage. Asher était splendide. Grand, sûr de lui, avec d'irrésistibles fossettes. Il réussissait, et c'était peu dire. Il avait été dans la liste des trente personnes de moins de trente ans les plus prometteuses du monde médical, alors qu'il était officiellement encore interne. Le Dr Asher Parks était un des plus grands neurochirurgiens nationaux, et il avait à peine quarante ans.

Il était impressionnant, et il serait probablement de bonne compagnie pour quelques heures.

Mais elle cherchait plus qu'une compagnie agréable. Sa famille devait les croire amoureux. Son chevalier servant devait laisser entendre qu'ils étaient ensemble depuis un moment, mentir un peu pour lui éviter les questions, les regards inquisiteurs, la pitié…

— Rory ?

Elle se ressaisit aussitôt.

— Que puis-je pour vous, docteur Parks ?

Il inclina la tête, la fixant de ses yeux sombres. Pour autant qu'elle se souvienne, c'était la première fois qu'il ne semblait pas préparer sa prochaine blague en même temps.

Ne pas bouger lui demanda un effort surhumain. Elle avait l'habitude qu'on la survole du regard, mais là, elle voyait de l'inquiétude dans son regard, et aussi autre chose d'indéterminé. De la tristesse ? Il avait l'air usé, fatigué…

— Asher, dit-il une nouvelle fois, d'un ton pourtant guilleret. Si je suis censé danser avec vous au mariage, vous devriez sans doute m'appeler par mon prénom.

Elle voulut répliquer, mais il l'arrêta d'un geste.

— Je n'insisterai pas. Et si vous ne souhaitez pas que je vous accompagne, pas de problème. Mais je voulais répondre à votre question.

— Ma question ? s'interrogea-t-elle en fronçant les sourcils. Oh ! vous n'avez pas à…

— C'est parce que vous ne demandez jamais rien, précisa-t-il en passant d'un pied à l'autre.

— Quoi ?

Oh ! pourquoi n'allait-elle pas s'occuper d'un patient ? Pourquoi ne répondait-elle pas d'un hochement de tête en s'éloignant, comme d'habitude ? Il y avait pourtant de quoi faire, dans cet hôpital ! En présence d'Asher, elle avait envie de parler. Il réveillait la bavarde en elle.

Une raison de plus pour garder ses distances.

Il s'approcha d'un pas, et elle croisa les bras – une protection dérisoire contre le charme du chirurgien, mais tout était bon à prendre.

— Vous ne demandez jamais rien, répéta-t-il. On n'en parle

pas, mais en médecine on passe son temps à se rendre des services. Prends ma garde, et je ferai la tienne. Fais ma paperasse et ce sera mon tour le mois prochain. Ça peut être trois fois rien comme beaucoup, un service.

Elle hocha la tête.

Il n'avait pas tort, elle en avait été témoin dans le cabinet de son père, puis à la fac, et en tant qu'interne, et finalement maintenant. Elle l'évitait autant que possible.

— Vous ne demandez jamais de service, alors ça doit être important.

Ça l'était, mais les mots ne franchirent pas ses lèvres. Elle ne voulait pas paraître désespérée.

Elle avait à peine posé la question à Angela et Sienna qu'elle le regrettait déjà. Personne ne savait qu'elle était sur le point de craquer, qu'elle craquait. Ses émotions devenaient de plus en plus difficiles à réprimer.

Asher attendit une minute de plus, puis il se redressa.

— Sans rire, si vous changez d'avis, je serai heureux d'y aller avec vous. Ou avec toi.

Puis il disparut.

Elle resta plantée sur place.

Elle ne voulait pas aller seule au mariage de Dani, mais Asher ne devait pas l'accompagner. Précisément parce qu'elle aurait voulu qu'il le fasse et que cela la conduirait droit au désastre.

2.

Asher arriva chez lui tendu. Son téléphone bipa.

Il avait reçu un texto de son père. Il lui répondrait plus tard. Opérer un anévrisme lui avait suffisamment rappelé le passé, il n'avait aucune envie d'une conversation difficile. Il était transpirant et plus fatigué qu'il ne voulait l'admettre.

Dans l'espoir d'oublier l'opération, il se traîna à la salle de gym de l'immeuble, en vain.

Les anévrismes le touchaient toujours, et plus encore quand ils affectaient une femme jeune. Sa mère n'avait pas eu autant de chance que la patiente d'aujourd'hui. Elle était morte sur la table d'opération.

Aujourd'hui, il était retourné dans la salle vide pour rassembler ses esprits. L'endroit pouvait sembler bizarrement choisi, mais savoir qu'il avait évité une catastrophe à une famille l'apaisait. Seulement, la salle n'était pas vide, Rory y était, avec cet air fragile totalement inhabituel. Ou était-ce simplement la première fois qu'il le remarquait ?

En remontant chez lui, il passa devant la porte de Rory.

Une livreuse y sonnait en regardant sa montre.

— Si la commande est payée, je peux attendre que la cliente arrive, j'habite juste à côté, dit-il.

La livreuse le regarda puis consulta de nouveau sa montre.

— La baby-sitter vient d'appeler, ma fille a de la fièvre… Mais je suis censée attendre.

— Je m'appelle Asher Parks, j'habite l'appartement 16B. S'il y a un problème vous pouvez leur donner mon nom. Mais je connais Rory, elle comprendra.

Et cela le distrairait quelques instants de ses souvenirs.

— Alors, merci ! dit la femme en lui tendant la commande.

L'odeur de nourriture cubaine le fit saliver.

La livreuse partit, et il attendit une minute avant de sonner de nouveau.

— Désolée ! s'excusa Rory, juste avant qu'elle ouvre la porte à la volée. Je n'ai pas vu le temps filer…

Les cheveux mouillés, elle avait manifestement enfilé ce qui lui était tombé sous la main pour venir ouvrir. Mais surtout, elle avait les yeux rouges.

Sa voix s'éteignit quand leurs regards se croisèrent. Il prit sur lui pour ne pas l'attirer à lui, mais il était tout transpirant de la gym, et qui savait comment elle réagirait.

Elle remarqua ce qu'il avait à la main.

— Je… C'est mon repas de ce soir ?

— La livreuse avait une urgence, un enfant fiévreux. Je lui ai dit que je me chargeais d'attendre. Tu vas bien ?

Quelle question ! Évidemment, ce n'était pas le cas, elle avait pleuré. La connaissant, elle détestait probablement que quelqu'un – pire, un collègue – la voie dans cet état.

— Merci d'avoir donné un coup de main à la livreuse, c'est gentil. Je vais manger, dit-elle en mettant une main sur son ventre qui gargouillait, lui donnant une excuse bienvenue. Merci, Asher.

Elle referma la porte avant qu'il puisse répondre.

Il faillit toquer de nouveau mais se retint.

Rory ne voulait pas de sa compagnie, et il avait besoin d'une douche.

Asher, une barre de protéine à la main, faisait les cent pas dans son salon.

Il s'était douché, changé, et il essayait de suivre un match de football américain qui ne lui changeait même pas les idées.

Rory était à moins de cent cinquante mètres.

Il repensait à l'expression qu'elle avait eue dans la salle d'opération, une fois tout le monde parti.

Il avait lui-même connu la solitude, le sentiment de n'être vu par personne. C'était dévastateur. À la mort de sa mère, son père s'était enfoncé dans le deuil. Asher lui avait alors consacré tout son temps, et son monde, déjà petit, s'était encore réduit. À l'époque, il avait des notes parfaites en classe, mais cela ne lui avait pas amené beaucoup d'amis. Les rares qu'il avait s'étaient éloignés après le drame. Personne ne comprenait sa douleur, et son père avait mis plus d'un an à sortir de sa souffrance.

Alors il s'était adapté. Il était devenu le boute-en-train de la classe, le clown. Ses notes étaient toujours aussi brillantes, mais on ne se moquait plus de lui puisqu'il faisait rire tout le monde.

Son sourire et ses reparties à un dollar lui avaient sauvé la vie. Pour autant, il n'avait pas oublié le désespoir de se sentir seul, sans même pouvoir compter sur sa famille. Il s'était juré de ne plus ressentir cela, et si c'était le cas pour Rory...

Elle pouvait toujours lui claquer la porte au nez ou ne pas lui ouvrir.

Il se dirigea vers le couloir, et elle lui ouvrit aussitôt.

Ses cheveux encore mouillés étaient relevés en un vague chignon d'où s'échappaient des mèches folles. En tenue de yoga et T-shirt qui la moulait aux bons endroits, elle était renversante.

Il se serait giflé. Il était venu voir comment elle allait mentalement, pas comment elle était physiquement !

— Salut, Rory.

— Je vais bien, répondit-elle aussitôt.

Il enfouit les mains dans ses poches et, sans la quitter du regard, secoua la tête.

— Je n'aime pas traiter les gens de menteurs, mais je pense que c'est un mensonge.

Sur ces mots, une bouilloire se mit à siffler derrière elle.

Rory pouffa et porta la main à sa bouche en écarquillant les yeux. Cet éclat de rire sembla la surprendre presque autant que lui. Une réaction spontanée, sincère et joyeuse.

Un frisson d'excitation le parcourut. Son cœur se gonfla.

— L'eau bout, commenta-t-il.

Il n'aurait rien pu dire de plus plat, mais son cerveau était entièrement occupé par la pensée qu'il se tenait devant la véritable Rory Miller.

Elle le scruta de ses yeux verts puis se détourna vers la bouilloire, laissant la porte grande ouverte.

C'était une chance à saisir, et pour ce qui était de se changer les idées, il ne trouverait pas mieux !

Sans plus hésiter, il entra et ferma derrière lui.

L'appartement de Rory était à l'opposé de ce à quoi il se serait attendu. Les murs du salon étaient d'un bleu pétant, avec des images abstraites dans des cadres étranges. La cuisine était rose. Rose fuchsia ! Et peuplée de tasses à thé de toutes formes et de toutes couleurs.

Il avait de plus en plus envie de découvrir qui était vraiment Rory Miller.

L'idée que son appartement ait pu être d'un blanc clinique lui semblait désormais totalement ridicule, et il ne pouvait plus s'arrêter de sourire.

— Une tasse de thé ? demanda-t-elle, un peu nerveuse, comme si sa présence lui semblait naturelle malgré tout.

Elle semblait un peu surprise qu'il soit entré, ou peut-être de ne pas l'avoir renvoyé chez lui ?

— Avec grand plaisir, répondit-il, bien qu'il en boive rarement.

Il la regarda choisir pour eux un *tencha*, un thé vert japonais qu'elle mit dans une théière bleue. Puis elle remonta un minuteur jusqu'à deux minutes et expira doucement.

La préparation du thé semblait être une sorte de rituel pour elle, et il se réjouit de pouvoir y assister.

Quand le thé fut prêt, elle remplit deux tasses d'un geste sûr et lui tendit la sienne. Leurs doigts s'effleurèrent, et la décharge de chaleur qui le traversa n'eut rien à voir avec celle de la tasse.

Avait-elle aussi ressenti la connexion ?

— Aurora, comme la princesse de Disney ? demanda-t-il en apercevant la tasse qu'elle avait choisie.

— Oh ! non ! C'est mon nom, répondit-elle.

— Aurora ? reprit-il, faisant jouer les sons dans sa bouche.

Aurora. Je n'arrête pas d'apprendre des choses, aujourd'hui. Alors « Princesse », c'est ton surnom ?

Il voulait entendre son rire de nouveau, mais elle fronça les sourcils.

— Il n'y avait pas de petits noms affectueux chez les Miller. Mon père aurait voulu des garçons. « Princesse » ou « ma puce » lui auraient rappelé que nous étions des filles. Quand ma mère est partie, il m'a trouvé un surnom neutre : Rory. Et ma sœur Danielle est devenue Dani.

La voix atone de Rory lui serra le cœur.

— Tu préfères Rory ou Aurora ?

Elle se mordilla les lèvres. Ne lui avait-on jamais posé la question ?

— On m'a toujours appelée Rory.

— Mais c'est « Aurora » qui est écrit sur ta tasse.

Elle entoura sa tasse de ses doigts avec un sourire très discret qui lui coupa le souffle.

Il n'avait rien vu d'aussi beau, il voulait que cela dure.

Il connaissait désormais une manière de faire sourire Rory, et c'était de l'appeler par son nom : Aurora. À partir de cet instant, elle serait Aurora, même si ce n'était que pour lui.

— Alors, vous n'êtes que deux. Dani, celle qui va se marier, est ta sœur.

— Oui, dans quelques semaines elle va passer devant l'autel.

— Et tu seras demoiselle d'honneur.

Elle eut un air blessé qui passa si vite sur son visage qu'il douta de l'avoir vu. Elle prit une gorgée de thé et l'invita à la suivre au salon.

La distribution des pièces était la même que chez lui. Elle lui proposa un fauteuil et s'installa sur le canapé en croisant les jambes. Le silence s'installa, confortable. Et pour la première fois, pour autant qu'il s'en souvienne, il n'éprouvait pas le besoin de le meubler avec une blague ou une anecdote.

Après quelques instants, Aurora décroisa puis recroisa les jambes.

— Je vais bien, Asher, vraiment. Dani s'est disputée avec

son fiancé, et elle m'a appelée. Elle était dans tous ses états, dit-elle en tirant sur une boucle de cheveux.

Elle évitait son regard.

Ce n'était pas à lui d'insister, mais il voulait en savoir plus. Après des années de collaboration professionnelle, à être voisins, à essayer de la faire rire, il voulait apprendre à connaître la femme assise à côté de lui.

— C'est ce qui t'a fait pleurer ? demanda-t-il avec un hochement de tête, comme s'il comprenait vraiment.

Il était fils unique, et l'équilibre familial avait basculé à la mort de sa mère. Les conversations avec son père avaient perdu toute fluidité, elles avaient cessé, en fait. Que son père souffre autant, soit si seul, il avait détesté cela. Et aussi de se sentir aussi impuissant.

La perte avait été différente pour eux deux. Malgré les années, son père disait porter en lui un vide qui ne se comblerait jamais. Asher avait été anéanti par la mort de sa mère, mais il avait réagi. Et il s'était juré de ne pas s'exposer à ce genre de perte.

Aurora leva les yeux de sa tasse.

— Landon, le fiancé de Dani, dit-elle en hésitant. Puis, dans un souffle : on était fiancés.

Asher avait conscience que ses mâchoires étaient grandes ouvertes. Il avait même produit un drôle de son. Les pensées tourbillonnaient dans sa tête, trop vite pour en saisir une et répondre de manière cohérente.

Kate et Michael, son ancien meilleur ami, n'avaient pas eu le culot de l'inviter à la cérémonie. S'ils l'avaient fait, il aurait flanqué l'invitation à la poubelle.

— Il a dit un truc stupide, et Dani m'en rend responsable. Ça ne devrait pas m'atteindre, mais c'est pour ça que je ne veux pas aller seule au mariage.

— Mais pourquoi y aller tout court ? demanda-t-il. Ça ne me regarde pas, mais sérieusement, Aurora, tu es une bien meilleure personne que moi, parce que je les aurais envoyés balader.

— J'aurais peut-être dû. Mais maintenant il est trop tard. Et il y a pire.

Il prit une gorgée de thé pour la laisser en dire plus si elle le souhaitait.

Après une bonne minute, elle se lança.

— Il y a quelques semaines, ma sœur a voulu me brancher avec un ami de Landon pour le mariage. Un garçon d'honneur je crois.

— Il y a d'autres hommes au monde qui ne sont pas liés à ton connard d'ex !

« Moi, par exemple. »

Il se retint de le dire à voix haute et s'éclaircit la gorge.

— Désolé, je parle trop.

Cette fois, elle rit, d'abord presque en silence puis aux éclats. C'était le plus beau son au monde.

— Chez les Miller, on ne discute pas vraiment des sentiments. Il était simplement entendu que, après la rupture avec Landon, je passe à autre chose. Il travaille avec mon père. Papa l'aime bien, il a approuvé sa relation avec Dani. Mais ce n'est pas la question.

Asher commençait à bouillir.

On ne sait évidemment jamais ce qu'il se passe dans l'intimité d'une famille. Même lui, il avait tu le mutisme de son père de peur que les services sociaux n'interviennent, et parce que son père venait de perdre la femme de sa vie.

Quelle excuse avait la famille d'Aurora ? C'était injustifiable.

— Vraiment, Aurora, ça ne me dérange pas de venir. Ça ne t'engage à rien, il n'y a pas de contrepartie, même pas à participer à l'opération, je t'assure. En plus, je suis bon danseur.

— Malheureusement, c'est moi qui mets des contreparties partout, dit-elle en croisant et décroisant les jambes. Je n'arrête pas de parler ce soir, je ne sais pas pourquoi.

Il n'en avait pas la moindre idée, mais il voulait que cela continue.

— Tu peux me faire confiance, Aurora. Rien ne sortira de cette pièce. Je sais garder les secrets.

Elle le scruta de ses yeux verts, comme pour le jauger, mais cette fois sans jugement.

— C'est ce que je me dis.

Après cette nuit difficile, cela lui fit l'effet d'un calmant bienvenu.

— Autant aller jusqu'au bout, dit-elle. Le truc, c'est que je leur ai raconté que je voyais quelqu'un, et qu'ils n'avaient donc pas besoin de me trouver un chevalier servant pour le mariage. Il me faut donc quelqu'un qui accepte de prétendre qu'on est ensemble depuis un moment. Et qui vienne aussi à un pince-fesses à la clinique de mon père la semaine d'après. Quand j'ai dit que je venais accompagnée au mariage, mon père m'a dit de venir avec lui au gala de charité aussi. Pour un mensonge, ce n'est donc pas un rendez-vous, mais deux.

— C'est un truc pour téléfilm, dit-il en riant.

Ou pour conte de fées ?

Elle sourit, et il rit plus encore.

Avant qu'elle puisse répondre, son téléphone sonna.

— C'est… C'est mon père, précisa-t-elle en se raidissant. Il faut que je réponde.

— Bien sûr. Merci pour le thé, dit-il en se levant. Puis, après un silence : juste pour que tu saches, je suis prêt à jouer le jeu, Aurora.

Soudain, il aurait tout donné pour qu'elle le choisisse. Être à ses côtés, la faire rire. C'était un sentiment dérangeant, qu'il ne pouvait pas vraiment expliquer. Mais elle devait *le* choisir.

Il avait vraiment besoin de repos ! Personne ne lui était indispensable…

Pourtant, il soutint une seconde de plus le regard d'Aurora.

« Choisis-moi ! »

Elle décrocha.

— Bonsoir.

Elle prenait avec son père un ton à l'opposé de celui qu'il utilisait avec le sien, et une nouvelle fois son cœur se serra pour elle.

Elle ne pouvait plus l'entendre, mais il lui sembla juste de le murmurer malgré tout.

— Bonne nuit, Aurora.

Rory buvait son thé du matin à petites gorgées en regardant la tasse vide dans l'évier.

La tasse d'Asher…

Elle avait tellement parlé la veille. Le souvenir d'Asher sur le seuil de sa porte lui fit fermer les yeux.

Pourquoi fallait-il que la première personne qu'elle laisse entrer chez elle soit précisément l'homme dont elle ne pouvait détourner le regard ? L'homme qui la faisait sourire intérieurement même si elle restait impassible ?

Son impassibilité était justement l'objet de l'appel de Dani. En quelque sorte.

Sa sœur avait deux facettes. L'une était celle de la pédiatre pétillante aux blouses médicales multicolores, qui s'adressait à ses jeunes patients avec d'hilarantes voix contrefaites. Elle excellait dans ce rôle, elle avait une fantaisie que Rory n'avait jamais eue. Cette facette cachait la langue acérée de son alter ego.

C'était sa légèreté qui avait agacé Landon. Et il avait comparé Dani à Rory.

Rory avait levé les yeux au ciel.

Plus le mariage approchait, plus elle était persuadée que c'était une erreur. Énorme. Elle n'était pas proche de Dani, mais sa sœur ne méritait pas de se retrouver coincée avec Landon jusqu'à la fin de ses jours.

Landon n'était intéressé que par la proximité avec le Dr George Miller, l'un des plus grands chirurgiens thoraciques du pays. Il l'avait courtisée après avoir appris qu'elle était sa fille. Et Dani refusait de reconnaître que c'était aussi le cas pour elle. Pour devenir le protégé de leur père, Landon singeait sa froideur, sa distance.

Landon avait rompu avec Rory sous prétexte qu'elle avait pleuré à la suite de l'échec d'une opération. L'opération d'une très bonne amie à elle. Le pire était qu'elle n'avait même pas pleuré à la clinique, en public. Elle avait attendu d'être rentrée chez elle pour craquer. Landon lui avait reproché son émotion qui, disait-il, le mettait mal à l'aise. Il avait prétendu hésiter à épouser une femme aussi émotive.

Elle l'avait pris au mot et lui avait rendu sa bague. Elle en était encore fière.

Dès leur début de leur histoire, sa sœur avait cherché la compagnie de Landon. Elle s'en était inquiétée, mais Landon avait prétendu qu'elle surréagissait, qu'elle était trop émotive – un mot qui l'anéantissait.

Landon et Dani avaient eu une liaison, ce que Dani avait reconnu à demi-mot lors de son appel de la veille en disant que, *six* ans plus tôt, quand ils avaient commencé à sortir ensemble, il aimait sa légèreté, si différente de…

Sa sœur s'était arrêtée juste avant de dire « de ton impassibilité ». Elle avait semblé se souvenir soudain qu'elle et Landon avaient rompu leurs fiançailles *cinq* ans auparavant.

Rory n'avait pas relevé, pas réagi. Du moins, pas au téléphone. Mais après avoir raccroché, sous la douche, la colère l'avait emportée. Dans sa tête, elle avait exposé à sa sœur ce qu'elle pensait précisément du fait de draguer son amoureux de l'époque. Bien sûr, Landon l'avait trompée, c'était une enflure, mais Dani aurait dû l'envoyer bouler et l'avertir, elle. Du moins est-ce ainsi que fonctionnent les relations entre sœurs dans les films.

Mais les Miller ne reconnaissaient jamais leurs blessures, ce qui évitait de réclamer ou de présenter des excuses. On était simplement censé passer à autre chose.

Le pire, c'était que si elle réagissait, on l'accuserait d'être trop émotive. C'était sa famille, ils étaient comme ça, et ça la rendait folle.

En sonnant chez elle avec son repas à la main, Asher avait donc surpris les traces de ses larmes de colère et de frustration.

Puis il était revenu prendre de ses nouvelles.

Elle aurait voulu le serrer dans ses bras, le remercier d'avoir remarqué. Elle était repartie dans la cuisine pour ne pas se laisser aller à ses sentiments, et il l'avait suivie. Cela l'avait bouleversée, excitée, que quelqu'un la remarque, fasse attention à elle. Pas la façade professionnelle qu'elle affichait, non. *Elle*.

Les émotions, c'est le corps qui avertit l'esprit de ses besoins.

Et s'assurer que ceux-ci soient pris en compte est un signe de force, pas de faiblesse. Du moins d'après son psy.

L'alarme qu'elle mettait chaque matin sonna, et elle fit rouler les muscles de ses épaules.

Il était temps de partir pour l'hôpital. De se préparer mentalement à redevenir l'impassible Dr Miller que tout le monde souhaitait.

Tout le monde sauf elle.

Elle repoussa cette pensée. Une partie d'elle était fatiguée du rôle qu'elle jouait. Et alors ? C'était grâce à cela qu'elle était un si bon médecin. Celle qui secourait ses patients, celle avec qui tout le monde souhaitait travailler.

Vérifiant que sa tresse bien serrée se glisserait aisément dans la charlotte chirurgicale, elle attrapa son sac à dos.

Elle était prête pour sa journée.

Rory consultait le dossier du patient d'Asher en pianotant sur son bureau.

La tumeur était logée entre les vertèbres C5 et C6. Il y avait peu d'endroits pires pour un astrocytome.

Les vertèbres cervicales, de C1 à C7, sont les premières de la colonne vertébrale. Plus les atteintes à la moelle épinière sont hautes, plus le système nerveux est affecté.

La bonne nouvelle, s'il fallait vraiment en trouver une, était que le cancer n'avait pas de métastases. Il se limitait à la cavité rachidienne. Tu parles d'une limite !

La tumeur n'était pas encapsulée. C'était inhabituel pour un astrocytome, et cela expliquait probablement le refus des autres chirurgiens de prendre Jason en charge. Il y avait de forts risques que de minuscules coulées ganglionnaires aient gagné la cavité en dessous de C6. Retirer l'intégralité de la tumeur était donc loin d'être gagné.

Mais si quelqu'un pouvait le faire, c'était Asher Parks. C'était un farceur pour qui tout, opérations chirurgicales comprises, était l'occasion de s'amuser, mais si elle-même devait un jour passer sur le billard, c'était lui qu'elle voulait aux manettes.

Ce qui ne garantissait pas le succès de l'opération de Jason.

— Qu'est-ce que c'est que cette grimace ? demanda Asher.

Elle avait espéré ne pas le croiser aujourd'hui, bien qu'il se soit comporté en parfait gentleman la veille. Mais sa présence la faisait rougir. Il en savait désormais plus sur elle que tous leurs collègues, et, c'était le comble, elle trouvait cela naturel.

Elle ne savait plus que faire de ses sentiments. Avait-elle déjà autant désiré un homme ?

Elle montra à Asher ce qu'elle avait sous les yeux, et le sourire qu'il arborait mourut sur ses lèvres.

— D'accord, dit-il. On ne peut pas sourire devant ça. Et ça ne se fait pas de commenter les froncements de sourcils.

Il se glissa sur la chaise face à elle, tandis qu'elle gardait les yeux fixés vers le dossier.

Ils étaient à l'hôpital, elle n'avait pas l'intention de redevenir le livre ouvert qu'elle avait été la veille.

— Tu crois vraiment que l'opération peut réussir ? lui demanda-t-elle.

— Oui.

Elle s'attendait à cette réponse, mais il lui en fallait plus.

— C'est quoi, réussir, dans ce cas ?

— Il y a trois options qui pourraient être qualifiées de réussites, je dirais. Si on retire la tumeur intégralement mais que C6 est atteinte, Jason ne pourra vraisemblablement plus marcher, et il aura besoin de l'assistance de toute une équipe pour vivre. Mais il aura une vie.

Sur un cliché, il désigna la base de la tumeur.

— Option numéro deux, on opère, et il y a une zone où la tumeur s'est propagée à la cage thoracique. On enlève presque tout mais il en reste à cet endroit-là. On lui a offert cinq ou six ans de vie. Ce n'est pas idéal, mais c'est plus qu'il n'en a aujourd'hui.

— Et option numéro trois, dit Rory, tu enlèves tout sans faire de dégâts, et il repart sur ses deux jambes sans complications.

— Pour moi, c'est l'option la plus probable, mais il paraît que je suis optimiste, continua-t-il en tapotant le dossier. Il peut se passer des dizaines de choses, mais Jason a les probabilités en tête. Le pire qu'il puisse lui arriver, c'est qu'on n'opère pas. Mieux vaut tenter et échouer que ne rien tenter.

L'échec. Le grand interdit de la famille Miller. Il y a des patients qu'on ne peut pas sauver, et cela l'anéantissait chaque fois. Qu'Asher soutienne qu'il vaut mieux échouer que ne rien tenter la stupéfia.

Les chirurgiens n'aiment généralement pas se lancer si le succès n'est pas assuré.

— Tu es partante pour l'opération ? Je veux vraiment être entouré des meilleurs. Et tu es la meilleure, Aurora.

Son pouls s'accéléra en entendant son nom.

Il ne l'utilisait pas pour faire pression sur elle. Il avait compris qu'elle aimait être appelée par son vrai prénom, tout simplement. Elle en aurait presque jeté sa prudence aux orties ; elle était sur le point de lui demander de l'accompagner au mariage.

— Je voudrais rencontrer Jason d'abord, mais oui. Tu peux dire au Dr Levern que je dirigerai l'équipe d'anesthésistes.

Car ce serait un travail d'équipe.

— Magnifique, répondit Asher en battant des mains. Maintenant, la suite.

— Quelle suite ? Tu as une autre opération longue et risquée sous le coude ?

— Pas que je sache. Je parlais du mariage de ta sœur. Je crois que nous devrions y aller ensemble et j'ai trouvé comment te mettre à l'aise avec cette idée.

Il souriait, manifestement sûr de lui.

Était-ce cela qui l'attirait chez lui ? Sa confiance en lui ? Non, tous les chirurgiens étaient comme cela, et seul Asher Parks l'attirait.

— Ah, oui, et comment ? demanda-t-elle, surprise de ne pas avoir répondu « non merci » comme prévu.

— Avec un contrat, répondit-il, rayonnant.

— Mais de quoi tu parles ?

Là aussi, elle aurait pu se taire.

— D'un contrat tout bête, où tu me donnes les règles que je dois respecter pour notre rendez-vous amoureux factice, et que je signe. Tu peux mettre autant de règles que tu veux, moi il y en a trois auxquelles je tiens.

Asher haussa un sourcil, brûlant visiblement qu'elle en demande plus, mais cette fois elle tint bon... Et il fut appelé aux urgences.

— Penses-y, Aurora. Quelque chose me dit que les anesthésistes adorent établir des règles.

— Et les chirurgiens adorent les ignorer, répondit-elle pour elle-même quand il fut parti.

3.

Asher rangea le décontractant musculaire.

Il avait une fois de plus poussé sa séance trop loin à la gym, il allait avoir des courbatures. Mais c'était un de ses mécanismes de défense, avec sa jovialité. Et ils avaient perdu un patient aujourd'hui. L'urgence pour laquelle il avait été appelé s'était aggravée, rien de plus n'aurait pu être fait, mais le jeune chirurgien de garde s'était effondré sous le poids de la culpabilité. Asher avait donc dû gérer cela en plus du reste. Et il s'était défoulé en salle de gym.

Soudain, il entendit frapper à la porte.

Il fit pivoter sa tête dans tous les sens pour calmer ses muscles endoloris et afficha un grand sourire. L'armure qu'il utilisait depuis si longtemps.

— Aurora ? Je n'ai pas de thé, mais tu peux entrer si tu veux.

— Merci, dit Aurora en passant devant lui, un dossier à la main. Tu vas bien ? Il y a une odeur de menthol.

— J'en ai un peu trop fait à la gym. J'oublie que je n'ai plus vingt-cinq ans.

Il eut un petit rire, et elle chercha ses yeux. Pendant un moment il crut qu'elle allait creuser la question, comme si elle savait qu'il mentait par omission, au lieu de quoi elle brandit le dossier et un crayon.

— J'ai reçu un texto de ma sœur. Ils sont en train de faire le plan de table du mariage, et elle s'est aperçue qu'elle ne connaissait pas le nom de mon amoureux.

— Parce qu'il n'existe pas.

— Exactement, avoua-t-elle en levant les yeux au ciel. Je

me suis piégée toute seule. Je devrais répondre en disant la vérité, mais…

Son menton se mit à trembler, et elle se mordit la lèvre pour reprendre le contrôle de ses émotions.

Il sentit son cœur se gonfler. Elle avait besoin d'un réconfort qu'il était plus que prêt à lui offrir.

Sans réfléchir, il l'attira dans ses bras. Sa tête lui arrivait à peine à l'épaule, elle se tint un moment toute raide contre lui avant de se laisser aller. Il posa sa tête sur la sienne, profitant du moment plus qu'il n'aurait dû.

Il aimait avoir Aurora Miller dans ses bras.

— Mais la vérité te rendrait ridicule aux yeux de ta famille, dit-il, gardant un ton léger tandis qu'elle se détachait de lui.

La violence de son désir de la reprendre contre lui le désarçonna.

— Ça ne devrait pas m'embêter que Dani épouse Landon, dit-elle dans un souffle.

— Je ne suis pas d'accord, absolument pas. Je suis prêt à le mettre par écrit si tu as besoin de le relire.

Il était fils unique, mais l'idée le révulsait. Sauf circonstances exceptionnelles, c'était une trahison abjecte. La sœur d'Aurora l'avait trahie, qu'elle le reconnaisse ou pas.

Mais ce n'étaient pas ses affaires.

Aurora sourit et lui tapota l'épaule. Avait-elle autant que lui envie de le toucher ?

— J'apprécie, je te remercie. Mais j'ai accepté d'être demoiselle d'honneur. De venir. Et j'ai dit que je viendrais accompagnée. Je t'assure, l'Aurora du passé a laissé un sacré bazar à l'Aurora d'aujourd'hui.

Il sourit à s'en décrocher les mâchoires.

Ainsi, elle aussi aimait utiliser ce nom ! Alors il pouvait continuer.

— Je t'ai déjà dit que je viendrai. Je promets même de ne pas remuer les histoires de famille… Mais si tu le souhaites, tu n'as qu'un mot à dire !

Comprenait-elle qu'il était sérieux ? Il aurait adoré dire le fond de sa pensée à sa sœur, à son ex et à son père. Mais il se contrôlerait le temps du mariage et du gala de charité.

— J'ai rédigé ce contrat, dit-elle, les joues écarlates. J'ai fait une liste de règles, et… Si tu veux bien jouer le jeu, je te serai redevable. Je ne sais pas quelle contrepartie serait équitable, mais…

Il était ravi. Maintenant qu'elle l'avait choisi, il allait passer le temps dont il disposait avec elle à la faire sourire, à la faire rire.

— Assieds-toi, je t'en prie, dit-il, ne se souciant absolument pas des contreparties. Quelles sont les règles, Aurora ?

Elle s'assit sur son canapé et attendit qu'il la rejoigne pour extraire une feuille du dossier et la lui tendre.

— C'est un vrai contrat, dit-il, interloqué.

Il était daté et comportait même du langage juridique.

— Ça ne tiendrait pas devant un tribunal, mais une de mes colocs du lycée travaille dans les relations publiques. Elle m'a envoyé leur modèle de contrat.

— Quoi ?

Il avait été sérieux avec cette idée de contrat, mais il ne s'attendait pas à ce qu'il ressemble à ce point à un vrai.

— Oh ! parfois les stars ont des histoires juste pour la presse, pour les articles que ça suscite. Tu sais, les paparazzis qui les suivent, les photos prises sur le vif, généralement au moment de la sortie d'un film. Ils ont des contrats adaptés qui spécifient le déroulement des événements, dit-elle avec animation.

— Tu n'aurais pas une passion secrète pour les potins mondains, toi ?

— C'est mon plaisir coupable, je l'avoue…

Elle haussa les épaules et tapota le dossier qu'il avait à la main pour en revenir à l'objet de sa visite.

— Je n'ai jamais compris cette expression, répondit-il en parcourant le contrat. Si tu aimes ça, alors c'est un plaisir, point final. Pas besoin de se sentir coupable.

— J'ai parfois du mal à croire que tu sois neurochirurgien, dit-elle. Il n'y avait pas de sous-entendu, c'est juste que tu es tellement loufoque, joyeux, sexy et terre à terre. Je veux dire, tu es juste…

Elle ferma les yeux et poussa un soupir.

— Bon, je vais arrêter de parler maintenant. Désolée.

— Pas de quoi s'excuser. J'ai adoré chacun de ces qualificatifs. Alors, tu me trouves sexy ?

Il lui tapota le genou, avant de retirer sa main aussi sec.

Ce désir de la toucher, de la réconforter… Impossible de nier le désir qui s'était emparé de lui.

— Oh ! tu dois bien savoir que tu as un charme fou ! dit-elle en se couvrant la bouche de ses deux mains. Si le sol s'ouvrait en deux, là maintenant, je me glisserais dans un trou et je laisserais la terre me recouvrir pour toujours.

Il aurait voulu venir à son secours et la soulager de son embarras, mais pour une fois aucune blague ne lui vint à l'esprit. Alors il opta pour la vérité.

— Tu as un charme fou, toi aussi.

Aurora déglutit et changea de position. Puis elle désigna le contrat.

— Tu veux que je lise ? Règle numéro un, se souvenir que cette histoire est factice. Ne pas tomber amoureux.

Il ne risquait pas de l'oublier. Pourquoi avoir éprouvé le besoin de le mentionner ?

Elle sembla lire ses pensées et haussa les épaules.

— C'est un conseil de mon amie. Qu'une des parties oublie la règle peut susciter de la souffrance. Donc, pas de sentiments.

— Ah.

Il se tenait toujours à cette règle de ne pas tomber amoureux, tant mieux si Aurora était sur la même longueur d'onde.

— Règle numéro deux, connaître les histoires familiales de chacun et avoir au moins une anecdote attendrissante à évoquer.

Ça, c'était facile.

— Règle numéro trois, deux slows à chaque soirée.

— Je t'ai promis que j'étais bon danseur, répéta-t-il avec un sourire en coin. Règle numéro quatre, manifestations d'affection modérées en public. Ça veut dire quoi ?

Elle déglutit de nouveau.

— Je… Eh bien, les mariages sont censés être magiques, romantiques, même si celui-ci tournera peut-être au cauchemar. Et on est censé s'amuser aux galas de charité, malgré des sujets parfois sérieux. J'imagine qu'on s'attend à ce que nous nous tenions par la main. Que tu mettes ta main sur ma taille et…

Elle avait de nouveau les joues écarlates.

— On pourrait s'embrasser, devina-t-il.

— Sur la joue. Bien sûr. On s'attendrait à ça. Rien d'explicite. Mais, continua-t-elle en se redressant, pour que ça ait l'air crédible…

L'embrasser ne serait pas un problème, mais il mit fin à sa gêne en hochant la tête sans commentaire.

— Tout me semble bien. Comme je te le disais, moi aussi j'ai mes conditions. Que nous sortions ensemble à quelques reprises avant le mariage, que nous dînions deux fois chez mon père, et que l'ensemble ne dure pas plus de six semaines.

La dernière condition était celle qu'il appliquait à toutes ses relations dans la vraie vie. Leur passade à eux n'était pas réelle, mais la limite dans le temps en était peut-être d'autant plus nécessaire. Il était attiré par Aurora. Il voulait la connaître pour de bon. C'était dangereux. La règle était un garde-fou pour lui autant que pour elle.

— Que nous sortions ensemble… pour de faux, dit-elle en ramenant plus encore ses jambes sous elle comme pour se protéger.

— Pour de faux, répondit-il, et cela lui serra étrangement le cœur. Mais si nous voulons tromper notre monde, quelques tête-à-tête ne seront pas de trop pour accorder nos violons.

Elle se mordilla de nouveau les lèvres.

Allait-elle reprendre son dossier et partir ? C'était normal que lui aussi ait des exigences, les rendez-vous ne lui semblaient pas inutiles, et surtout Aurora méritait de s'amuser. Elle était toujours si sérieuse.

Il avait rencontré son père une fois, à la suite de l'article sur les trente personnes de moins de trente ans les plus prometteuses du monde médical. Le Dr Miller lui avait proposé de rejoindre sa clinique, mais Asher avait compris au bout de trois minutes qu'il ne s'intégrerait pas dans l'équipe. Personne ne souriait, sans même parler de blaguer. Dès qu'il l'avait pu, il s'était excusé et avait quitté l'enterrement. Une proposition d'emploi avait suivi, qu'il avait déclinée, mais le Dr Miller reprenait contact de loin en loin.

Ces deux heures lui avaient semblé interminables, il n'osait pas imaginer ce que c'était de grandir à ses côtés. D'où sa deuxième condition. Il dînait avec son père au moins une fois tous les quinze jours, parfois plus si son emploi du temps le lui permettait.

Son père se souciait de lui. Leur relation n'était pas parfaite, il y avait des silences et des non-dits, mais jamais il n'avait douté de l'amour de Henry Parks. Le deuil les avait éloignés, mais dès que la souffrance avait été moins insupportable pour celui-ci, il avait recommencé à l'encourager. Il était toujours de son côté, et Asher voulait qu'Aurora voie cela.

C'étaient peut-être des exigences loufoques, mais elles lui semblaient importantes.

— Seulement ton père ? Et ta mère ?

La mention de sa mère lui était toujours aussi douloureuse. Cela faisait plus de vingt ans, mais son père et lui n'en parlaient jamais. Ou plus précisément, il changeait toujours de sujet.

— Nous aurions besoin d'un médium pour parler avec elle.

Il savait que sa blague tomberait à plat, mais il sourit tout de même.

Rory inclina la tête et l'observa un moment.

— Tu n'es pas obligé de faire ça, dit-elle.

— Obligé de quoi ?

Il utilisait cette réponse instinctive les rares fois où quelqu'un remarquait qu'il se cachait derrière ses blagues. Que c'était un masque. En général cela faisait douter ses interlocuteurs, et ils passaient à autre chose.

— Tu peux me dire si un sujet est déplacé ou si en parler te fait mal. Pas besoin d'utiliser l'humour pour cela.

Il cligna des yeux.

Aurora lui donnait l'impression de percevoir la douleur à travers le clown. Personne d'autre n'y parvenait, pas même son père.

— J'aime les blagues. Grâce à elles les choses tristes deviennent supportables, dit-il, conscient de mentir. Tes règles me vont. Et les miennes ?

— Ton père ne s'étonnera pas que tu viennes dîner avec une petite amie qui n'en est pas une ?

Son père se réjouirait qu'il amène n'importe qui à dîner. S'il ne lui mettait pas la pression à propos d'une vie sentimentale stable et de petits-enfants, il s'inquiétait que son fils ne veuille pas de relation au long cours.

Mais pour Asher, chercher l'amour de sa vie c'était prendre le risque de souffrir autant que lui si cette personne venait à disparaître.

— Je ne comptais pas avertir mon père de ce que nous raconterons à ta famille, mais te présenter comme une amie et collègue de l'hôpital.

— Une amie ? s'exclama-t-elle en rougissant. Après tout, c'est peut-être ce qui nous convient le mieux. Mais je sais que mon stoïcisme t'agace.

— Non, même si, j'avoue, j'ai aimé te faire rire l'autre soir. Le rire guérit, j'en suis certain. En revanche, ma musique t'embête.

Allait-elle lui mentir ?

— Oui, répondit-elle en lui tendant un crayon, mais ça n'a rien de personnel. Landon écoutait du hard rock, lui aussi. En salle d'opération ou quand nous nous disputions. C'est bête, mais je savais quand je l'avais énervé rien qu'en ouvrant la porte de chez nous, parce qu'il avait mis du hard à fond. Encore aujourd'hui, après toutes ces années, j'ai envie de fuir quand j'entends certains morceaux. Le troisième de ta playlist, par exemple.

Il signa le contrat.

— Quels autres morceaux ?

Lui prenant le stylo, elle signa à son tour. Elle fit un vague signe comme pour signifier que c'était du passé, mais il lui prit la main et la serra doucement.

— Non, c'est important. Fais une liste, et j'enlèverai les morceaux de ma playlist.

— Tu n'es pas obligé, lui confia-t-elle en regardant leurs mains sans retirer la sienne.

— Je sais. Mais je le ferai, dit-il en serrant de nouveau sa main. Tout le monde doit se sentir en sécurité sur son lieu de travail.

Son menton trembla de nouveau, et elle se mordilla la lèvre.

Cela faisait probablement des années qu'Aurora Miller n'avait pas pleuré devant quelqu'un. Toute cette énergie emprisonnée. Son armure de protection.

— Merci, lâcha-t-elle dans un souffle, d'accepter tout ça. Pour les morceaux de musique, je vais y réfléchir.

— Si tu ne le fais pas, je te reposerai la question. Je peux être un peu têtu.

Elle rit en couvrant sa bouche de la main comme le premier soir, et il ajouta « faire rire Aurora » à sa liste mentale de choses à faire.

— J'ai bien conscience de ta ténacité, Asher.

Il la raccompagna à la porte, mais avant d'ouvrir, à sa propre surprise, il demanda :

— Et si, pour s'entraîner, on se souhaitait bonne nuit en s'embrassant ? Tu en dirais quoi ?

Maintenant que les mots étaient sortis, il espérait désespérément qu'elle accepte.

Elle ouvrit la bouche et la referma. L'ouvrit et la referma. C'était adorable. Puis, haussant les épaules, elle se mit sur la pointe des pieds, et leurs lèvres s'effleurèrent. Le contact dura une seconde à peine, mais il eut le sentiment d'une connexion profonde.

— Bonne nuit, Asher.

— Bonne nuit, Aurora.

— Je suis là pour voir le Dr Miller.

En entendant la voix de son père derrière la porte de la salle de garde, Rory sentit son estomac se nouer.

Que venait-il faire là ? Comme si les dernières vingt-quatre heures n'avaient pas été assez riches en émotions !

Elle ne prit pas la peine de sourire quand il entra dans la pièce.

D'après sa tante, sa mère avait été une jeune fille très souriante, mais son père lui avait petit à petit volé sa joie de vivre. L'avait-elle retrouvée en le quittant ?

Comment le savoir, puisque ni sa sœur ni elle ne l'avaient revue ? Les premières années, elle avait écrit pour Noël et les anniversaires, puis même cela avait cessé. Aux dernières nouvelles, elle vivait sur la côte Ouest avec un nouveau mari. Rory comprenait qu'elle ait voulu fuir son mari, mais la blessure liée au fait qu'elle ne les ait pas emmenées ne s'était pas refermée.

— Que puis-je faire pour toi ? demanda-t-elle d'entrée de jeu, dans l'espoir de se débarrasser de lui avant qu'Asher arrive.

Son père était encore blessé qu'Asher n'ait pas rejoint son équipe, elle le savait, même si elle avait judicieusement oublié ce détail en l'invitant au mariage.

Ou voulait-elle inconsciemment se prouver qu'elle pouvait obtenir quelque chose qui lui était refusé à lui ?

Elle se posait la question depuis la veille au soir. Lorsqu'elle avait envoyé à sa sœur le nom de son accompagnateur, la réponse de Dani, un peu tardive, lui avait glacé le sang : « Papa va être impressionné. »

Ça n'aurait pas dû être important, mais les questions de statut étaient essentielles chez les Miller. Elles seules comptaient, en fait.

Son père la dominait de son regard froid.

C'était un chirurgien brillant, mais que valait-il vraiment en tant qu'homme ?

— Je suis désolée de te presser, dit-elle, mais j'ai une opération dans vingt minutes et je dois me préparer. Alors, que puis-je faire pour toi ?

Son père cilla, probablement aussi choqué qu'elle par sa franchise.

— Tu viens au mariage avec le Dr Asher Parks, à ce que m'a dit Dani ?

C'était donc l'objet de sa visite. Dani avait dû le mettre au courant aussitôt après avoir reçu le texto.

— Oui. Asher et moi sortons ensemble depuis… un petit moment.

Elle avait eu du mal à mentir. Cela allait tourner à la catastrophe. Mieux valait tout arrêter.

— Chérie, je suis là !

Asher ouvrit la porte à la volée, son sourire emplit la pièce, et elle se sentit fondre.

Allait-elle réagir ainsi à chacune de ses apparitions ?

— Docteur Miller, dit Asher, reprenant son sérieux, je ne savais pas que vous étiez là.

C'était faux, elle le savait. Il venait s'assurer que tout allait bien pour elle. C'était adorable, d'autant qu'il adoptait ce comportement sans même y penser. Elle s'était agacée pendant des années de ce qu'elle prenait pour des singeries, et qu'à sa grande honte elle comprenait désormais comme des marques d'attention.

Son père sourit, et elle eut envie d'effacer cette expression de son visage. Il semblait fier d'elle, non pas parce qu'elle avait fait des études brillantes dans les meilleures institutions, non pas parce qu'elle était une des professionnelles les plus reconnues dans son domaine, mais parce qu'elle avait une histoire cousue de fil blanc avec Asher Parks !

— Alors, comme ça, vous sortez ensemble ? demanda-t-il en se tournant vers celui-ci.

— Ça a pris beaucoup plus de temps que je l'aurais voulu, mais j'ai finalement réussi à faire fléchir le Roc. Je n'allais pas la laisser filer !

Il lui fit un clin d'œil, mais son espièglerie habituelle avait déserté sa voix.

— Le Roc ? demanda son père, surpris.

— Parce qu'elle est solide comme un roc, qu'elle garde son calme et ses esprits. Elle ne montre pas ses émotions, ne craque jamais. On peut toujours compter sur le Dr Miller.

Et parce qu'elle ne souriait jamais, ne riait pas, ne se comportait pas comme une personne, elle ressemblait plutôt à une pierre.

C'était cela, la raison de son surnom, d'après elle, même s'il avait pris une signification plus positive depuis quelques années.

— « Son calme » ? releva son père. J'ai toujours trouvé que Rory et sa sœur en faisaient des tonnes.

Merci, papa.

Elle regarda l'heure, le temps n'avançait pas.

Asher inclina la tête en la regardant. Elle comprit la question sans qu'il ait besoin de la formuler, comme s'ils étaient un vieux couple. C'était un sentiment tellement agréable. Et lorsqu'elle refusa discrètement d'un signe de tête, elle lut la résignation et l'acceptation dans son regard.

— Il faut que j'y aille bientôt, dit-elle. Que puis-je pour toi, papa ?

— Je me demandais si Asher et toi viendriez manger avec moi ce soir au club, expliqua-t-il avec son sourire de conquérant, le seul qu'il connaissait.

Il espérait revenir à la charge auprès d'Asher maintenant que sa fille sortait avec celui-ci !

— Désolé, Aurora et moi avons un rendez-vous galant ce soir, la réservation ne peut pas être annulée.

Asher, pas désolé pour deux sous, elle en était certaine, se balançait tranquillement d'avant en arrière sur ses talons. Mais c'est son nom sur ses lèvres, son vrai nom, qui la fit sourire.

— Aurora ? releva son père, instantanément à cran. Personne ne l'appelle comme ça.

— Moi si, répondit Asher en la regardant avec tendresse.

Elle lui rendit son regard avec la même tendresse.

Plus tard, elle aurait tout le loisir de s'inquiéter de n'avoir pas à feindre ce sentiment à son égard. Pour l'instant, elle prenait plaisir à le regarder narguer son père tout en respectant sa demande tacite de ne pas se disputer avec lui.

— C'est sa mère qui a choisi son nom, même si cela n'a plus d'importance désormais. Nous allons devoir fixer un autre jour. À moins que vous n'ayez un moment de disponible, docteur Parks ?

Pourquoi était-elle encore surprise par le comportement grossier de son père ? Depuis sa rupture avec Landon, il ne l'avait plus invitée chez lui en dehors des jours de fête. Et il voulait voir Asher en tête à tête ?

— Nous faisons équipe, répondit Asher d'un ton sans appel en regardant l'horloge. Et on nous attend au bloc. Bonne journée, docteur Miller.

Puis il ouvrit la porte et la regarda.

— On y va, Aurora ?

4.

Asher n'avait pas été aussi excité par une sortie avec une femme de toute sa vie. Même si leur histoire n'était pas réelle, l'expérience de ce soir le serait. Il avait pensé à tout pour rendre Aurora heureuse. Enfin, si par miracle elle parvenait à l'être après la visite surprise de son père.

— Coucou, Asher, dit-elle en lui ouvrant, manifestement détendue, en débardeur blanc et short en jean révélant de somptueuses jambes bronzées. Elle avait remonté ses cheveux roux et enfilé un bandeau vert.

Il n'essaya pas de cacher son sourire.

— Ce n'est pas grave si ton T-shirt n'est plus aussi blanc ce soir ?

En lui confirmant que le rendez-vous qu'il avait évoqué devant son père était bien réel, il lui avait conseillé de choisir une tenue salissable.

Elle lui prit la main, et glissa ses doigts entre les siens.

— « Pour nous entraîner », dit-elle. Mon débardeur n'a pas de valeur personnelle, je te le jure. Même si l'idée de nous salir m'intrigue. Qu'est-ce qu'on va faire ?

En appelant l'ascenseur, il lui passa le bras autour de la taille.

Pour s'entraîner, rien de plus ! Et s'il y prenait plaisir, tant mieux. Six semaines. Il allait passer six semaines fabuleuses avec Aurora. Pour la première fois, cela lui semblait court…

C'était précisément pour cela qu'il se fixait une limite dans le temps.

— C'est une surprise.

— Une surprise où on se salit comme des petits cochons ? Oh ! s'exclama-t-elle en rougissant. Désolée pour la comparaison.

176

— Non, répondit-il. Tu n'es pas désolée, et moi non plus. Et tu es adorable, rouge comme une tomate.

Elle porta la main à sa joue, et il secoua discrètement la tête pour qu'elle sache qu'elle n'avait pas à s'excuser.

Étonnant. Il aurait juré qu'elle voulait s'excuser de faire étalage de ses émotions, comme il avait su qu'elle ne voulait pas d'esclandre avec son père. Il avait été témoin d'une connexion de ce type entre ses parents : ils se comprenaient sans se parler. Il n'y était jamais parvenu avec Kate, probablement parce que celle-ci lui cachait trop de choses. Et depuis, ses relations avaient été de trop courte durée pour qu'il atteigne ce stade. Elles duraient assez pour s'amuser, mais pas pour ressembler à un véritable couple.

L'explication du fait qu'Aurora et lui parviennent si vite à se comprendre sans parler, ce devait être qu'ils travaillaient ensemble depuis longtemps.

— On mange avant de se salir, j'espère ?

En sortant de l'ascenseur, Aurora lui échappa et il résista au désir de la retenir.

— Je me disais qu'on pourrait aller à À la carte. Il y a de la *street food* du monde entier, dit-il en sortant de l'immeuble.

— Et des bières artisanales ! ajouta-t-elle en battant des mains. Oh ! et les doughnuts ! Une bière, un barbecue et des doughnuts. Tout ce dont je rêve.

— J'espérais te faire découvrir l'endroit. C'est raté. Mais je suis content que ça t'excite autant. Tu fais presque des bonds !

Il n'aurait pas dû dire ça, il le sut aussitôt. Les épaules d'Aurora se redressèrent. À peine, s'il n'avait pas été aussi attentif, il aurait pu ne pas le voir.

— Aurora...

— J'y suis allée quelques fois, c'est un de mes endroits préférés, dit-elle avec un sourire qui ne gagna pas ses yeux.

Rory, ou même le Roc, venait de remplacer Aurora.

Parce qu'il avait remarqué qu'elle était excitée ? C'était un constat, pas un jugement. S'était-elle seulement rendu compte qu'elle venait de se refermer sur elle-même ?

À peine installé dans la voiture, il lui prit la main.

Sa paume était chaude dans la sienne, et cette connexion le calma en partie.

Ce soir, Aurora allait s'amuser. Et son sourire, son vrai sourire, allait revenir.

Le repas à À la carte avait été très agréable, les deux dough-nuts en dessert pas franchement raisonnables mais délicieux, pourtant Aurora était toujours sur ses gardes. Heureusement, la soirée n'était pas terminée. Elle ne faisait même que commencer.

— Maintenant qu'on a bien mangé, dit Asher en se garant devant le centre commercial, on va dépenser nos calories. En peignant !

— En peignant ?

En voyant son sourire king size, elle ne put s'empêcher de l'imiter. Être simplement à ses côtés lui faisait tourner la tête.

— Oui. J'ai réservé une séance « extrême », déclara-t-il, manifestement très content de lui.

— C'est possible, ça, peindre « extrêmement » ?

— Tu vas voir, on va bien s'amuser, annonça-t-il en lui faisant une chiquenaude sur le nez.

Elle le suivit en direction de la salle.

Elle lui faisait confiance. C'était aussi simple que cela, et aussi compliqué.

En enfilant les combinaisons intégrales, elle donna un petit coup de hanche à Asher.

Pourquoi ne pouvait-elle pas s'empêcher de le toucher ?

— Je crois que mon débardeur blanc ne court pas de grands risques.

— On ne sait jamais, répondit-il, espiègle.

— Bien, vous avez la salle pour deux heures, dit la respon-sable des lieux. Si jamais vous manquez de peinture, appuyez sur le gros bouton rouge sur le mur. Si je peux vous donner un conseil, madame, vous seriez mieux pieds nus.

Aurora regarda ses tongs, qui ne craignaient pas grand-chose, mais Asher, qui était en train de mettre des protections à ses chaussures, s'interrompit.

— Tu sais quoi, Aurora ? Esprit d'équipe ! On va se la jouer pieds nus.

En glissant ses tongs et son sac dans le casier à côté du portefeuille et des chaussures d'Asher, elle trouva le tableau charmant. Parfait.

Oh là là, elle craquait vraiment pour le neurochirurgien ! C'était arrivé très vite. Ou peut-être était-ce là depuis toujours ? Mieux valait ne pas trop y penser.

— Et maintenant, allez mettre le bazar !

— Évidemment, répondit Aurora sans trop comprendre.

Puis ils entrèrent dans la pièce.

— Ah, d'accord ! s'écria-t-elle en découvrant l'espace couvert d'épaisses coulures de peinture. Toutes les couleurs de l'arc-en-ciel se mélangeaient sur le sol et sur les murs.

Des empreintes de pieds laissaient deviner qu'ils n'étaient pas les premiers à s'aventurer sans chaussures. Des seaux, de véritables seaux de peinture étaient alignés contre le mur de gauche. Deux toiles, des pinceaux à ne plus savoir qu'en faire et de plus petits contenants de peinture étaient disposés au centre de la pièce.

Asher attrapa les palettes de peinture.

— On est censés faire quoi, exactement ? demanda-t-elle en prenant celle qu'il lui tendait.

— Ce qu'on veut, répondit-il, rayonnant, en versant géné-reusement un bleu pétant sur sa palette.

Y trempant un pinceau, il zébra la toile d'une ligne de couleur.

— Vraiment ce qu'on veut, poursuivit-il en faisant la même chose sur sa combinaison.

Elle regarda sa toile, confuse. Elle voulait bien s'amuser, mais il lui fallait des règles, une ligne directrice.

— Tu as déjà entendu parler des *rage rooms* ? demanda-t-il

en envoyant de la peinture rose sur sa toile sans même regarder où elle atterrissait.

— Les endroits où on va pour passer ses nerfs et tout casser ?

— Exactement. C'est la même chose ici. Tu veux envoyer de la peinture sur les murs ? Les seaux sont là pour ça. Tu peux y aller.

— Pas de directives.

— Aucune.

Elle regarda sa toile et prit la peinture rose, sa couleur préférée, puis elle la reposa.

La toile blanche était pleine de possibilités. Qu'était-elle censée en faire ? Elle n'était pas du type artiste. Elle aimait les structures, les règles, les instructions. Il n'y avait rien de tel ici.

— Inspire profondément, dit Asher en posant sa palette. On est censés s'amuser, pas réfléchir.

— Je ne sais pas éteindre mon cerveau, dit-elle, malheureusement consciente de sa voix tendue. Je… J'aime avoir des conseils, tu vois, des règles, sinon c'est le bazar.

— D'accord, admit-il en lui prenant sa palette et en y déposant la couleur qu'elle avait voulu prendre. Tu me fais confiance ?

Il vint se placer derrière elle. Elle hocha la tête, rendue muette par la chaleur qu'il lui transmettait. Quand il avait eu un doute sur son état lors de la visite de son père, il était venu s'assurer qu'elle allait bien. Il avait accepté d'assister au mariage de sa sœur pour couvrir son mensonge. Elle avait toutes les raisons de lui faire confiance.

— Ferme les yeux.

Elle obéit, savourant son souffle contre son cou. Il l'enveloppa de son bras gauche, lui donnant un point d'appui dans le noir. Elle s'enflamma, traversée de tremblements. C'était renversant. Puis il plaça le pinceau dans sa main.

— Peins, maintenant.

— Je n'y vois rien.

— Je sais. C'est juste pour s'amuser. Pour jouer avec le pinceau.

Il avait posé la tête sur son épaule, son corps lui transmettait de la force et du désir. Elle découvrait que ces émotions pouvaient cohabiter. Elle fit un mouvement avec le pinceau, mais seul comptait l'homme derrière elle. Le poids de sa main, la chaleur de son corps, la manière dont ils se fondaient l'un dans l'autre. C'était comme si elle était enfin là où elle devait être.

— Il n'y a pas de programme ici, personne n'attend rien de toi. Ce que tu fais ici, ce que tu peins, restera entre nous. Je te le promets.

Sa voix douce la faisait frissonner. Elle aurait voulu se retourner, se hisser jusqu'à ses lèvres et attendre la suite.

— Il me faut plus de peinture ? demanda-t-elle plutôt.

— À toi de me dire, répondit-il en s'écartant.

Elle faillit le supplier de revenir. Le monde se calmait, tout était à sa place quand elle était dans ses bras.

Elle ouvrit les yeux. Six taches d'un rose fuchsia, de tailles variées, se trouvaient désormais sur la toile.

— Elle n'est plus blanche, dit Asher, la bouche un peu crispée.

Il y avait du désir dans son regard, elle l'aurait juré.

Elle trempa son pinceau dans du jaune et retourna à la toile. Puis elle trempa un doigt dans le bleu qu'il avait utilisé et le passa sur la toile. C'était ridicule. Et rigolo. Elle se sentit plus légère. Elle rit, ce qui la fit rire de plus belle. Elle prit plusieurs pinceaux, les trempa dans différentes couleurs et les appliqua sur la toile.

Il désigna la trace de bleu sur sa combinaison.

— Et ça, ça n'irait pas plus loin ?

D'un coup de pinceau, il lui colora le ventre à l'endroit où il avait posé sa main. Elle y porta instinctivement la sienne et la retira aussitôt, alarmée.

— Je m'en suis mis partout, non ?

Il attrapa ses mains et se les appliqua sur les joues. Le rose, le vert et le bleu lui allaient à ravir.

Abandonnant toute inhibition, elle fut gagnée par l'attirance et se suspendit à son cou. Il referma les bras autour d'elle. Elle accepta l'invitation de ses lèvres ouvertes. Il avait un goût de sucre, de désir et de chaleur. Le cœur battant, elle se laissa aller au plaisir, aux multiples émotions qui se révélaient quand il était là.

Reculant, elle aurait voulu paraître plus en possession de ses moyens face à cet homme si séduisant qui lui faisait faire des choses tellement inattendues. Elle botta en touche et récupéra les pinceaux tombés au sol.

— Tu veux peindre sur les murs ?

— On peint ou on jette de la peinture ? demanda-t-il avec une malice irrésistible.

— Je dirais qu'on se laisse porter par le moment et qu'on voit où ça nous mène ?

Il sourit.

Pensait-il à la peinture, ou plus généralement à eux ?

— Oh ! ta voiture, dit Aurora en désignant ses cheveux maculés de peinture.

— Aucune importance, répondit Asher. C'est sec, ça s'enlève à l'eau, ça n'a vraiment aucune importance.

Ce qui l'inquiétait davantage, c'était que ses défenses avaient lâché quand Aurora s'était appuyée contre lui avant d'oser peindre. Les six prochaines semaines seraient les plus longues de sa vie, s'il devait lutter contre cela. Mais peut-être aussi les meilleures.

— On s'est bien amusés, remarqua-t-il d'une voix égale.

C'était peu dire, alors que le baiser échangé planait au-dessus d'eux comme un feu d'artifice qui n'attendait qu'une allumette.

— C'était génial. Désolée, j'étais surexcitée.

— Ça veut dire quoi, surexcitée ?

— Tu sais, émotive, excessive. Embarrassante. C'était tellement rigolo, de peindre comme ça, je me suis lâchée, j'ai perdu le contrôle. Peindre les murs et euh…

— Et m'embrasser ? compléta-t-il en lui prenant la main.

— Et t'embrasser, oui. Je… Je suis différente avec toi.

Il ouvrit la bouche mais aucun son n'en sortit.

Lui, être réduit au silence par cinq petits mots ?

— Tu n'es pas obligé de répondre. Mais je suis désolée si je te mets mal à l'aise.

— Ce n'est pas du tout le cas.

Cette fois, la réponse avait fusé. Il retira sa main pour se garer devant leur immeuble, éteignit le moteur et se tourna vers elle.

— Quand j'ai mis mon bras autour de toi, ma main sur ta taille, j'ai eu envie de t'embrasser, dit-il, luttant contre des années de silence, l'habitude de ne rien partager avec ses petites amies. Il y a une connexion entre nous.

— On s'attire comme des aimants.

Pour preuve, il lui caressait le bras, sa main était venue d'elle-même se poser sur sa peau.

— On fait quoi, maintenant ? demanda-t-elle sans le quitter de son regard vert.

— Ce que tu veux, répondit-il, déposant un léger baiser sur sa joue.

— D'abord, j'ai besoin d'une douche. Et d'au moins deux shampoings.

— Je pourrais m'excuser de tout ce bazar, mais ce ne serait pas honnête. J'ai adoré cette séance, Aurora.

— Je ne veux pas d'excuses, répondit-elle, la main sur son genou. Tu m'accompagnes ?

Oh ! oui ! hurla-t-il intérieurement. Il la voulait désespérément. Il la voulait dans ses bras, il voulait qu'elle soit sienne…

— Je sais que ça ne durera pas, Asher. Ne t'inquiète pas, je ne serai pas collante.

« Collante » ! Ce mot lui allait si mal. Mais dans son trouble, il avait trop tardé à répondre.

— Merci pour la soirée, dit-elle en l'embrassant sur la joue.

Puis, ouvrant la porte, elle attrapa sa toile et sortit.

Il avait laissé passer sa chance, il avait trop réfléchi à ses émotions au lieu de se pencher vers elle et de l'embrasser comme son corps le lui réclamait.

Il la suivit dans le hall.

— Aurora !

Elle s'était dévoilée, et il n'avait pas répondu. Elle entra dans l'ascenseur, lui à sa suite. En un instant, ils furent à leur étage. Elle glissa sa clé dans sa serrure.

— Bonne nuit, Asher.

— Aurora, attends !

Elle ouvrit la porte, déposa la toile à l'intérieur et se retourna vers lui.

— Je t'en prie, ne te crois pas obligé de…

— Je te veux plus que j'ai déjà voulu quiconque.

C'était direct, il ne l'avait jamais été autant. Mais il avait besoin qu'elle le sache.

Se penchant vers elle, il prit ses lèvres, et comme elle lui passait les bras autour du cou, il referma la porte du pied et glissa les doigts sous son débardeur.

— Asher…

Son nom sur ses lèvres faillit lui faire perdre la tête. Il était comme un ado à un premier rendez-vous.

Elle souleva sa chemise, griffant doucement ses abdos, faisant grimper la température en lui.

Jamais il n'avait désiré aussi fort une femme. La prenant dans ses bras, il se dirigea vers sa chambre. Les appartements étaient tous les mêmes, il savait où aller. L'installant sur le lit, il lui ôta son débardeur et soupira en découvrant sa poitrine pleine. Elle l'attira à lui pour un profond baiser, puis tira sur sa chemise.

— Ce n'est que justice, dit-elle.

— Justice ? reprit-il en lui déposant une traînée de baisers sur l'épaule.

Puis il lui enleva son soutien-gorge.

— *Maintenant*, c'est juste.

Elle eut un sourire radieux. Il caressa ses seins du pouce, l'un après l'autre. Elle haletait, les yeux pleins de désir.

— Tu aimes ça ?

Il traça un cercle autour d'un mamelon, observant l'ardeur qui montait en elle.

— Oui.

— Et ça ?

Il s'inclina, et, affamé de désir, prit le mamelon entre ses lèvres.

— Oui, répondit-elle dans un souffle brûlant. Mais j'en veux plus.

Et, le repoussant, elle déboutonna son pantalon.

— Exigeante, constata-t-il avant de préciser pour qu'elle ne se méprenne pas, j'aime ça.

Elle eut un sourire en coin, et il eut l'impression d'être le roi du monde. Il disait vrai. Il adorait cette Aurora exigeante. Il adorait la voir prendre son propre plaisir en charge.

Elle fit glisser son pantalon au sol, et son boxer. Mais avant qu'elle le touche, il attrapa ses mains et embrassa chacun de ses doigts, avant de s'en prendre à son short.

— La justice, tu te souviens ?

Le short rejoignit ses vêtements au sol, et il s'agenouilla. Embrassant son ventre, il descendit, toujours plus bas, toujours plus lentement. Mémorisant chaque grognement, chaque soupir. Doucement, il la fit se rallonger, son corps s'ouvrant devant lui.

— Tu es tellement belle.

Il lui caressait l'intérieur de la cuisse, se rapprochant du centre, jamais complètement.

— Asher…, souffla-t-elle en remuant les hanches. Touche-moi, Asher.

Elle guida sa main vers le point exact où elle le voulait et gémit.

Alors il posa les lèvres à cet endroit-là.

Elle avait un goût de miel et de feu. Lorsqu'elle pressa ses hanches contre sa bouche, il gémit à son tour. La léchant, il glissa un doigt en elle sans relâcher la douce pression.

— Asher, oui…

Elle s'arqua contre lui, s'abandonnant au plaisir.

— Ma chérie.

Le mot doux lui échappa alors qu'il remontait le cours de son corps, un baiser à la fois.

— Je te veux, ma chérie.

S'asseyant, elle ouvrit le tiroir de sa table de chevet, déchira le petit sachet métallique et lui enfila le préservatif sur toute la longueur.

Puis ils se fondirent l'un dans l'autre.

5.

Rory s'appuya contre sa voiture en regardant l'hôpital.

Un peu moins de douze heures auparavant, elle était suspendue au corps d'Asher. Peu après lui avoir avoué qu'elle était différente avec lui. Pourquoi était-ce cela qui l'inquiétait, et non pas qu'ils aient couché ensemble ?

C'était la première fois qu'elle disait aussi clairement son désir à un homme, mais avoir été aussi directe ne la tracassait pas. Elle s'était offerte à lui par son aveu plus qu'en lui abandonnant son corps. Elle avait perdu le contrôle dont elle était si fière.

Cela lui était arrivé à trois reprises. La première lorsqu'elle avait découvert l'infidélité de son petit ami du lycée. Son père lui avait alors reproché de pleurer pour un motif aussi frivole, et il avait raison. Ce type ne méritait pas ses larmes. Mais son père en avait aussi profité pour préciser que c'était la raison pour laquelle il aurait préféré des fils : trop d'émotions.

Elle s'était contrôlée pendant des années dans l'espoir de gagner son assentiment. Cela n'avait pas fonctionné, mais elle avait eu l'approbation d'autres personnes. Des professeurs, des étudiants, ensuite des médecins, des infirmières, qui louaient son égalité d'humeur. Puis Heather avait eu cet accident de voiture. Heather, son amie, son binôme, l'autre interne anesthésiste. Elle lui tenait la main quand le médecin avait prononcé l'heure du décès.

Et finalement, la nuit dernière. Mais, cette fois, elle avait perdu la tête par plaisir, pour quelque chose de frivole et de sensuel.

— Vous allez bien, docteur Miller ? demanda Angela en se précipitant vers sa voiture.

Mais elle avait manifestement un autre sujet de préoccupation, car elle fouillait anxieusement dans sa voiture.

— Un problème ?

— Izzy Martinez, répondit Angela dans un soupir.

— Ma patiente avec l'appendicite ?

Izzy avait cinq ans et était arrivée dans la nuit avec des symptômes. Rory avait reçu un message, ce serait sa première patiente de la journée.

— Oui. Sa mère est en voyage d'affaires, son premier depuis des années, et son père nous l'a amenée dans la nuit. Dans la panique, il a oublié son chouchou préféré, rose, qui l'accompagne apparemment partout. Elle est dans tous ses états. Je croyais avoir un ruban ou un truc équivalent ici, mais non.

Rory comprenait. En pédiatrie, les patients avaient tendance à être plus stressés. L'absence d'une maman ou d'un doudou pouvait influer sur l'angoisse, le rythme cardiaque, la pression sanguine ou la respiration. Bref, des éléments à prendre en compte lors d'une opération. Calmer Izzy était donc une priorité.

— Et la boutique de cadeaux vend de tout, mais pas de nœuds à cheveux !

La boutique de cadeaux.

— J'ai une idée, dit Rory en entraînant Angela à sa suite.

Elle sentait son cœur fondre. Asher lui venait décidément en aide dans les situations les plus inattendues.

Sous la douche, après l'amour, quand elle avait regretté de ne pas garder ses cheveux rose et bleu, il avait suggéré qu'elle se les teigne. Après tout, si ça la rendait heureuse, elle avait bien le droit de le faire. Elle avait ri, mais il avait insisté. Il avait évoqué une ex, une pédiatre à qui une petite patiente avait offert une bombe de teinture temporaire pour cheveux à base de craie. La patiente, hospitalisée en longue durée, avait apparemment déniché cela à la boutique de cadeaux.

Avant même d'ouvrir la porte de la chambre, Rory entendit des sanglots étouffés.

Elle pouvait administrer un calmant plus fort à Izzy, mais

si elle parvenait à l'apaiser autrement, une anesthésie normale était toujours préférable.

Son père la tenait sur ses genoux, l'enveloppant de ses bras. Ils étaient penchés vers un téléphone d'où s'échappait la voix maternelle.

— Oui, mais le rose porte chance, gémit Izzy en réponse, en secouant la tête.

À ce moment, son père remarqua la présence de Rory.

— Chérie, un autre médecin vient d'arriver, je te rappelle, dit-il en caressant la tête de sa fille.

— Alors, comme ça, le rose porte chance ? demanda Rory en s'agenouillant devant la petite fille, qui hocha la tête.

— Mon chouchou est à la maison, et ça, c'est pas rose ! ajouta-t-elle en empoignant sa tenue d'hôpital bleue décorée d'ours blancs.

Seule une enfant de cet âge pouvait en concevoir une indignation pareille.

Rory se garda de rire, mais l'infirmière derrière elle eut plus de mal à se retenir.

— Eh bien, si ton papa est d'accord, je crois que j'ai une solution, répondit Rory en sortant une bombe de teinture temporaire d'un joli rose fuchsia.

Les yeux noirs d'Izzy se posèrent sur elle. Elle l'observait, suspicieuse.

Rory s'en passa donc sur une mèche et lui sourit.

— Je fais partie de tes médecins, et j'ai du rose dans les cheveux.

Le regard d'Izzy s'alluma.

— Et moi ?

Rory consulta le père du regard et lui en appliqua aussi. Puis elle se teignit quatre autres mèches et tendit la bombe à son père pour qu'il en mette encore à Izzy, qui se calmait peu à peu.

— Et si tu te mettais au lit pour que je te prépare pour l'opération ? demanda Rory en se lavant les mains.

La petite fille se mordit la lèvre mais se laissa coucher.

— J'aime bien tes cheveux roses, dit la petite fille tandis que le sédatif que Rory lui avait mis en intraveineuse commençait à faire effet.

— Moi aussi, j'aime bien.

En chemin vers le bloc pour préparer son client suivant, Rory marqua une pause.

— Madame Fields, je peux vous assurer que votre mari est entre les meilleures mains, mais vous devez rester en salle d'attente. Ne m'obligez pas à appeler la sécurité.

Ronald Fields était l'avocat de son père et celui de la plupart des grands chirurgiens de la région pour les erreurs médicales. Ses honoraires étaient ébouriffants. Sa femme, Annette Fields, également avocate, défendait, elle, les victimes d'erreurs médicales. Un couple puissant qui jouait sur tous les fronts.

M. Fields avait eu un accident de moto. Les ambulanciers avaient prévenu les urgences, et le bloc avait été préparé. C'était parfait puisqu'il allait devoir être opéré. Rory regrettait seulement que les personnes moins bien placées doivent parfois attendre des heures pour un diagnostic.

— Docteur Miller, demanda Mme Fields, dont la voix portait comme aucune autre, qu'est-ce que c'est que ces cheveux ?

Pour une fois, Rory fut prise de court.

— Ils sont *roses* ! clama l'avocate comme si la précision était nécessaire.

Seules quelques mèches l'étaient. Rory n'avait eu ni le temps ni l'envie, d'ailleurs, d'enlever la teinture depuis l'opération d'Izzy. Même sous une charlotte chirurgicale, ça l'amusait.

Les proches des patients bloquaient parfois sur des détails, c'était leur manière de reprendre le contrôle sur une situation qui leur échappait. Mais elle n'appréciait pas le ton de Mme Fields.

— J'ai eu une patiente en chirurgie ce matin. Elle adore le rose. Mais si vous voulez bien m'excuser, je dois aller m'occuper de votre mari.

La porte ne se referma pas assez vite derrière elle, et elle entendit :

— Des cheveux roses ! La personne chargée de mon mari

a les cheveux roses ! C'est complètement irresponsable de la part d'un médecin !

La voix était tellement puissante que quelques collègues de Rory se retournèrent, les yeux écarquillés.

Elle ne répondit pas.

Les familles s'inquiètent quand un de leurs proches est dans un état critique. Les épouses s'en prennent aux médecins, aux infirmières, à l'équipe. Elle le savait. Ça n'avait pas d'importance. Ça *ne pouvait pas* en avoir. Elle avait des choses à faire, du travail. Mais le mot « irresponsable » lui tournait dans la tête.

— Alors, comme ça, tu as les cheveux roses ? demanda Oliver, l'infirmier anesthésiste, en revérifiant la pression artérielle du patient. Le Roc avec des cheveux roses !

— Patient endormi, dit Rory d'une voix égale en regardant Asher.

Oui, elle avait des mèches roses, et elle ne le regrettait absolument pas. C'était simplement pas de chance que Mme Fields l'ait vu. Cette femme avait attaqué en justice la plupart des assurances des chirurgiens de l'hôpital, elle mettait tout le monde mal à l'aise.

— Vous auriez dû la voir passer à l'action, dit Angie par-dessus la musique rock de la playlist d'Asher.

Il n'y avait plus que deux chansons avant le morceau fatal. Elle ne lui avait pas donné sa liste, qu'il lui avait si gentiment demandée. S'il préférait le rock dans sa salle d'opération, qui était-elle pour l'en empêcher ?

Elle prit une profonde inspiration et regarda le rythme régulier du cœur et de la respiration de M. Fields.

— C'était adorable.

Angela voyait cela comme un compliment, mais Jess, son mentor, l'avait avertie : « Ne leur montre jamais que tu craques ou que tu es émue. Ce qui est vu comme une force chez un homme est une marque de faiblesse pour nous. »

— Tout va bien, docteur Miller ? demanda Asher.

La question était pour elle plus que pour le patient.

— M. Fields réagit bien, répondit-elle en ajoutant un petit hochement de tête.

Elle aussi allait bien.

— De la teinture rose à la craie. On n'arrête pas le progrès, dit Oliver, faudra que j'en rapporte à mon ado !

— Qui va regarder le basket ce soir ? interrompit Asher. L'équipe de Heat va perdre, je vous préviens.

Un concert de protestation s'éleva, et Rory articula un « merci » derrière son masque. Asher ne pouvait pas le voir, mais l'intention était là.

— Eh, changement de musique, docteur Parks !

Elle rougit en reconnaissant l'air sur lequel ils avaient aspergé les murs de peinture.

— Le changement, ça a du bon, marmonna Asher, d'un ton absent.

Il y avait un problème.

— Docteur Parks ?

— Il convulse.

Le bip des machines devint frénétique, et l'ambiance joviale de la salle d'opération tourna au chaos organisé tandis qu'Asher tentait de stabiliser le patient et que Rory maintenait l'anesthésie.

Les secondes devenant des minutes, il fallut utiliser le défibrillateur. Lorsque le bip retentit de nouveau, un soupir collectif de soulagement se fit entendre.

— On a de nouveau un pouls.

— Trop rapide.

Les professionnels concernés passèrent à l'action.

— Hémorragie rachidienne sous contrôle.

— Sa respiration redevient normale.

M. Fields revenait à la vie.

Rory regarda l'horloge.

Cela n'avait duré que cinq minutes, mais qui pouvaient avoir laissé des séquelles. Avec les nombreux dégâts et l'hémorragie crânienne dus à l'accident, il serait difficile de déterminer si les cinq minutes qui venaient de s'écouler avaient eu une influence sur l'état du patient.

— Il est stabilisé, dit Angie.

— Terminons-en avant que ça change, dit Asher. Et ses constantes ? Il supporte toujours bien l'anesthésie ?

— Pression sanguine de 1,10 sur 74. Fréquence cardiaque encore un peu rapide à cent battements par minute, mais rien qui m'inquiète.

Dans la salle, les visages étaient tendus. Dix ans auparavant, M. Fields n'aurait même pas tenu jusqu'à la salle d'opération. Il s'en sortait aussi bien que possible après un accident de moto et une mort clinique sur la table d'opération. Mais tout le monde avait la même inquiétude.

Mme Fields.

Ils avaient fait tout ce qui était en leur pouvoir pour sauver son mari, mais cette femme sortait les crocs pour défendre ses clients. Alors, s'agissant de son mari, personne ne pourrait lui reprocher d'en faire trop.

Asher consultait les données collectées pendant l'opération en tapotant nerveusement la tablette.

Ronald Fields, l'avocat de la moitié des chirurgiens de l'hôpital pour les erreurs médicales, avait été plongé dans le coma le temps que son cerveau se remette de l'hémorragie. Son visage était en train de virer au bleu. Tout cela était dû à l'accident de moto, il le savait, et Annette, sa femme, aurait dû le savoir elle aussi.

Lorsqu'elle avait accompagné son mari aux urgences, elle était dans tous ses états. Une pluie torrentielle les avait surpris alors qu'ils étaient à moto, et Ronald avait perdu le contrôle de son véhicule. Il avait réussi à se relever sur le bord de la route, puis il s'était écroulé.

Asher se refit le film de l'opération.

Ils avaient fait tout dans les règles. Si c'était à refaire, il ne changerait rien. Pourtant il était dévoré d'angoisse. Si Annette réclamait une enquête…

— Ses constantes sont stables, expliqua d'une voix douce Aurora, qui venait de le rejoindre.

Il sentit aussitôt ses épaules se détendre.

192

Jamais il n'avait ressenti cela, une présence aussi apaisante. C'était bienvenu, encore que déstabilisant.

— Le réflexe pupillaire est bon ? demanda-t-elle en se rapprochant à le toucher, mais à peine.

Si on les surprenait, personne n'y trouverait rien à redire.

— Oui.

Selon toute apparence, Ronald ne garderait pas de séquelles. Mais cela pouvait changer. La vie est injuste, il en savait quelque chose. Pourtant, d'un point de vue purement médical, il était confiant.

— Mais tu n'as pas encore vu Mme Fields.

Il soupira et secoua la tête.

— Annette est un pitbull. Elle va chercher la petite bête.

— Si elle réclame une enquête, l'hôpital la lui accordera.

Aurora formulait les faits, rien de plus, mais cela ne le réconfortait pas.

— Qui démontrera que tous les protocoles ont été respectés, continua-t-elle.

— Je sais.

Et c'était vrai. Le patient avait été réanimé. Ils n'essayaient pas de cacher quoi que ce soit.

— Mais, dit-elle en lui prenant la tablette des mains, et leurs doigts qui se touchèrent l'apaisèrent immédiatement, s'il y a une enquête, tout va être étudié à la loupe. Cela retarderait l'opération de Jason. L'hôpital pourrait même décider de ne plus prendre le risque. Cette opération...

— Elle n'aura pas lieu avant quelques semaines, quoi qu'il arrive.

Asher avait proposé d'opérer au plus vite, mais Jason s'était montré réticent. Il voulait d'abord assister à la remise de diplôme de sa sœur, puis prendre une semaine de vacances qu'il pensait pouvoir être la dernière. Ce n'était pas l'avis d'Asher, mais il comprenait son souhait.

— Alors que Mme Fields est là, précisa-t-elle, l'incitant à l'action d'un petit coup de hanche. Tu veux que je t'accompagne pour lui parler ?

— Oui.

Les mots lui avaient échappé, il avait eu l'intention de refuser. Il n'avait jamais demandé à être accompagné pour aller parler à la famille d'un patient. Évidemment, l'hôpital recommandait d'avoir un témoin lors d'un rendez-vous avec un avocat. Même si Annette n'était pas là dans le cadre de son travail, ne pas lui parler seul était probablement judicieux. Mais il voulait être accompagné par Aurora, et cela le perturbait, lui qui n'avait jamais besoin de personne.

S'attacher est dangereux, il suffisait de regarder Annette. Cette femme qui faisait trembler tous les chirurgiens de la région avait perdu la tête sous prétexte qu'il y avait du rose dans les cheveux d'Aurora, ce qu'elle n'aurait même pas relevé en temps normal.

Heureusement, il n'en était pas à ce degré d'affection. Aurora et lui avaient bu du thé, fait les fous avec des pots de peinture et passé ensemble une soirée enchanteresse. Il voulait qu'elle l'accompagne pour des raisons rationnelles. Il y croyait presque.

— Je te suis, dit-elle en ouvrant la porte de la chambre comme s'ils partaient au combat.

Ensemble. Et peut-être était-ce le cas.

— Ça va ? demanda Asher dans l'ascenseur de leur immeuble alors que Rory rêvait de s'écrouler, de préférence contre lui.

Elle avait l'habitude des journées interminables, du stress, mais aujourd'hui, elle se sentait atteinte. Elle avait besoin de se réfugier chez elle, là où elle pourrait se laisser aller.

Elle n'aurait pas dû. Toutes les opérations s'étaient bien terminées. M. Fields avait été réanimé. Elle aurait dû se sentir bien. Mais les propos de Mme Fields tournaient en boucle dans sa tête.

Lors de l'entrevue avec Asher, elle était devenue la cible de l'avocate, qui avait reparlé du fait qu'il n'était pas professionnel de sa part d'avoir du rose dans les cheveux. Certes, avant de l'accuser de manquer de professionnalisme, Annette avait éclaté en sanglots. C'était elle qui avait insisté pour cette promenade à moto dont Ronald n'avait pas envie, et il se retrouvait sur un lit d'hôpital. Mais elle redirigeait clairement cette frustration sur Rory.

Rory le comprenait, mais elle savait que les mots portent. Les gens basent leur jugement sur les choses qu'ils entendent. Les hôpitaux sont des nids à rumeurs, et cela compte. Surtout pour une femme dans un monde d'hommes. De plus en plus de femmes choisissaient cette carrière depuis quelques années, mais d'après des études elles devaient travailler plus pour être promues, et la différence de salaire était importante. L'une des recherches montrait une différence de trente pour cent entre les rémunérations des hommes et des femmes.

— Ça va...

Elle avait répondu ainsi des centaines de fois, et personne n'avait cherché à en savoir plus. Pas même elle, parfois. Mais avant qu'elle puisse en dire plus, Asher l'enveloppa de ses bras.

Elle aurait voulu arrêter le temps. Elle en oubliait ses pieds douloureux, sa faim, son envie d'une douche et de son chez-elle. Elle voulait simplement rester dans les bras d'Asher jusqu'à la fin des temps.

— Mon père détestait quand ma mère répondait ça, dit-il en lui embrassant le haut du crâne. D'après lui, c'était un signal de détresse.

Elle sentit son menton se mettre à trembler.

— Merci d'être venue voir Annette avec moi. Je t'en suis reconnaissant plus que je ne pourrais dire. Ce n'est pas contre toi qu'elle en a.

— Je sais, dit-elle en l'embrassant.

Ce n'était plus la relation factice sur laquelle ils s'étaient mis d'accord. Ces six semaines avec Asher étaient ce dont son âme avait besoin. Six semaines. C'était si court.

— Dis-moi, proposa-t-il en lui embrassant de nouveau le haut de la tête, et si on se prenait une douche, on se commandait à manger et on se regardait un truc à la télé ?

Une seconde plus tôt, elle rêvait d'être seule. Mais pour être avec Asher, elle était capable de se retenir de craquer. Ce ne serait pas cher payé.

— J'ai un kit prêt à cuisiner dans mon frigo. Poulet aux noix et salade grecque. J'en ai pour vingt minutes.

Elle n'était pas très bonne cuisinière, mais ces kits, avec tous les ingrédients pour des recettes simples et diététiques, permettaient de faire illusion.

— Parfait, dit-il en la prenant par l'épaule.

Et il le suivit chez elle.

C'était facile, agréable. Elle ne voulait pas y penser plus que cela pour le moment.

— Je préchauffe le four et tu lances la douche ?

— Chouette programme, répondit-il en lui volant un baiser avant de disparaître dans la salle de bains.

Elle s'étira et sortit le poulet.

En allumant le four, elle se dit qu'elle avait surréagi, aujourd'hui. Ce qui l'agaçait profondément. Cela faisait des années qu'elle gardait le contrôle. Ne plus le faire dans une situation comme aujourd'hui était puéril, et pas professionnel. Précisément ce que son père les avait conditionnées à éviter, Dani et elle. Dani avait cessé d'essayer et avait cédé à sa personnalité exubérante, ce qui avait plu à Landon mais qui crispait leur père. Rory pensait, au moins sur ce point-là, avoir réussi…

À sa grande surprise, on frappa à la porte.

Elle n'attendait personne, et dans la douche, l'eau coulait sur un Asher sexy et nu.

Elle fut tentée de ne pas répondre, mais on frappa de nouveau.

Se résignant à une douche en solitaire pendant qu'Asher s'occuperait du dîner, elle alla ouvrir.

— Dani ?

C'était la première fois que sa sœur venait la voir.

— Alors, c'est vrai, tu as les cheveux roses.

Rory tressaillit.

— Sérieusement, c'est de la teinture temporaire à la craie, et comment…

Elle prit une profonde inspiration.

Mme Fields et leur père se connaissaient depuis des dizaines d'années, elle avait dû envoyer des messages pour chasser l'angoisse pendant l'opération de son mari. C'était une fixette absurde, mais cela arrivait. Pourquoi fallait-il que ce soit à propos d'elle ?

— Ah, c'est de la craie ! Tant mieux. Je passais te dire que ça devait avoir disparu pour le mariage.

D'accord. Mais Dani était parfaitement capable d'envoyer cet ultimatum par message. Or, elle s'était déplacée.

— Entendu. Il y avait autre chose ?

— Tu sors vraiment avec Asher Parks ?

Ainsi, c'était *ça*, la question. Asher.

Landon était une belle prise, mais Asher, avec les lauriers qu'il avait gagnés et une réputation que même leur père lui enviait, était la médaille d'or.

— Je veux dire, allez, quoi, Rory. Asher Parks ? Il est beaucoup trop bien pour toi !

Elle tressaillit.

Ça, c'était la conséquence du ressentiment de leur père, de son amertume. Elles avaient grandi ensemble, mais sans être proches. Il les avait mises en compétition dans tous les domaines. C'était épuisant.

Pour la première fois, Rory n'avait plus envie de jouer le jeu. Elle ne voulait plus faire ses preuves ni battre sa sœur.

— Asher est doux, gentil. Il n'a rien à voir avec nos histoires de famille. Écoute… Tu te maries avec Landon dans trois semaines, Dani.

Les lèvres de Dani se mirent à trembler, et Rory fut prise d'un doute.

Depuis que la relation était officielle, sa sœur avait prétendu être comblée par son histoire d'amour. Et si… ?

— Tu n'es pas obligée de l'épouser, dit-elle dans un souffle.

Sa sœur écarquilla les yeux.

— J'aime Landon. Et il m'aime, plus qu'il ne t'a jamais aimée.

— Il ne m'aimait pas, répondit Rory, se libérant d'un secret pesant. Il aimait l'idée de moi, mes succès, la fille d'un homme qu'il respectait. Mais pas Aurora Miller.

— Eh bien, il m'aime, moi ! répondit Dani en haussant la

voix. Et papa est trop fier de me conduire à l'autel. Et je ne crois pas que tu sortes avec Asher Parks…

C'est alors que, avant que Rory puisse répondre, Asher sortit de la chambre, une simple serviette nouée autour des hanches.

Il était évidemment sexy avec ses abdos bronzés, mais ce qui la fit craquer, c'était qu'il prenne aussi manifestement soin d'elle.

— Aurora ? J'ai arrêté la douche, tu t'es perdue dans la cuisine ? Oh ! pardon, tu n'es pas seule, je ne savais pas.

C'était un grossier mensonge, l'appartement n'était pas si grand, il avait forcément entendu Dani. Il la protégeait. Une fois de plus. Elle allait finir par s'y habituer !

Au moins pour six semaines.

— Aurora ? demanda Dani. Personne ne t'appelle comme ça.

— C'est faux, moi je le fais. Désolé, dit-il en désignant sa serviette, ce n'est pas la meilleure tenue pour des présentations, mais je suis Asher.

Puis, après un regard à Rory, il ajouta, mâchoires serrées :

— Ravi de vous rencontrer. Dani, j'imagine.

Enfin, il se tourna vers Rory avec un sourire éblouissant.

— Je prends la douche tout seul ?

— Non, je crois qu'on a fini, répondit-elle en lui rendant son sourire.

Dani la dévisageait, estomaquée. Après un coup d'œil à Asher, elle se dirigea vers la porte.

— Papa est au courant pour tes cheveux. Il est très déçu.

Sur ce, elle referma la porte derrière elle.

« Ce sont juste quelques mèches ! Et je suis adulte ! »

Rory aurait voulu hurler, mais cela aurait fait trop plaisir à Dani, qui avait toujours opté pour ce comportement. Ne rien retenir, faire des scènes. Elle la soupçonnait de traîner dans le couloir dans l'espoir d'un craquage de ce genre.

Elle pouvait toujours attendre.

— Juste pour que tu saches, moi, j'aime bien tes cheveux roses, dit Asher en l'invitant à le suivre dans la salle de bains.

— Profites-en, parce que c'est la dernière fois. On ne me reprochera plus mon manque de professionnalisme.

— Annette était inquiète pour Ronald. Elle a passé ses nerfs sur toi.

— C'est une réaction banale à la souffrance, je sais, admit-elle d'un ton égal, s'attirant un haussement de sourcils d'Asher. Mais personne ne doit pouvoir imaginer qu'autre chose soit en cause. Il y a eu des commentaires dans l'équipe. Le Roc…

— … a le droit d'être humaine.

— Vraiment ? s'exclama-t-elle, sarcastique.

C'était injuste de s'en prendre à lui, mais en sa présence elle ne parvenait plus à se contrôler, à museler ses émotions.

— Comment est-ce que tu pourrais comprendre ? poursuivit-elle. On t'a déjà reproché tes émotions si tu perds un patient ou qu'un cas ne tourne pas comme prévu ?

— Non, répondit-il d'une voix dénuée d'agressivité, de ressentiment, en se rapprochant d'elle.

— Désolée. Tu n'y es pour rien. Je surréagis.

— Ce n'est pas un crime. Pas pour moi.

Trempant un gant de toilette dans de l'eau tiède, il effaça le rose d'une mèche de ses cheveux. Et recommença délicatement l'opération.

— Je ne saurai jamais ce que c'est d'être une femme dans le domaine médical. Je ne ferai jamais l'expérience de la frustration, de la douleur, des questions déplacées.

Puis il la déshabilla en douceur. C'était sensuel, mais pas sexuel. C'était… Ça ne ressemblait à rien qu'elle connaisse. Puis il l'attira sous la douche avec lui.

— En revanche j'ai déjà eu de mauvaises journées. Des journées éprouvantes qui font douter de tout.

— On ne croirait pas qu'il t'arrive de douter, dit-elle avec un soupir ravi, tandis qu'il lui frictionnait le dos. Tu es toujours tellement plein d'assurance, tellement drôle, joyeux.

Il interrompit un moment son tendre massage.

— Je m'interroge beaucoup, dit-il, comme hanté. L'humour…

— Asher.

— Je suis humain, et il y a des jours, aujourd'hui par exemple, où je m'inquiète des conséquences imprévisibles de mes actions. Annette a le bras long.

Rory lui passa les bras autour du cou et l'embrassa. Un baiser léger qui ne réclamait rien de plus.

— Tu as tout fait dans les règles. Si – et je dis bien si – il y a une enquête, il sera prouvé que l'équipe a été parfaite. Tu as été parfait.

— C'est facile de me sentir parfait quand je suis avec toi. Méfie-toi, mon cerveau de neurochirurgien va finir par y croire.

— La perfection importe peu. Mais tu es assez spécial.

Elle lui prit le gant de toilette et, à son tour, le lava. Cela aurait pu être un rituel. Se laver l'un l'autre de la journée, des soucis.

— Et maintenant, manger et se détendre, conclut-elle en arrêtant la douche et en lui embrassant le bout du nez.

— Parfait comme programme.

6.

— J'aime bien te voir sourire, dit le père d'Asher, en conversation vidéo avec son fils.

Il était, comme d'habitude, sur sa terrasse, dehors, pour profiter du soleil de Floride. Il disait se sentir plus proche de sa femme quand il était à l'extérieur.

— Je souris en permanence, répondit Asher.

— En apparence, mais pas comme ça.

Son père le connaissait peut-être mieux qu'il ne le croyait. Il ne releva pas.

— Je viendrai avec une amie pour manger chez toi ce week-end. J'espère que ça te va ?

— Évidemment, comme toujours. Qui est-ce ? Et est-ce qu'elle a un régime alimentaire particulier ? J'ai de nouvelles recettes à essayer.

— Comment ça ?

Cela faisait des années que son père alternait entre trois recettes, quand il recevait.

— Je me suis inscrit à un cours de cuisine. Le club du troisième âge en propose un sur six semaines. Ils ont appelé ça : « Découvrez vos cellules gustatives avant de mourir. »

Asher leva les yeux au ciel.

Son père était très à l'aise avec l'idée de disparaître, maintenant que son fils était adulte. Il se maintenait en bonne santé et faisait de nouvelles expériences mais soulignait que retrouver sa femme était ce qu'il attendait avec le plus d'impatience.

— C'est une technique de marketing inédite ?

— C'est ce que je me suis dit. Cela dit, nous mourrons tous un jour, alors autant remplir le temps qu'il nous reste avec des expériences intéressantes. Mais c'est à ceux que nous aimons qu'il faut être attaché, pas à la vie elle-même. Après tout, c'est grâce à l'amour qu'elle vaut la peine d'être vécue.

Il ne relança pas.

C'était peine perdue, ils ne changeraient d'avis ni l'un ni l'autre. Son père détestait qu'il se limite à des relations de courte durée depuis la rupture avec Kate. Il ne savait pas que sa propre incapacité à se remettre de la mort de sa femme en était en partie responsable. À l'écouter, l'amour était l'expérience la plus fabuleuse au monde. À le voir, en revanche, sa perte pouvait vous anéantir.

— Bref, parle-moi de ton amie. Je n'ai pas oublié, dit-il en se tapotant la tête.

Ses cheveux étaient passés de poivre et sel à majoritairement sel, mais sa mémoire était excellente.

— Aurora est juste une collègue amie, dit-il, mais son père est un sacré morceau. Il la traite vraiment mal, alors qu'elle est parfaite. Intelligente, drôle, gentille, belle…

Son père haussa un sourcil mais le laissa poursuivre.

— Quoi qu'il en soit, sa sœur épouse la semaine prochaine l'ex d'Aurora, son ancien fiancé en fait.

— Pardon ?

— Oui, j'ai eu la même réaction. Mais Aurora pense qu'elle doit y aller. En tant que demoiselle d'honneur, en plus. Alors on y va ensemble en prétendant qu'on est en couple.

— Pourquoi est-ce que tu me racontes ça ?

— Parce qu'on s'entraîne pour être crédibles. On se tient la main, on s'embrasse sur la joue, ce genre de choses, dit-il, les joues brûlantes.

Son père, manifestement suspicieux, garda le silence.

— Sa famille est un vrai cauchemar, mais elle a l'air de trouver ça normal. C'est là que tu interviens. Une de mes conditions pour l'accompagner au mariage, c'est qu'elle mange deux fois avec nous. J'aimerais lui montrer ce que c'est qu'une famille aimante, pour qu'elle tienne tête à la sienne.

Il se passa la main sur le visage. Pourquoi en disait-il autant ?

— Je voudrais juste que tu sois toi-même, papa, normal, gentil. Mais je ne veux pas que tu te fasses des idées si on se tient la main.

Parce qu'il n'était pas certain de pouvoir résister à l'envie de la toucher si elle était assise à côté de lui. Lui prendre la main, chercher son épaule, l'embrasser, cela leur était devenu tellement naturel.

« Naturel ? » Oui, c'était incompréhensible. Il avait eu une vie sentimentale bien remplie, certaines de ses histoires avaient été franchement agréables, mais aucune n'avait été aussi évidente, jamais il n'avait imaginé repousser la limite des six semaines.

— Parce que l'autre condition, ce sont les six semaines, n'est-ce pas ?

Son père lisait-il dans son esprit ? Être proche de ses parents avait ses inconvénients, et il ne voulait plus entendre parler des six semaines.

— Je comprends, ajouta son père, avec dans le regard une lueur d'espoir.

L'espoir que son fils ait trouvé la femme qui lui convenait.

Encore une fois, Asher évita de répondre.

Ce n'était pas le cas, personne ne pouvait le faire, mais si cela avait été possible, il aurait voulu que ce soit Aurora, en effet. Cette pensée le terrifiait.

Rory, terriblement nerveuse, tendit la main au vieil homme affable qui les accueillait.

— Monsieur Parks, dit-elle, je suis ravie de vous rencontrer. Asher dit tellement de bien de vous. Je suis Rory.

Sur le papier, elle était chez lui parce que c'était une des exigences d'Asher, mais le moment lui semblait autrement signifiant.

Il lui serra la main et sourit.

— On aime bien les accolades dans la famille, si vous n'avez rien contre.

Prise de court, elle accepta d'un hochement de tête. Asher aussi aimait le contact, et pas seulement sous des formes passionnées.

Il aimait chasser une mèche de ses yeux, lui caresser le dos, la prendre dans ses bras. Son corps comprenait instinctivement ce langage qu'elle n'aurait su qualifier. Elle s'y était instantanément habituée et ne s'en lassait pas.

Le père d'Asher la serra contre lui puis fit un pas en arrière.

— Bienvenue. Vous pouvez m'appeler Henry. Vous, vous préférez Rory ou Aurora ?

Elle jeta un regard à Asher. Il avait manifestement utilisé son vrai prénom en parlant d'elle à son père.

— Aurora, répondit-elle, ce qui déclencha un sourire à Asher. C'est juste un nom, tu sais, Asher.

— C'est le tien, dit-il en lui serrant la main. Tu viens de me le confirmer. Ta famille t'appelle peut-être Rory, mais la mienne t'appellera comme tu le souhaites. Aurora.

Elle eut un petit rire moqueur et lui donna un coup de hanche. Puis, oubliant qu'ils n'étaient pas seuls, elle l'embrassa sur la joue.

— Oh ! je…

Comment expliquer qui elle était avec Asher, qui ils étaient l'un pour l'autre ? Les émotions qu'elle avait fuies toute sa vie revenaient en force, mais elle les accueillait à bras ouverts au lieu de les détester.

— Papa est au courant, dit Asher en lui passant un bras autour de la taille. Des amis qui… jouent un rôle pour un temps.

Un rôle. C'était vrai, mais le rappel la blessait.

— Absolument. Je comprends parfaitement, dit Henry en les invitant à le suivre.

Il y avait des photos d'Asher plein le salon, ses diplômes étaient encadrés. Son père était de toute évidence fier de lui.

Son père à elle n'était venu à aucune de ses remises de diplôme. S'il était évident qu'elle sortirait première, pourquoi en faire une affaire ?

Parmi les photos d'Asher bébé, puis jeune garçon et enfin ado gêné, il y en avait une où, couvert de boue, il en étalait sur les joues de sa mère.

— Tu faisais quoi ?

La femme sur la photo semblait profondément heureuse que

son fils la couvre de boue. L'image tenait de la perfection… Et du chaos.

— C'est une de mes préférées, dit Henry en la prenant. On ne peut pas le deviner, mais il y a une tenue de foot sous toute cette boue. Il y avait une grosse mare sur le terrain, dans laquelle Asher et ses amis s'ingéniaient à envoyer le ballon.

— Le terrain était détrempé ! protesta Asher. Il n'y avait pas un endroit de sec.

Son père le regarda avec une profonde tendresse.

Son père à elle l'avait-il déjà regardée ainsi ?

La réponse était simple et cruelle : non. Sa mère l'avait peut-être fait, mais elle avait été trop jeune pour s'en souvenir.

— Ta mère a ri tout le chemin du retour, dit Henry, perdu dans la contemplation de la jeune femme figée dans le temps.

Asher passa d'un pied sur l'autre, une drôle d'expression dans le regard.

Elle ne savait pas précisément ce qu'il était arrivé à sa mère, mais sa disparition avait manifestement laissé un trou béant. Henry avait une expression mélancolique, mais ce fut l'air blessé d'Asher qui la bouleversa.

Elle lui prit la main et l'enroula autour de sa taille.

Henry savait à quoi s'en tenir, ce qui importait pour le moment, c'était qu'Asher avait besoin de ce contact.

— Elle avait l'air drôle, dit-elle, sincère.

— Elle me manque tous les jours, répondit Henry. Mais elle m'a donné les plus beaux des cadeaux, son amour et un fils qui est la prunelle de mes yeux.

Pour une fois, l'affirmation ne lui sembla pas embarrassante mais sincère, et son cœur se serra. C'était à cela que ressemblait un foyer, une famille. Elle aspirait à cela. Désespérément.

— Bon, dit Asher en frappant des mains, qu'est-ce qu'on mange, papa ?

Henry reposa l'image, se pliant manifestement au désir de son fils de changer de sujet. Évoquaient-ils parfois leur deuil, la perte qu'ils avaient subie ?

— J'ai fait un nouveau plat. Ça sent bon, mais il faudra me dire la vérité.

L'ambiance avait changé. Les deux hommes savaient à merveille éviter les sujets douloureux, importants, pour se réfugier dans le quotidien, les préoccupations futiles.

— C'est une sorte de ragoût à l'aubergine, dit-il avec une excitation contagieuse. C'était plutôt simple à faire, et j'ai appris à repérer celles qui sont mûres chez le marchand.

— Je suis sûre que ça sera délicieux.

— Ton père est adorable, dit Aurora, la main sur la cuisse d'Asher tandis qu'il s'engageait dans le parking de leur immeuble.

— C'est vrai, répondit-il, se détestant de penser « la plupart du temps ». Mais ce n'était pas vraiment la peine de l'encourager avec son ragoût à l'aubergine.

La journée avait été parfaite, sans les silences qui envahissaient parfois leurs entrevues. Henry avait mis Aurora à l'aise, il l'avait écoutée, lui avait accordé son attention. Elle avait enfin assisté à un repas de famille détendu, sans attentes, sans objectif professionnel ni club select, simplement un homme qui se réjouissait de voir son fils avec son... Avec une amie.

Il l'avait invitée pour l'aider, mais il se sentait différent quand elle était là. Le repas chez son père l'avait encore souligné. Le mariage était la semaine suivante, le gala celle d'après. Peut-être s'était-il rapproché d'elle, sans que cela soit trop ?

— Il était très bien, son plat. Ton père n'y est pour rien si tu découvres à quarante ans que tu n'aimes pas l'aubergine. Comment as-tu fait pour ne pas en manger avant aujourd'hui ? demanda-t-elle avec une gentille tape sur son genou. Il essaie de nouvelles choses. Tu m'y as encouragée, j'en fais autant avec ton père. Surtout si je le revois...

— On a encore quelques semaines. Et je suis certain que tu pourras revenir quand tu voudras, même après, dit-il, soudain oppressé.

Les six semaines passées, il n'aurait plus d'excuse pour la

toucher, l'embrasser, être avec elle. Une ombre passa sur le visage d'Aurora. Pensait-elle à la même chose ?

— C'était bien de voir les photos de ta mère. Tu as eu de la chance d'avoir une mère comme ça. Je n'ose même pas imaginer la réaction de la mienne si Dani ou moi l'avions couverte de boue. Elle était en permanence sur son trente et un.

— Ma mère était super, dit-il, constatant que c'était moins douloureux de parler d'elle maintenant, même s'il ne s'habituait pas à l'évoquer au passé. Et ta mère à toi, elle est où ?

Il avait beaucoup entendu parler de son père, plutôt par des tiers, d'ailleurs, mais personne n'évoquait l'ex-Mme Miller.

— À Miami, peut-être. Elle y était la dernière fois que j'ai cherché, il y a des années. Elle avait une relation explosive avec mon père. Elle était aussi solaire que ma sœur.

« Comme toi, Aurora. »

Il retint ce commentaire de justesse. Elle n'en avait pas forcément conscience, mais le Roc, le personnage qu'elle avait utilisé pour survivre à son éducation, à ses études puis à son internat, était une façade. La femme qui se cachait en dessous était lumineuse et pétillante. Peut-être n'était-elle simplement pas prête à le reconnaître.

— Mon père, lui, n'est pas pour les émotions. Les contraires s'attirent, d'accord, mais dans le cas de mes parents ils ont fini par imploser. Je parie que ta mère serait fière de toi. Et qu'elle aurait adoré le ragoût d'aubergines de ton père, ajouta-t-elle avant de l'embrasser sur la joue.

Elle avait un sourire éblouissant, mais il sortit de la voiture l'estomac noué.

— Maman adorait cuisiner.

Évoquer sa mère restait difficile, gênant. Ce qui était ridicule, comme d'avouer à quel point sa vie avait basculé à sa disparition. Cette conversation avait assez duré.

— Et toi, alors, tu ne sais vraiment pas où est ta mère ?

La question était sortie avant qu'il y réfléchisse. Lui, si fort pour choisir la bonne plaisanterie au bon moment, avait opté pour la plus mauvaise formulation possible.

Aurora croisa les bras et regarda devant elle comme si elle voyait un fantôme, là, dans la cabine d'ascenseur.

— Non.

Entre eux, un mur s'était élevé inexorablement.

Un mur qu'il aurait voulu pulvériser. Mais s'il le faisait, tout allait changer ?

Oui. La réponse était perturbante, mais en cet instant, il aurait voulu arracher chaque élément de ce mur, chaque brique mentale, les jeter aussi loin que possible. Il voulait ouvrir son cœur. Pas à n'importe qui. À Aurora. Mais il avait vu les ravages d'une trop grande proximité. Son père essayait certes de nouvelles expériences, mais son sourire n'était plus le même. Leur relation non plus, malgré l'amour qu'ils se portaient.

— Si tu n'as pas envie de parler de ta mère, Asher, il suffit que tu le dises.

— La vérité vaut mieux que des questions maladroites et déplacées qui ne mènent à rien, c'est ça ?

Il avait essayé d'employer un ton jovial, mais il avait empiré la situation. De nouveau.

Pourquoi, avec elle, était-il incapable de faire des blagues sans conséquence ?

En sortant de l'ascenseur, elle chercha ses clés.

— Et tu n'as pas à faire de l'humour avec moi. Tu peux simplement dire : « Je n'ai pas envie d'en parler. »

— La plupart des gens n'aiment pas la franchise, lâcha-t-il d'une voix plus dure qu'il ne l'aurait souhaité. Désolé. J'ai besoin de me reprendre.

Des années de distanciation lui dictaient ses actions.

— Prends le temps qu'il te faut, répondit-elle en lui pressant la main. Bonne nuit.

Il déposa un chaste baiser sur ses lèvres et rentra chez lui avec une forte envie de se boxer.

Il avait réussi à faire tourner une journée parfaite en débâcle !

Leurs jours étaient comptés. Il n'avait plus que quelques semaines pour l'embrasser, la prendre dans ses bras. Et il avait laissé une question obtuse le priver d'une nuit…

Mais ce n'était pas une fatalité.

Ses pieds décidèrent pour lui. Il devait au moins des excuses à Aurora. Et l'embrasser pour la nuit pour de bon. Si elle le renvoyait chez lui après ses excuses, pas de problème, mais il devait la voir.

Il chargea à travers le couloir et frappa aussitôt.

— Dans la cuisine, Asher.

Il ne s'étonna pas qu'elle s'attende à sa visite, et la rejoignit à la cuisine, où il la trouva, une tasse de tisane à la main.

— Menthe-camomille, dit-elle, ça tranquillise.

— Tu m'as fait une tasse. Et si je n'étais pas venu ?

Elle l'embrassa sur la joue et prit une gorgée.

— Tu avais encore deux minutes, répondit-elle en désignant le minuteur sur le comptoir. Après, j'allais frapper chez toi avec la tisane. Et si tu ne m'avais pas laissée rentrer… j'aurais trouvé une solution.

Quand le minuteur sonna, elle l'éteignit.

— Je n'ai toujours pas envie de parler de ma mère, dit-il en savourant le parfum de la tisane et la sérénité qui lui venait avec.

— Oui, bien sûr, approuva-t-elle. J'aimerais cependant parler des aubergines. Tu détestes tous les légumes violets, ou réserves-tu ton mépris pour les aubergines ?

Il sourit, avec la certitude qu'il s'agissait d'un vrai sourire.

— Aurora Miller plaisante ? J'adore !

Il posa sa tasse, lui prit la sienne qu'il déposa juste à côté, et l'attira dans ses bras. Le monde retrouva son axe. Il lui caressa le dos, se perdant dans son odeur, la douceur de sa peau. Il voulait tout retenir.

Il aurait pu tomber amoureux d'Aurora Miller. C'était d'ailleurs probablement fait.

Un petit peu.

Il aurait peut-être dû prendre ses distances, mais il avait promis de l'accompagner au mariage puis à la soirée de charité la semaine suivante. Alors, autant profiter de chaque moment de joie tant que c'était possible.

Puis elle l'embrassa. Lui passant les mains dans les cheveux, elle l'attira à elle, le pressa contre elle.

Ses soucis le quittèrent. Si arrêter le temps avait été possible, c'était à ce moment-là qu'il aurait choisi de vivre pour toujours.

7.

Asher observait Aurora qui discutait avec une infirmière.

Dès la fin de leur garde, ils partiraient pour l'hôtel qu'ils avaient réservé pour le mariage. La veille, elle avait essayé sa robe de demoiselle d'honneur, une horreur qui finirait le plus vite possible à la poubelle et qui n'était destinée qu'à l'enlaidir. Leurs bagages les attendaient dans le coffre de sa voiture.

L'idée de passer la nuit avec Aurora était à la fois excitante et angoissante. Ce serait la première fois qu'il passerait une nuit entière avec elle dans les bras. Mais cela marquait aussi le début de leur dernière semaine ensemble.

Il l'avait si souvent tenue contre lui en espérant qu'elle lui propose de rester. Il avait failli le suggérer à quelques reprises. Ils s'étaient mis d'accord sur une date de fin pour leur histoire, mais il avait envie de la repousser. Il la désirait trop…

— Ça va ? demanda Angela d'une voix douce en venant se placer à côté de lui.

— Très bien, répondit-il avec ce sourire qu'il savait désormais faux.

Mais qui aurait-il été sans sa personnalité de clown, de boute-en-train ? C'était autant un personnage que le Roc.

— Tu es heureux avec elle, dit Angie dans un souffle. Pour de bon.

— Ce n'est pas une vraie histoire, Ang, répondit-il.

Les mots sonnaient faux. Il en avait prononcé de nombreux, mais il aurait voulu reprendre ceux-là.

— C'est à moi que tu mens, ou à toi ? demanda-t-elle en soutenant son regard. Puis elle s'éloigna avant qu'il trouve une repartie, tandis qu'un message d'alerte s'élevait dans le bureau des infirmières.

— On a une urgence pour une femme. Hémorragie à la suite d'un anévrisme cérébral. Elle convulse aux urgences. Opération immédiate.

Aurora réagit aussitôt. Il courut derrière elle.

— Tu sais si les urgences ont administré du propofol ?

Si c'était le cas, cela leur ferait économiser de précieuses minutes.

— C'est la procédure, mais on en saura plus au bloc.

Elle se prépara dès son arrivée, tandis qu'il affichait les clichés de l'anévrisme, situé au pire endroit possible.

Il y avait des saignements, mais l'anévrisme n'avait pas complètement rompu. Pas encore. Il regarda la veine distendue. La patiente avait dû avoir les pires migraines de sa vie. Si elle s'en sortait, et à ce stade elle avait cinquante pour cent de chances, il lui faudrait des mois de rééducation.

— Je vais faire poser une voie centrale et je m'assure que l'anesthésie est complète. J'ai besoin de sept minutes, pas plus, dit Aurora en enfilant ses gants.

Sept minutes. L'anévrisme pouvait rompre à tout moment, mais c'est dans la précipitation que les catastrophes se produisent.

Aurora percevait l'angoisse d'Asher. Bella Opio était sous assistance respiratoire. L'opération avait réussi autant que possible. Asher avait contenu l'hémorragie, mais la convalescence serait longue. Pour peu que Bella passe la nuit. Vingt-cinq pour cent des patients qui avaient subi ou failli subir une rupture d'anévrisme mouraient dans les vingt-quatre heures. Vingt-cinq pour cent de plus vivaient moins d'un an. Mais cinquante pour cent se remettaient, souvent avec peu de séquelles.

L'équipe médicale ne pouvait plus qu'attendre.

— Tu veux rester ?

Elle souhaitait qu'il l'accompagne au mariage, mais il est parfois difficile de quitter certains patients. S'il devait rester, elle le comprendrait.

— Non.

— Non et oui ? demanda-t-elle avec un petit coup de hanche pour lui rappeler qu'elle était de son côté.

— Non, je viens, dit-il en croisant les bras. Elle a deux enfants de moins de dix ans. D'après une infirmière, ça fait deux heures qu'ils dorment sur les genoux de son mari dans la salle d'attente.

Il ferma les yeux et se balança sur ses talons, et elle frissonna quand il les rouvrit avec un regard hanté.

C'était le véritable Asher Parks. Et il souffrait.

— Il va falloir que je lui dise que les vingt-quatre prochaines heures vont être décisives, que je ne peux pas être sûr qu'elle survivra… Tu viens avec moi lui parler ?

— Bien sûr, répondit-elle, estomaquée qu'il le lui demande.

Il avait l'air tellement vulnérable. Elle resterait à ses côtés tant qu'il en aurait besoin, aussi longtemps qu'il l'y autoriserait.

— Et après, on y va. On passe le week-end à faire griller des chamallows et on oublie cet endroit pour un moment.

Il ne se força pas à sourire, mais il commençait à reprendre son personnage.

N'était-ce pas ce qu'il se passait lorsqu'elle devenait le Roc ?

À leur entrée dans la salle, le mari leva des yeux rouges vers eux. Deux jeunes enfants, un garçon et une fille, dormaient contre lui. Il se mordit les lèvres et les redressa. Les deux enfants remuèrent puis se recroquevillèrent chacun sur sa chaise. Au moins dormiraient-ils pendant l'échange.

— Bella… Bella va bien, n'est-ce pas ? demanda l'homme, en se levant, laissant les larmes couler sur ses joues.

— Son état est stable.

— « Stable » ? Oh ! non ! Ça ne veut pas dire qu'elle va bien. Elle adore les drames médicaux, les séries dans les hôpitaux, elle me force à les regarder avec elle. Elle se fait du pop-corn, moi j'ai des chips. Elle me les mange toutes alors que soi-disant elle préfère le pop-corn. Je ne lui en veux pas. « Stable », ça veut dire que…

Il se couvrit le visage, et un sanglot le secoua.

— « Stable », ça veut dire que votre femme est sortie de

213

la salle d'opération. Elle est en salle de réveil. J'ai arrêté le saignement, et…

— Et elle va aller bien ?

Asher inspira profondément.

— Que votre femme ait survécu à l'opération est une réussite. Mais les prochaines vingt-quatre heures sont cruciales. Si elle passe ce délai…

— Si…

Le mari de Bella s'effondra sur sa chaise.

Rory téléphona à l'équipe de soutien psychologique.

Il n'y a pas de bonnes circonstances pour apprendre ce genre de nouvelles, mais cet homme en pleurs qui se balançait d'avant en arrière allait avoir besoin d'aide durant les prochaines heures.

Asher s'accroupit à côté de lui et attendit qu'il le regarde.

— Je sais que ça fait beaucoup. J'aimerais pouvoir vous dire que tout ira bien. J'espère que ce sera le cas. En ce moment elle est stable, mais son anévrisme était très sévère.

— Si elle partait… Je ne pourrais pas continuer sans elle.

— Il le faudra, dit Asher d'un ton rude qui la fit tressaillir et capter l'attention du mari de Bella. Comprenez-moi bien. Vous avez deux splendides enfants. Si le pire arrive, vous devrez continuer. Il faut que vous en preniez conscience maintenant. Quoi qu'il arrive, ces deux-là ont besoin de vous. Pour comprendre pourquoi leur maman n'est pas à la maison. Pourquoi elle doit rester ici si elle veut aller mieux. Et, hélas, pourquoi elle ne rentrera pas si cela doit arriver. Vous êtes leur père, vous devez les protéger.

— « Les protéger », répéta l'homme en regardant ses enfants.

— Exactement, répondit Asher en lui tendant la main.

— Est-ce que je peux la voir ? Est-ce que je peux voir ma femme, s'il vous plaît ? demanda-t-il en se levant.

— Dès que le psychologue que ma collègue a appelé sera là pour veiller sur les enfants, répondit Asher, le visage tiré.

Rory aurait voulu le prendre dans ses bras. Elle ne savait pas ce qu'il s'était passé pendant son enfance, mais ce patient le touchait manifestement au plus profond.

8.

Le ventilateur brassait l'air au-dessus d'Asher, allongé sur le lit de la chambre d'hôtel.

Ils avaient assisté à la répétition du dîner de mariage, mais il s'en souvenait à peine. Il aurait dû se détendre, profiter de chaque moment passé en compagnie de cette femme fabuleuse, mais son esprit était resté à l'hôpital, dans la salle d'attente. Il se repassait en boucle la réaction du mari de Bella, l'expression de son visage, son angoisse, sa certitude d'être incapable de continuer sans elle.

Son père avait répété cela pendant les premières semaines après le drame. C'était même la seule chose qu'il disait.

Aurora sortit de la salle de bains, les cheveux détachés.

— Asher ? demanda-t-elle en ouvrant la fenêtre sur le lac au bord duquel Dani et Landon avaient choisi de se marier. On retourne à l'hôpital si tu as besoin d'y être. Je peux t'y reconduire tôt demain matin.

Elle éteignit la lumière puis vint se pelotonner contre lui et posa sur son torse une main qui le réconforta aussitôt.

Il appréciait sa proposition, sans pourtant vouloir renoncer au mariage. Si seulement il avait eu le don d'ubiquité !

— Je ne peux rien faire de plus pour Bella.

C'était la réalité, malheureusement.

— J'ai toujours aimé regarder les étoiles, dit-elle en désignant la fenêtre ouverte. Savoir que certaines choses ne changent pas, même quand tout semble aller mal.

— Je n'ai jamais vraiment fait attention à elles.

— Ça m'étonne toujours que les choses continuent comme si

de rien n'était après des catastrophes. Le temps devrait s'arrêter, les étoiles briller moins fort, non ?

— Mmm.

S'il l'avait pu, il aurait masqué les étoiles à la mort de sa mère, et quand il avait trouvé Kate et Michael au lit ensemble. Perdre sa fiancée et son meilleur ami en même temps…

— Comme quand Landon t'a quittée ?

C'était une question indiscrète, mais il avait envie de savoir.

— C'est moi qui l'ai quitté, répondit-elle.

Cela le surprit, mais il fut également fier d'elle. Des années auparavant, déjà, elle était allée contre les aspirations de son père pour elle. Allait-elle s'en débarrasser pour de bon ?

— Mais oui, ce jour-là, j'aurais voulu que le monde s'arrête de tourner. Pas pour Landon, mais pour Heather.

— Heather ?

Ce nom ne lui évoquait rien, mais c'était sur le point de changer.

— C'est la raison pour laquelle j'ai rompu avec lui : c'est là que j'ai compris qu'il ne m'aimait pas.

Elle roula sur le dos, et il la prit dans ses bras, enfouissant son visage dans ses cheveux.

— Heather était l'autre interne en anesthésie. Nous étions très proches toutes les deux. Elle a eu un accident de voiture. Les médecins ont fait tout ce qu'ils ont pu, mais…

Il n'y avait pas besoin qu'elle finisse sa phrase.

— Landon est rentré et m'a trouvée en train de pleurer la mort de mon amie. Il m'a reproché d'être trop émotive, il prétendait que personne ne me prendrait au sérieux si je me mettais dans des états pareils. En plus, je le mettais mal à l'aise.

— Alors que tu venais de perdre une amie ?

Il avait entendu bon nombre d'absurdités, mais c'était le pompon.

— Alors que je venais de perdre une amie et que j'étais rentrée chez moi. C'était ridicule. On ne se disputait pas souvent. Il aimait le conflit d'une manière générale, mais pas avec moi. Il avait l'habitude que je sois calme, pondérée. Je crois que c'était la première fois que je pleurais devant lui.

— Après avoir perdu une amie.

Il ne s'en remettait pas. Aurora avait eu une réaction parfaitement normale. Même son père avait eu une réaction normale à la mort de sa mère… pendant un moment. Ce qu'Asher lui reprochait, c'était les mois entiers à ne rien ressentir d'autre, ne rien dire d'autre. Même s'il comprenait.

— Mais, souviens-toi, il couchait déjà avec ma sœur à ce moment-là, il cherchait peut-être un prétexte pour rompre. Quoi qu'il en soit, je lui ai dit de reprendre ses affaires. Je l'y ai même aidé en lui en envoyant quelques-unes au visage. On se serait cru dans un téléfilm.

— Waouh ! s'exclama-t-il, en regardant les étoiles, qu'il trouvait étonnamment réconfortantes.

— Tu en veux encore à ton père, dit Aurora d'un ton calme.

Une constatation plus qu'une question.

Il remua sur le lit pour se libérer de son étreinte, mais elle le suivit.

— J'aime mon père.

— Bien sûr, dit-elle en le piégeant dans ses bras réconfortants. Mais tu as aussi le droit d'être en colère contre lui. Les deux sentiments peuvent cohabiter.

Il ouvrit la bouche sans qu'aucun son en sorte.

— J'ai vu ta réaction avec le mari de Bella…

— Tu penses que j'ai eu tort ? la coupa-t-il.

Il avait retourné l'interaction dans tous les sens, craignant de ne pas avoir été très délicat. Mais il espérait aussi avoir été honnête. Le mari de Bella devait prendre conscience que baisser les bras n'était pas une option.

— Non. Mais as-tu déjà partagé ce que tu ressentais avec ton père ? L'effet que cela a eu sur toi ?

Où était son légendaire sens de l'humour ? Lui, si fier de son sens de la repartie à deux ronds, il se sentait démuni. Les défenses qu'il avait érigées autour de lui à la mort de sa mère étaient en train de s'effondrer complètement.

— À la suite de l'enterrement de ma mère, croassa-t-il, mon

père n'a pas dit un mot pendant cinq mois, deux semaines et trois jours. Cent soixante-neuf jours.

Elle glissa sa main dans la sienne. Elle le connectait au monde, à elle, guérissant la zone de son cœur qui en avait besoin.

Depuis combien de temps ne s'était-il pas senti obligé de faire bonne figure ? Une éternité. Presque une vie entière. Il avait caché à tout le monde, Kate comprise, qu'il avait compté les jours de silence de son père.

— C'est une de mes blagues à la noix qui l'a fait sourire et sortir de son silence, dit-il dans un souffle, se sentant soudain presque léger.

— Et c'est ainsi que le clown est né, dit Aurora en lui caressant le visage.

— Non. Lui, je l'ai inventé pour l'école. J'aimais mieux faire rire qu'inspirer de la pitié.

Il se lova contre elle. Il avait tellement besoin de la toucher, d'être en contact avec elle.

Elle lui embrassa le haut de la tête.

— Je ne peux pas imaginer combien cela a dû être difficile.

— Vraiment ? s'étonna-t-il en l'enlaçant. J'imaginais que ton père arrêtait régulièrement de te parler.

— Ce n'est pas la même chose. C'étaient des histoires de déception, et je savais toujours comment regagner ses faveurs. J'y excellais, même. Pourquoi crois-tu que Dani soit si fâchée après moi ?

— Je sais qu'il aimait ma mère, qu'il l'aime toujours, dit-il tout bas. Avoir été témoin de cet amour aurait dû être une chance…

Elle laissa passer du temps.

— Mais ? continua-t-elle enfin, d'une voix à peine audible.

S'il avait prétendu ne pas avoir entendu, elle n'aurait pas insisté. Elle lui laissait le libre choix.

— Mais j'étais seul. Et quelque part en moi brûle une hargne énorme qu'il m'ait laissé seul face à ma propre douleur.

Il retint son souffle, il allait forcément être puni pour avoir dit la vérité.

Aurora glissa la main sur son torse.

— C'est tout à fait compréhensible.

— Ça ne sonne pas plein de haine ? demanda-t-il avec un rire triste.

— Non, dit-elle en le caressant juste à l'endroit du cœur.

Ce n'était pas seulement sensuel, c'était d'une intimité qu'il avait toujours refusée.

— Ça sonne juste, poursuivit-elle. Et je doute que ton père ou ta mère te reprochent ces sentiments. Je crois aussi que le mari de Bella avait besoin d'entendre cela. Bella elle-même aurait voulu que ce soit clarifié, si le pire devait arriver. Je n'ai jamais eu le désir d'être mère, mais je pense que la majorité des mères veulent être certaines qu'on s'occupe bien de leurs enfants.

— Et ma mère en faisait partie, répondit-il, souriant au souvenir de son visage, de son rire, de l'éclat de son regard.

— Oui, répondit Aurora avec certitude, comme si elle l'avait rencontrée. Et si tu veux le savoir, ton père est probablement aussi prêt à entendre cela.

— Peut-être. Mais il a déjà tellement souffert.

— Il est tard, dit Aurora, lui enlevant les mots de la bouche.

— On conclut notre dangereuse conversation trop intime, princesse ? demanda-t-il d'une voix de méchant de dessin animé qui la fit pouffer.

— Je t'écouterai tant que tu auras envie de parler de ta mère ou de ton père, ou de quoi que ce soit qui te pèse.

Il sentit son cœur se gonfler.

Le monde, le temps, tous les chemins qu'il avait empruntés semblaient converger vers ce moment, ici avec elle. Il posa les lèvres sur les siennes, et le monde et ses problèmes s'évanouirent.

Les lèvres d'Asher remontèrent le cou d'Aurora, et elle frissonna.

Ils s'étaient ouverts l'un à l'autre ce soir, et sa caresse était… différente. Ou était-ce elle qui avait changé ?

Ils s'étaient embrassés longuement, doucement, non pas avec passion mais comme deux personnes cherchant et offrant du réconfort. Mais ils étaient désormais nus, et Asher n'était toujours pas venu en elle.

Elle le désirait. Désespérément. Mais comme ses mains survolaient sa peau, elle était plus consciente des émotions qui s'agitaient en elle. Elle l'embrassa à pleine bouche, le goûta.

— Aurora.

Son nom était comme une prière dans la nuit.

Elle se laissa envahir par le désir.

— Je te veux, dit-elle.

Et ses baisers se firent plus lents. Ce n'était pas la réaction qu'elle attendait. Une part d'elle exigeait qu'ils se fondent l'un dans l'autre, qu'ils s'oublient. L'autre aurait voulu que ce moment dure toujours. S'ils passaient la nuit à s'aimer, le jour se lèverait-il ?

— Je veux passer la nuit à honorer le moindre millimètre carré de ta peau, dit-il en faisant glisser sa main puis ses baisers, d'une hanche à l'autre. Tu es ma sirène à moi, Aurora. Tu m'appelles.

Il traça un chemin de baisers sur son ventre et prit un mamelon dans sa bouche.

— Une sirène ? Personne ne m'a jamais appelée comme ça, releva-t-elle, une main dans ses cheveux.

— Peut-être que tu ne chantes que pour moi ?

Elle arqua le dos pour maintenir le contact avec son corps. Elle le désirait tant.

— Asher…

Leurs lèvres s'unirent, leurs langues, et il plaça la main entre ses cuisses. Il appuya son pouce contre elle et glissa un doigt en elle. Elle abandonna le contrôle à son corps, toutes ses terminaisons nerveuses gonflées de plaisir.

Il se glissa derrière elle, peau contre peau, et il la combla de ses doigts, tandis que sa bouche l'amenait au paradis.

— Aurora… Aurora… Mon Aurora.

Ce possessif la fit basculer.

— Asher, gémit-elle, Asher, par pitié.

Il y avait quelque chose de sauvage dans sa voix, mais elle avait besoin que leurs corps se rejoignent. Maintenant.

Derrière elle, il attrapa un préservatif, l'enfila et pénétra Aurora. Il ne bougea pas, ils ne faisaient qu'un.

— Tu es parfaite.

Parfaite.

Alors, il l'embrassa et commença à bouger. Tranquillement, avec une lenteur qui l'embrasa tout entière. Ensemble, ils se perdirent l'un dans l'autre. Puis, l'acmé atteinte, ils restèrent étendus l'un à côté de l'autre, reprenant leur souffle, jusqu'à ce qu'Asher se mette à ronfler doucement.

Dans ses bras, regardant la lune par la fenêtre, elle soupira.

La perfection, c'était cela. Elle ne voulait pas y mettre fin.

— Je tombe amoureuse de toi, avoua-t-elle dans un murmure.

Si Asher avait été éveillé, elle n'aurait pas osé. Mais ces mots devaient être dits. Depuis leur premier rendez-vous, leur relation factice ne l'était plus. Mais elle était éphémère. Cette soirée avait été différente, mais il n'avait jamais fait allusion à plus que leurs six semaines.

— Plus qu'une semaine, dit-elle en se tournant dans ses bras pour lui embrasser la joue. Plaçant son front contre le sien, elle lui avoua toute la vérité : Je t'aime.

9.

Les rayons du soleil réveillèrent Aurora entre les bras d'Asher.

C'était le matin du mariage, mais elle ne le craignait plus autant. Asher serait là. C'était tellement rassurant.

Son téléphone vibra.

— On n'est pas de garde, protesta Asher.

— Pas toi, mais moi je suis demoiselle d'honneur.

Son cœur sombra en découvrant le texto de sa sœur.

Règles pour le mariage :

1. Tu ne parleras à Landon qu'en ma présence.

Comme si elle en avait envie !

2. Asher et toi serez à la table de la famille avec papa.

Cela ne réjouirait pas Asher, mais il le ferait pour elle.

3. Souris. C'est mon mariage. Que tu sois jalouse n'est pas mon problème.

Pas jalouse, frangine. Inquiète, mais pas jalouse.

4. Sois là dans une heure. Coiffure et maquillage sont réalisés sur place. J'ai déjà choisi le style de tout le monde.

En d'autres termes, elle s'était assurée que personne ne soit plus belle qu'elle.

5. Souris ! Je le redis pour toi.

Elle consulta sa montre.

Elle sourirait. Elle se comporterait comme Dani l'exigeait,

puis elle prendrait ses distances. Sa famille ne ressemblerait jamais à celle d'Asher. C'était désespérant, mais elle n'avait pas pour autant à se soumettre à ces comportements aberrants.

Rory, je vois que tu as reçu mes messages. Tu as bien compris les règles ?

Non. Redis-les-moi plus en détail !

Elle tapa sa réponse narquoise, la contempla un moment, puis l'effaça.

Compris.

La migraine la guettait. Elle survivrait, mais la journée allait être longue.

— À en croire ta grimace, c'est le moment de t'offrir ton cadeau, dit Asher.

— Ma sœur veut s'assurer que je suivrai bien ses règles. Comme s'il m'arrivait de ne pas suivre les règles à la lettre !

— Exactement. Tu as parfaitement suivi les règles que tu nous as données, constata-t-il sur le ton de la plaisanterie, en lui tendant un petit sac rose.

Sauf que c'était faux. Elle avait brisé la première, la plus importante. Elle était amoureuse de cet homme manifestement si fier de son petit sac.

— Il ne fallait pas, dit-elle en regardant dedans, avant d'écarquiller les yeux.

C'était de la teinture pour cheveux rose bonbon.

— J'ai vu ça dans un magasin, et je me suis dit, si Aurora a envie de se lancer, elle aura tout sous la main.

— Asher, jamais je ne…

Il l'embrassa pour l'arrêter.

— J'ai vérifié, la date d'expiration est pour dans trois ans. Tu as tout le temps d'y réfléchir.

Elle prit la boîte et lut les instructions. Pour savoir, pas parce qu'elle avait l'intention de l'utiliser, même si la teinte était parfaite.

— C'est un cadeau adorable.

— Je sais, répondit Asher, l'air modeste.

— Tu es tellement sûr de toi !

— Généralement, oui.

— Généralement ? releva-t-elle comme son téléphone vibrait de nouveau. Aïe, ma famille va être insupportable aujourd'hui.

Il l'attira à lui, et elle se réfugia dans son odeur.

— Tu n'as pas à recevoir leur colère et leur cirque aujourd'hui. C'est à toi de décider comment tu les gères.

Et il l'embrassa de nouveau avant qu'elle argumente.

— Tu es admirable, Aurora Miller, tu es une belle personne. Ils ne peuvent rien y changer.

Le téléphone vibra de nouveau, et Asher la libéra.

— Vas-y. On se retrouve à la chapelle. Je serai dans les rangs du fond, si jamais tu veux venir t'y réfugier.

— Rory, attrape, dit son père en lui lançant un bouquet de fleurs.

Elle faillit ne pas le rattraper. Les fleurs blanches avaient légèrement bruni. Son père, loin de l'image classique du père de la mariée, affichait son habituelle expression morose.

— Pourquoi est-ce que tu me lances ce bouquet ?

— Parce que ta sœur me l'a jeté dessus quand je lui ai demandé si elle comptait se montrer aussi émotive en marchant vers l'autel.

— C'est son mariage.

— Par pitié ! C'est trop, même pour Dani. J'ai fait allusion à ton comportement toujours égal. J'imagine que si tu aimais quelqu'un, tu n'en ferais pas toute une histoire. Tu le constaterais simplement. Mais elle…

— Ça suffit, papa. Vraiment. Stop.

— Rory ?

— Non. Je ne sais pas ce que tu lui as raconté, mais je suis certaine que si elle t'a fait sortir de la suite de la mariée, c'était justifié.

Les joues de son père se colorèrent, il serra les poings, mais elle ne reculerait pas.

— Si j'ai la chance de me marier un jour, j'espère bien pleurer toutes les larmes de mon corps tellement je serai heureuse. Avoir des émotions n'est pas une faiblesse.

— Convenons que nous ne sommes pas d'accord.

— Absolument.

Elle aurait voulu qu'Asher soit là pour voir la scène. Il l'aurait encouragée, peut-être même applaudie.

— Tu me déçois, Rory.

— Et pour la première fois, je m'en moque.

C'était vrai. Asher lui avait montré qu'elle pouvait se passer de sa famille, et il avait raison.

— Quoi ? s'écria son père, ébahi.

Elle ne prit pas la peine de répondre. La seule manière de le satisfaire, c'était de se comporter comme un robot sans émotion, et même ainsi il ne lui signifiait pas sa fierté. Sans parler de son amour.

Eh bien, elle, elle s'aimait. Et ça lui suffisait.

Elle entra dans la suite de la mariée.

— C'est toi qui as jeté ça ? demanda-t-elle à Dani.

— Il m'a accusée d'être trop émotive, répondit celle-ci en le récupérant.

— C'est le cas de la plupart des mariés, le grand jour.

Dani eut un geste de mépris.

— Oui, eh bien, le marié, il a passé la nuit dernière avec une ex. J'étais furieuse après lui, et papa n'était pas content que je m'énerve.

— Avec une ex ?

Elle n'en croyait pas ses oreilles. Sa sœur ne réagissait pas assez, voilà ce qu'elle pensait, elle.

— Une nana avec qui il est sorti juste avant toi. Il « soldait de vieux comptes » ou je ne sais pas quoi.

Dani avait les joues rouges mais les yeux secs. Comment était-ce possible ?

— Tu ne devrais pas l'épouser, dit Aurora, en cherchant du regard le soutien des deux autres demoiselles d'honneur.

En vain.

— Pas question de décevoir papa, précisa Dani en croisant les bras comme une gamine butée. D'ailleurs, il m'a dit qu'il était désolé.

— Danielle, c'est ta vie ! Landon est un goujat.

Ne voyait-elle pas que son bonheur comptait plus que l'assentiment de son père ?

— Un goujat riche, précisa une des demoiselles d'honneur en clignant de l'œil à l'autre, qui hocha la tête.

Aurora se mordilla la lèvre. Elle devait faire un choix. Le temps était venu de dire la vérité, tout entière.

— C'est malsain, Dani. Tu n'es pas obligée de te marier avec lui. Nous ne sommes pas proches toutes les deux, je sais que Landon m'a trompée avec toi…

Sa sœur ne démentit pas.

— Mais si tu veux, on peut prendre ma voiture et partir.

Cela ferait toute une histoire et agacerait leur père, mais la vie était trop courte pour les mariages de ce genre.

— Je peux même aller annoncer dans la chapelle que le mariage est annulé. Tu n'auras pas à le faire. Je leur donnerai autant de détails que tu le souhaites, ou aussi peu, sur ce qu'il vient de se passer. Tu peux lui mettre la tête sous l'eau ou pas. Mais, Dani…

— Et on dit que c'est moi qui fais des scènes ! compléta Dani avec un soupir de mépris, tout en contemplant l'impressionnante bague de fiançailles qu'elle portait au doigt. Mais ça va lui coûter une nouvelle bague, pour la peine.

— Ah, oui, au moins ça ! reprit une des demoiselles d'honneur.

Cela allait trop loin. Un mariage était censé être une réjouissance, une célébration, une union. Dani regretterait sa décision, mais il n'y avait rien de plus à faire.

— Je… Je refuse de me tenir devant l'autel et d'assister à ça avec un grand sourire.

— Très bien, ne le fais pas.

— Si un jour tu as besoin d'aide…

— Je n'en aurai pas besoin, compléta sa sœur, déjà occupée avec ses bijoux.

Aurora sortit de la pièce en vacillant. Elle avait pris la bonne décision, mais ce n'était pas sans douleur. Elle inspira profondément et se dirigea vers la chapelle.

Pourvu qu'Asher soit bien dans les rangs du fond comme il l'avait promis !

Il y était.

Tremblant de tout son corps, elle sourit malgré tout quand il la remarqua. Au moins, elle n'avait pas à traverser cela seule.

— Qu'est-ce qu'il se passe ? demanda-t-il en l'enveloppant de son bras.

— Je ne fais plus partie des demoiselles d'honneur, je m'en suis exclue.

— Oh ! s'exclama-t-il, un peu surpris, mais sans juger, ce qui l'apaisa.

— Apparemment, en vouloir au futur marié d'être infidèle la veille de la cérémonie, ça ne se fait pas.

Asher en resta coi un moment, puis :

— Il va y avoir une sacrée ambiance pendant la soirée, tu es sûre de vouloir rater ça ?

Elle lui fut reconnaissante de poser la question. Après tout, elle prenait une décision qui allait changer sa vie. Mais à quoi cela servirait-il de suivre la cérémonie du fond de la chapelle puis d'assister à la réception ?

— Je me disais qu'on pourrait aller manger des grillades et des doughnuts, et peut-être nous arrêter à la salle de peinture. Cette robe a besoin de couleurs ! Tu en dis quoi ?

— Magnifique programme, répondit-il en la serrant contre lui.

— Tant mieux. Parce que j'aurai besoin de toi pour me remonter le moral, s'il chute.

Son visage se durcit ; Asher arbora une expression insondable qui la fit frémir.

Elle lui caressa la joue.

— Asher ?

— À votre service, ma bonne dame, répondit-il en la prenant par la taille.

Mais son ton joueur ne la rassura pas.

10.

Asher, le regard vague, fixait le mur de sa cuisine.

Il aurait tellement voulu être avec Aurora dans la sienne, si colorée. Mais ce n'était pas une bonne idée.

Le jour du mariage, ils avaient mangé dans leur endroit fétiche et s'étaient défoulés à la salle de peinture, bref, ils avaient passé un excellent après-midi, mais le retour avait été silencieux, un peu plombé. Ils savaient l'un comme l'autre que leur aventure touchait à sa fin. C'était douloureux. Ils avaient passé le reste du week-end à regarder des films et à se détendre. Leur dernier dimanche. Le gala de bienfaisance était le samedi suivant, l'après-midi. Pour Aurora, il y assisterait, même si cela le déchirait.

Quel thé buvait-elle ce matin ? Était-elle en train de souffler sur sa tasse pour la refroidir ? Il était 5 heures du matin, mais il aurait pu aller frapper chez elle, il savait qu'elle était debout et qu'elle se préparait pour l'opération de Jason.

Il se repassa les étapes de la procédure, revit les radios, les scanners. Exactement ce qu'il lui fallait pour arrêter de penser à Aurora Miller.

Il sourit malgré lui quand un coup fut frappé à sa porte.

— Entre.

— Bella s'est réveillée, elle répond aux questions, dit Aurora en entrant avec un sourire qui illumina la pièce. Il lui reste un long chemin à faire, mais elle s'est réveillée.

— C'est merveilleux, dit-il en posant sa tasse sur le comptoir pour ouvrir ses bras à Aurora.

— Oh ! oui, confirma-t-elle en posant la tête contre son torse. Oh ! oui.

Refermant les bras autour d'elle, il se noya dans son odeur. Il avait juste besoin d'un petit moment avec elle.

— Asher.

— Mmm ? lâcha-t-il, paupières closes.

— Le gala est samedi.

— Je n'ai pas oublié, répondit-il, avec l'impression d'avoir la date tatouée sur le cœur.

— On prévoit quelque chose ensemble dimanche ? On se donne un jour de plus, histoire de faire un week-end complet ?

Son cœur lui hurlait d'accepter. Son esprit estimait qu'une rupture claire, ou aussi claire que possible, valait mieux.

Ils étaient attachés l'un à l'autre, c'était le moins qu'on puisse dire. Il était en train de tomber amoureux d'elle. Il ne l'avait pas voulu, mais de l'amour était en train de grandir entre eux, et il avait l'impression d'avoir besoin d'elle.

Ce sentiment allumait un feu d'artifice en lui et pourtant le glaçait. Cette dichotomie lui faisait peur.

— C'est pas grave, Asher, oublie ma question, dit-elle en s'écartant.

— Je n'ai pas dit non… C'est juste que… Le long terme, ce n'est pas pour moi. Je…

Elle le dévisageait, et il ne tenait pas en place sous son regard. Il racontait n'importe quoi. Même à ses propres oreilles, cela sonnait de manière pathétique.

— Un « non » suffit, tu sais, pas besoin d'en dire plus, précisa-t-elle en regardant sa montre. On devrait y aller. L'opération de Jason va durer la journée. Il faut que je prenne mon thermos de thé et un repas pour ce midi. Je te retrouve là-bas.

Sur le seuil, elle se retourna, et il se prépara à sa colère, à sa douleur, à toutes les émotions négatives qu'elle pouvait ressentir. Il les méritait.

Mais le Roc était de retour.

— Tout va bien se passer aujourd'hui, tu vas faire du super travail, Asher. À tout à l'heure à l'hôpital.

Le Roc était de retour, et il détestait l'idée.

— Rétracteurs, dit Asher en tendant une main où quelqu'un déposa l'instrument.

Depuis qu'ils sortaient ensemble, Aurora, d'ordinaire cachée derrière son équipement, participait beaucoup plus aux discussions à bâtons rompus pendant les longues opérations.

Mais était-ce « sortir ensemble » lorsque ce n'était pas censé durer ? S'il ne pouvait même pas envisager un jour de plus ?

Elle n'avait rien laissé paraître ce matin, grâce à une vie entière de retenue et de dissimulation de sa frustration. Il ne voulait pas continuer, il ne voulait plus rien partager avec elle. C'était douloureux, mais autant le savoir maintenant au lieu de se raconter des histoires.

— Rythme cardiaque stable, taux de saturation en oxygène en hausse, dit-elle d'une voix qui portait par-dessus le rideau, le bruit des machines, les discussions et la playlist qu'il avait choisie.

— Merci, Auro… Docteur Miller, se reprit-il.

Mais dans l'équipe, ils savaient qu'ils s'étaient rapprochés. Et bientôt ils apprendraient que ce n'était plus le cas.

— Tumeur située. Au moins trois coulées ganglionnaires détectées.

Le brouhaha se calma. Les scanners avaient révélé la tumeur et trois coulées, avec des ombres indiquant que d'autres pouvaient être trop petites pour apparaître à l'imagerie.

S'il n'y en avait que trois, il y avait de bonnes chances que l'opération soit couronnée de succès. S'il y en avait plus… Eh bien, c'était pour cela qu'ils étaient là. Les prochaines heures allaient être décisives pour le destin de Jason.

— Quatrième détectée.

La salle entière retenait son souffle.

— Cinquième et sixième.

Aurora ferma les yeux.

C'était la pire situation. La raison pour laquelle les autres chirurgiens avaient refusé d'opérer.

— Allez, on s'y colle, dit Asher d'une voix ferme, mais où elle perçut le doute qui s'y cachait.

Pendant les heures qui suivirent, Asher retira la tumeur par fragments de plus en plus petits. Finalement, il identifia neuf coulées, et l'opération programmée pour durer six heures entrait dans sa neuvième heure. L'équipe était concentrée, mais épuisée.

— Je crois que j'ai tout, dit Asher dans un soupir.

« Je crois. » Tout le monde au bloc releva l'expression. On ne se congratula pas. On n'avait pas l'habitude qu'Asher Parks doute. Mais Aurora respectait sa décision de ne pas annoncer une victoire complète.

— On le recoud, et il part en salle de réanimation.

— Aurora ?

— Oui ? répondit-elle à Asher avec un sourire fatigué.

Il se tenait dans l'embrasure de la porte, le visage fatigué aussi, mais déterminé.

— Tu es libre dimanche prochain ?

Elle cligna des paupières.

— Asher, on n'est pas obligés.

— Je sais, mais je ne suis peut-être pas vraiment prêt non plus à te dire au revoir.

La formulation était étrange, mais cela voulait dire du temps en plus. Même s'il ne s'agissait que d'une journée.

— Je suis libre.

— L'infirmière de garde a appelé. Jason s'est réveillé. Il est groggy, mais réveillé. Tu viens le voir avec moi avant qu'on y aille ?

— Je ne raterais ça pour rien au monde.

Elle fit le tour du bureau avec le cœur plus serré qu'elle ne voulait l'admettre.

— Bonsoir, Jason, dit Asher avec calme alors qu'il exultait.

Il était resté prudent à la fin de l'opération, mais il *savait* qu'il avait tout enlevé. Les neuf coulées ganglionnaires avaient toutes cédé devant son scalpel. Lui seul était capable d'un tel exploit. Il aurait voulu crier sa jubilation.

— Docteur Parks, dit Jason en levant la main, preuve qu'il était capable de bouger le bras.

— Comment vous sentez-vous ? demanda-t-il en se rapprochant du lit pour consulter les constantes.

— Assez bien, répondit Jason en posant son bras derrière sa tête.

— Mais ? demanda Aurora en se plaçant à son chevet.

Elle l'avait perçu la première, mais maintenant qu'Asher observait le jeune homme de près, il ne rayonnait pas de joie.

— Nous avons vaincu votre cancer, Jason. La tumeur et ses neuf coulées ont disparu, j'en suis certain.

Post-chirurgie, certains patients étaient déçus, ils se réveillaient dans le brouillard et en souffrance, eux qui pensaient pouvoir gambader dès le réveil. Et les douleurs empiraient avec l'effet de l'anesthésie qui disparaissait.

— Jason ?

Il avait les larmes aux yeux.

Asher sentit l'angoisse monter comme Aurora consultait les données de l'opération sur sa tablette et se rapprochait de Jason. Quelque chose n'allait pas, quelque chose que le patient n'avait pas dit aux infirmières.

— Je ne peux pas bouger les jambes, dit-il enfin, alors qu'une larme coulait sur sa joue. Je sais que je devrais être heureux que vous ayez battu le cancer. Que je puisse bouger les bras, que je sois toujours vivant. Je sais, mais…

— Prenez une profonde inspiration pour moi, dit Aurora, tandis qu'Asher allait se placer avec un stylo aux pieds de Jason.

Il n'avait rien touché d'autre que la tumeur. Si l'opération avait généré une paralysie, il l'aurait su. Il aurait été présent au réveil du patient pour le préparer à sa nouvelle réalité. Il avait tout fait à la perfection. Jason pouvait être fatigué, courbatu, mais il devait être capable de bouger les jambes.

— Jason, dit Aurora, retenant son attention tandis qu'Asher lui touchait les pieds avec le stylo, j'ai procédé à un bloc nerveux pendant que le Dr Parks intervenait sur votre colonne vertébrale. Il est possible que l'effet ne se soit pas totalement dissipé.

Asher savait qu'elle voulait les rassurer tous les deux. Et l'explication pouvait être la bonne.

— Je sais que vous me touchez, docteur, mais je ne le sens pas, dit Jason en écrasant une larme. Il n'y a plus de cancer, alors ?

— Oui. Je ne peux pas affirmer qu'il ne reviendra pas, mais la tumeur a été retirée. Et le Dr Miller a raison, l'absence de sensations dans les jambes peut être temporaire. Cela fait moins de six heures que vous êtes en salle de réveil, c'est peu après une chirurgie comme la vôtre. Vos tissus sont gonflés, il pourrait s'agir d'une régression temporaire.

— Ça pourrait ? dit Jason d'une voix blanche.

— Reposez-vous. Demain, si vous n'avez toujours pas de sensations dans les membres inférieurs, on fera le point.

C'était la chose à dire, mais cela sonnait creux à Asher. Il était entré dans la pièce pour célébrer une fabuleuse réussite. De quoi ne plus penser à Aurora.

Il se repassa l'opération. Où avait-il échoué ? Il avait accepté l'opération parce qu'il pouvait, parce que lui seul pouvait réussir.

— Docteur Parks ? Merci pour avoir battu la tumeur, même si je ne peux plus jamais…

— Attendons vingt-quatre heures avant de parler de ce que vous ne pourrez plus faire, le coupa Asher. Vous devez vous reposer. C'est ce dont votre corps a besoin en ce moment.

Jason ferma les yeux, et Aurora fit signe à Asher de la suivre.

Il aurait voulu rester là, surveiller les gonflements, l'atténuation progressive des effets du bloc nerveux, essayer de définir s'il s'agissait d'un problème plus permanent, même s'il ne pouvait rien faire.

Mais il la suivit.

— Il n'y a pas que Jason qui a besoin de repos, dit-elle d'une voix légère mais avec autorité.

— La salle de garde…

— Tu dois te reposer dans un vrai lit. Tu ne peux rien faire de plus ici, Asher. Rentre à la maison et détends-toi.

— Je ne veux pas.

C'était ridicule, impétueux, mais honnête.

— Raison pour laquelle tu dois le faire.

Elle n'avait pas tort, évidemment.

— Il y a une tisane pour ça ?

Cette pauvre blague la fit pourtant presque sourire.

— Il paraît qu'il y a des tisanes pour tout, mais rien ne dit encore que la situation soit désespérée.

Il regarda la porte fermée de Jason et s'interrogea. Était-il passé à côté de quelque chose ?

S'il avait échoué…

11.

— Oui, quoi ? demanda Asher en se forçant à lever les yeux vers Aurora. Pardon, Aurora, tu disais ?

Dans sa main, le mug de tisane était froid, et il ne se souvenait pas d'en avoir bu plus qu'une gorgée ou deux.

Elle soutint son regard, pesant sa réponse. Comme il avait appris à lire son visage, il voyait que l'angoisse qui l'étreignait ces derniers temps était de retour.

Il avait accepté sa proposition d'un dernier tête-à-tête pour prolonger leur accord d'une journée. Qu'allait-il se passer, maintenant ? Il pouvait être blessé, souffrir. Peut-être pas autant que son père à la mort de sa mère, mais presque. Et alors, que faire ?

— J'ai dit, reprit-elle en posant une main sur la sienne, et toute inquiétude le quitta, que je pouvais réchauffer ta tisane. C'est censé se boire chaud, c'est un mélange de plantes apaisantes. Mais froid, c'est un peu amer.

— Un mélange apaisant ? Il y a un message caché, princesse ? demanda-t-il en lui embrassant le sommet du crâne avant de lui tendre son mug.

Ce surnom ne lui faisait désormais plus lever les yeux au ciel. Il avait même le sentiment qu'elle l'aimait secrètement, même si elle ne l'avouerait jamais.

— Oui. Tu n'es pas là.

Elle plaça le mug dans le micro-ondes.

— Ah, bon ? déclara-t-il en agitant les bras puis en se pinçant le nez. On dirait bien que je suis là, pourtant.

— Asher, dit-elle sans bouger un muscle.

— Je vais bien.

— Ce n'était pas la question. Comment disais-tu ça, déjà ?

« Je n'aime pas traiter les gens de menteurs, mais je pense que c'est un mensonge. »

— Quelle mémoire ! dit-il, mal à l'aise, en croisant les bras.

— Et tu esquives la conversation. Tu es mécontent d'une opération qui s'est parfaitement déroulée.

— Il ne sent pas ses jambes, Aurora ! s'exclama-t-il, beaucoup trop fort.

— Ce qui peut s'expliquer de toutes sortes de façons. Et même s'il ne sent pas ses jambes, tu as retiré la tumeur.

— Je l'ai fait à la perfection.

— C'est Jason, le problème, ou c'est toi ? demanda-t-elle, les joues rouges.

— Ça veut dire quoi, ça, bordel ?

Le sentiment d'échec le mettait sur des charbons ardents. Il aurait voulu fuir cette conversation. Se jeter dans ses bras, se laisser réconforter comme ses parents le faisaient après une journée difficile. Et cela ravivait sa peur. Il ne s'était jamais réfugié dans les bras d'autrui, pas même avec Kate.

— Tu sais ce que ça veut dire. Est-ce que c'est à propos de Jason, ou du fait que tu n'as pas réussi à cent pour cent une opération quasiment impossible ? Tu n'es pas Dieu, Asher.

— Ce n'est pas juste, dit-il, tout en sachant qu'elle avait raison. J'ai accepté d'opérer alors que tous les autres avaient refusé.

— Pour aider un patient ou pour te prouver à toi même que tu es le meilleur ? Pour pouvoir te vanter d'avoir réalisé ce dont aucun autre chirurgien n'est capable ?

— Je ne suis pas ton père.

— Mais pas si différent que ça non plus par certains aspects.

— Comme oses-tu ? demanda-t-il en fusant hors de la cuisine. Je n'ai rien de commun avec lui.

— Tu as une exigence de perfection. Peut-être seulement pour toi, mais que ton patient ne réagisse pas selon tes prévisions six heures après une opération, cela te met en rage. Tu voudrais que ce soit non seulement parfait, mais miraculeux. Ce qui compte pour toi, que ça éclipse tout le reste.

Pas exactement tout le reste, mais il essayait.

Elle carra les épaules.

— Même si Jason ne retrouve pas l'usage de ses jambes, cette opération est une réussite.

— Non ! J'ai été parfait, il *doit* remarcher.

Puis il ajouta :

— Je n'ai pas besoin de ta colère, Rory.

Elle devint livide. Reculant de quelques pas, elle secoua la tête.

— Ce… Ce n'est pas ce que je voulais dire, bégaya-t-il.

— Je pense que tu devrais partir.

Il détesta le sentiment de soulagement qui le submergea.

Il aurait dû rester, identifier ce qui lui était aussi insupportable dans la situation. Mais il était à peu près certain que cela signifierait lui avouer à quel point il avait besoin d'elle.

Alors il choisit la lâcheté.

— Si c'est ce que tu souhaites.

Aurora retira le mug de tisane du micro-ondes en essuyant une larme.

Elle n'avait pas voulu pousser Asher dans ses retranchements mais le sortir de ses idées noires. Au lieu de quoi, elle avait déclenché leur première dispute. Peut-être n'y en aurait-il pas d'autre.

« Je n'ai pas besoin de ta colère, Rory. »

Fermant les yeux, elle essaya de se souvenir de la dernière occasion où il l'avait appelée ainsi. Depuis qu'il avait vu son mug, il l'appelait Aurora ou princesse.

Mais quand, pour la première fois, elle avait exprimé autre chose que du bonheur ou de l'excitation, aussitôt il était revenu à Rory.

C'était insupportable.

À la différence de son père, Asher n'avait pas de problème avec certaines des émotions qu'elle exprimait. Qu'elle rie, sourie, laisse éclater sa joie lui convenait. Mais qu'en était-il des sentiments plus noirs, la tristesse, la frustration… la colère ? Elle ne les avait jamais dirigés contre lui avant ce soir. Si on n'était pas libre d'exprimer l'ensemble de ses émotions, était-on entendu ?

Il était trop tard pour cette conversation, se dit-elle avec un sanglot, en versant le contenu du mug dans l'évier.

Une migraine s'annonçait.

Asher augmenta pour la cinquième fois le rythme du tapis de course.

Aurora faisait chanceler ses mécanismes de défense. La veille, il l'avait blessée. Le Roc s'était ouvert à lui, intégralement, mais au premier signe de frustration, il avait craqué. Elle n'avait pourtant souligné que des évidences, des traits de caractère que le scientifique en lui avait déjà relevés. Mais le fier-à-bras l'avait emporté. Il avait tout misé sur l'opération de Jason pour oublier les sentiments grandissants qu'elle lui inspirait, mais elle n'y était pour rien. La blesser était la dernière chose qu'il souhaitait.

Aurora.

Son cœur battait à tout rompre rien que de penser à elle. Elle lui devenait nécessaire. Comment mettre fin à tout cela ?

— Asher !

Elle se matérialisa soudain devant lui.

Il ralentit le tapis de course et ôta ses écouteurs.

— Jason sent ses jambes, annonça-t-elle en lui demandant d'un geste de la laisser finir. Pour l'instant il ne peut bouger que les orteils, mais c'est apparemment une question de gonflement des tissus interstitiels.

— Comment ? demanda-t-il, à bout de souffle, en descendant du tapis. Comment tu as su ?

— Il y a un truc qu'on appelle téléphone. C'est assez pratique, ajouta-t-elle en lui agitant le sien sous le nez.

— Aurora, narquoise ? releva-t-il. Je ne connaissais pas cette facette de ta personnalité, princesse.

Il avait appelé trois fois l'infirmière de garde, qui avait fini par l'envoyer bouler en promettant de l'appeler en cas d'évolution.

— Je ne le suis pas souvent, dit-elle en se pinçant la racine du nez, mais c'était une question idiote.

— C'est vrai.

Elle prit une brusque inspiration et se dirigea vers la porte. Il la rejoignit de deux enjambées.

— Aurora, à propos d'hier soir…

Elle avait une respiration saccadée.

— Est-ce qu'on peut avoir cette conversation dehors ?

— Qu'est-ce qui ne va pas ? demanda-t-il, instantanément inquiet.

Il n'y avait personne d'autre dans la salle de gym. Pourquoi fallait-il sortir ? Pourquoi respirait-elle ainsi, en faisant siffler l'air entre ses dents ?

— J'ai juste mal à la tête, les lumières ici me donnent la nausée.

Elle ferma les yeux, son corps pencha à droite.

Elle ne se sentait pas bien, mais elle avait malgré tout appelé l'infirmière de garde à propos de son patient, puis elle était venue à sa recherche. Alors qu'il s'était comporté comme un pauvre type. Il ne la méritait pas, mais cette question pouvait attendre. Pour l'heure, il devait prendre soin d'elle.

— La nausée et la sensibilité à la lumière, ce n'est pas juste un mal de tête, répondit-il en lui faisant passer la porte.

Lui qui étudiait le cerveau de près depuis des années et avait personnellement été confronté à cette tragédie, il savait que, dans certains cas rares, ce qu'on prend pour une migraine peut nous arracher un proche.

Dans le hall, Aurora secoua la tête.

— C'est une migraine, affirma-t-elle. Elle est très forte, mais j'ai mal dormi la nuit dernière. Cela fait des années que je n'en avais pas eu, mais le stress, la vie, les déclenchent.

— Une raideur dans la nuque ? poursuivit-il sur sa lancée.

Si sa mère était allée à l'hôpital pour ce qu'elle avait pris pour une migraine, son père n'aurait pas eu à dormir seul pour le restant de ses jours.

— J'ai très peu dormi, Asher, donc oui, dit-elle en se prenant les bras.

Elle penchait vers la gauche. Était-ce volontaire, ou un symptôme à prendre en compte ?

— Je voulais te prévenir pour Jason, mais je rentre chez

moi. L'équipe est au courant que je ne pourrai pas travailler aujourd'hui.

— Ah, bon ? Mais tu n'es jamais en arrêt maladie.

— Il y a une première fois pour tout.

— Mais ça veut dire que c'est une très, très forte migraine, Rory.

— Tu ne m'appelles comme ça que quand tu es en colère, dit-elle en prenant appui contre le mur.

Il y penserait plus tard.

— As-tu pris un médicament contre le mal de tête, et si oui, quand ?

Elle soupira et appela l'ascenseur.

— J'ai pris un générique, j'appellerai mon médecin traitant si ça ne passe pas d'ici une heure…

Sa voix faiblit, et elle s'affaissa.

Il entendit un hurlement qui venait probablement de lui et bondit pour la rattraper juste avant qu'elle touche le sol. Son corps était sans force dans ses bras. Il chercha son pouls, qui était faible mais régulier. Elle respirait.

Il actionna l'alerte d'urgence de son téléphone et, le sang battant dans les oreilles, attendit que l'opérateur décroche.

Il voyait sa vie défiler devant ses yeux. Sans elle, le monde était vide, sombre.

— Aurora ? Aurora, ma puce, ouvre les yeux.

Soudain il comprenait les gens qui secouent leurs proches par les épaules pour les ramener à la vie. Seules ses années d'études médicales l'empêchaient d'en faire autant.

— 911. Quelle est votre urgence ?

— J'ai besoin d'une ambulance au 45 West Cove Road. Près des ascenseurs au niveau deux.

— Quelle est votre urgence ?

La question répétée lui donnait envie de hurler. L'opérateur ne l'avait-il pas écouté ? Lui avait-il dit ? Aurora ne revenait pas à elle, et son esprit s'emballait.

— Ma… ma… petite amie s'est plainte d'un mal de tête

et s'est effondrée. S'il vous plaît, envoyez une ambulance. 45 West Cove Road.

« Petite amie » n'était pas le bon terme. C'était trop pour ce qu'Aurora et lui étaient réellement, et en quelque sorte pas assez non plus.

— Est-ce qu'elle respire ?

— Oui ! cria-t-il en prenant de nouveau le pouls d'Aurora.

— J'ai besoin d'autant d'informations que possible pour les ambulanciers, monsieur.

— Je sais, admit-il, incapable d'en dire plus.

Il savait tout cela, d'autant que lui aussi avait besoin de ces informations quand on lui amenait un patient.

— J'ai envoyé une ambulance, ils devraient arriver bientôt, dans deux minutes normalement.

Deux minutes. Ce n'était rien et une éternité en même temps.

— Asher…

Elle l'avait dit si doucement qu'il crut avoir rêvé.

— Aurora ?

— J'ai mal à la tête, dit-elle en refermant les yeux.

Sa respiration était lente mais uniforme.

— Je sais, princesse, je sais. On va ausculter ça.

Si c'était plus grave qu'une migraine, il n'était pas en mesure d'opérer, mais sa collègue Meredith était de garde. Si ça ne pouvait pas être lui, Meredith était la meilleure.

— J'ai eu un vertige à cause de la migraine, dit Aurora en levant la main pour lui caresser la joue. Un vertige, et pas de douleur derrière les yeux.

Lister les critères discriminants entre migraine et anévrisme ne lui épargnerait pas une visite à l'hôpital. Elle voulait le rassurer, mais seuls des examens approfondis le pouvaient.

Et encore, ils ne pourraient rien contre sa culpabilité. Il avait blessé Aurora la veille. Il s'était disputé avec elle, elle avait mal dormi, et maintenant elle allait partir pour l'hôpital. Corrélation n'est certes pas synonyme de causalité, mais dès qu'Aurora irait mieux, il s'excuserait de son comportement. Puis il prendrait ses distances. Il devait à tout prix lui éviter les nuits sans sommeil, les migraines et tout le reste.

12.

Aurora remit ses chaussures tandis qu'Asher scrutait pour la dixième fois le scanner et l'IRM.

Le scanner n'avait pas détecté d'anomalie, mais Asher avait insisté pour une IRM avec contraste, pour éliminer toute crainte d'une infection, et parce que c'était lui, l'examen lui avait été accordé.

— Mon cerveau est normal, Asher, dit-elle, soulagée par le médicament par intraveineuse prescrit par l'urgentiste de garde.

Elle ne rêvait plus que d'aller s'écrouler dans son lit et de dormir dix heures d'affilée.

— Il n'y a rien de normal chez toi, Aurora, répondit-il en rangeant scanner et IRM, mais ton cerveau est en bonne santé. Avec une migraine à cause de moi.

— Asher, ce n'est pas ta faute.

Les migraines n'étaient pas dues à des personnes. Et elle était une boule de stress, même si elle le cachait bien. Le réveil de Jason avait pu empirer la situation, de même que la perspective du gala de charité. Elle pouvait essayer d'éviter son père, mais il serait présent. Et elle était blessée par le mal-être d'Asher, par le fait qu'il l'ait fuie la veille, qu'il ne veuille pas s'ouvrir à elle. Une nuit d'insomnie par-dessus, et tout s'expliquait. Car ce n'était rien d'autre qu'une mauvaise journée.

— Eh bien, ça ne se reproduira pas, répondit-il.

Pourquoi ces mots lui semblèrent-ils lugubres ? Elle avait une migraine, ils s'étaient disputés. Ces choses-là arrivent.

— Asher, dit-elle en retenant un bâillement.

— Je te ramène, indiqua-t-il en la prenant par la taille.

Elle était trop épuisée pour discuter, mais demain…

La tête contre son épaule, elle laissa sa chaleur la réconforter.

— Tu veux faire une sieste avec moi ?

Oui. Il voulait plus que tout somnoler aux côtés Aurora. La prendre dans ses bras et prolonger de quelques heures l'illusion du bonheur. Mais il avait pris une décision. Ils étaient devenus trop proches.

— J'ai des choses à faire, Aurora. Et je veux retourner voir Jason.

C'était ce qu'il fallait dire, mais cela lui fut pénible.

Aurora s'appuya contre sa porte.

— J'ai besoin de m'allonger. Ma tête va mieux, mais j'ai encore un peu le vertige, dit-elle en se haussant sur la pointe des pieds pour l'embrasser sur la joue. On mange ensemble ce soir ? Comme ça, je t'explique mon plan pour le cas où on voit mon père au gala et qu'il nous adresse la parole. S'il faut blâmer quelqu'un pour ma migraine, c'est moi, qui m'inquiète de ce genre de choses.

Elle avait un sourire faux, elle voulait le rassurer. Elle était vraiment parfaite.

Il aurait dû décliner, mais un « oui » lui échappa.

Jason allait mieux. Une longue convalescence l'attendait alors qu'il aurait voulu brûler les étapes, mais il se remettrait. Au moment où Asher quittait sa chambre, le Dr Levern l'interpella. Il voulait lui parler d'un cas.

Asher consulta sa montre, c'était l'heure de rentrer dîner avec Aurora.

— Je crois que c'est inopérable, un cas impossible. En tout cas, j'en ai l'impression.

— Impossible ?

Comment résister ? Il ne vivait que pour cela. Et ce type d'opération lui éviterait de penser à Aurora. Il se concentrerait sur autre chose que le désir qui lui tordait l'âme.

— Rien n'est impossible.

Il envoya un rapide message à Aurora : il allait être un peu en retard.

À 21 h 30, Aurora mit l'assiette d'Asher au frigo. Deux heures, c'était plus qu'un peu de retard.

Elle n'avait rien préparé d'exceptionnel, elle était d'ailleurs en pantalon de jogging, avec une queue-de-cheval affaissée depuis longtemps. Alors, pourquoi cela l'affectait-il autant ?

À 20 heures, elle avait envoyé un message pour savoir si elle l'attendait, et il avait répondu qu'il était en chemin.

Quelque chose avait changé depuis le mariage de Dani, et sa migraine avait exacerbé la situation. S'évanouir était évidemment perturbant, c'était terrifiant de se réveiller au sol sans se souvenir de ce qu'il s'était passé…

Mais Asher était différent.

Son attitude désinvolte masquait une personnalité beaucoup plus complexe. Elle avait eu un aperçu du véritable Asher. Puis l'opération de Jason avait fait évoluer leur relation légère vers des sentiments plus réels.

Avoir une relation réelle, ce n'est pas simple, ce n'est pas un conte de fées. Cela demande de la sincérité, de pousser l'autre dans ses retranchements en cas de problème. C'est prendre le bon et le mauvais.

Mais il n'aimait pas qu'elle le cherche. Il l'aimait heureuse, joyeuse, il l'encourageait à l'être. Mais qu'en était-il des autres sentiments qui bouillonnaient en elle ? Les gens ne sont pas seulement joyeux, heureux ou sereins. La vie est compliquée.

Ils avaient tous les deux des métiers exigeants, et sa famille aimait le conflit. La colère, la frustration, la tristesse n'étaient pas absentes de leur vie. C'était ainsi, elle ne ferait pas comme si cela n'existait pas.

Elle sortit de la cuisine au moment où un mot apparaissait sous sa porte. Elle ne prit pas la peine de le ramasser et ouvrit, hors d'elle.

— Tu ne comptais même pas frapper à la porte ?

Asher, qui était presque devant chez lui, se retourna d'un

bond. Il était manifestement agacé, et elle détestait être là, dans le couloir, face à l'homme qu'elle aimait, qui avait glissé un mot sous sa porte plutôt que de venir la voir.

C'était pathétique. Elle-même avait de nombreuses facettes, mais elle n'était pas pathétique.

— J'ai pensé que tu dormais peut-être. Je ne voulais pas te réveiller, dit-il, les mains dans les poches, en passant d'une jambe sur l'autre.

Il avait les yeux cernés, et l'air épuisé. Cela faisait seulement quatre jours qu'ils étaient rentrés du mariage, mais tout avait changé.

Depuis l'opération de Jason. Depuis qu'elle s'était énervée…

Non ! Elle n'était pas responsable de ce qui était en train de se passer. Ce n'était pas sa faute.

— Tu as dit que tu serais un peu en retard, Asher. Je t'ai gardé ton assiette. Tu aurais au moins pu appeler.

— Tu cherches la dispute, Rory ?

Rory ? Trois fois, c'était trop. Qu'avait-elle fait pour mériter cela ?

Elle croisa les bras, se retirant dans la carapace qu'elle utilisait depuis si longtemps.

À l'époque, elle s'y sentait en sécurité, mais elle y était désormais à l'étroit. Elle ne voulait plus se contrôler.

— La dispute ? Tu ne t'excuses même pas de m'avoir laissée tomber ?

— C'est dans le mot, précisa-t-il en se passant la main dans les cheveux. Je veux dire, je suis désolé, vraiment désolé, Rory.

— Ne t'excuse pas si tu ne le penses pas, dit-elle, le menton tremblant.

Elle allait craquer.

— Ce n'est pas juste, expliqua-t-il en venant vers elle. Le Dr Levern avait besoin d'aide pour un patient, un cas inopérable d'après lui.

— Et tu n'as pas pu résister.

Il était différent de son père à elle, mais ils se ressemblaient par certains côtés. Ils se laissaient dominer par leur orgueil.

Son père cherchait la reconnaissance extérieure, les hommages. Pour Asher, c'était moins clair. Mais il ne le trouverait pas en salle d'opération. De cela, elle était certaine.

— C'est un épendymome anaplasique récurrent du lobe frontal. Cela commence à affecter la personnalité du patient.

Elle n'était pas indifférente au calvaire de cette personne. Elle comprenait mieux que la plupart des amoureuses passées d'Asher, sans doute, et s'il avait appelé ou laissé un message, ou simplement honnêtement reconnu qu'il ne savait pas quand il rentrerait, ça aurait été tellement simple.

— Rory…

C'en fut trop. On l'avait appelée Rory toute sa vie. Un surnom que son père lui avait donné par dépit, parce qu'elle n'était qu'une petite fille. Qu'Asher utilise son véritable prénom l'avait réconciliée avec elle-même. Qu'il revienne en arrière à présent était une trahison. Cela n'aurait pas dû l'affecter autant, mais c'était le cas.

Elle leva une main, paume vers lui.

— Je vais me coucher. On se voit demain. Peut-être que tu auras retrouvé ton calme et que tu seras de nouveau capable de m'appeler Aurora.

Elle referma la porte avant de craquer.

13.

Suis en train de programmer l'opération dont nous avons parlé hier. Des disponibilités ?

Asher se frotta les yeux sans réussir à chasser l'impression de papier de verre due à l'insomnie. C'était l'opération dont il avait discuté avec le Dr Levern, raison pour laquelle il avait manqué le dîner avec Aurora.

Il expédia le message en se versant un deuxième mug de café. S'il avait pu s'en administrer par intraveineuse, il l'aurait fait.

Programme-la. Je m'arrangerai.

Au moins, la réponse n'avait pas traîné.

Il devait parler à Aurora. Il lui devait de véritables excuses. Essayer d'expliquer pourquoi il s'était comporté comme un crétin. Le pire était qu'il l'avait appelée Rory, et à plusieurs reprises. Involontairement.

Non. Pour être honnête, il l'avait fait consciemment, mais pas parce qu'il était en colère. Parce que, sachant qu'ils allaient devoir redevenir collègues et amis, c'était plus simple de penser à elle comme Rory. Il devait prendre ses distances. Se protéger et la protéger de la fin de l'amour…

Mais se mentir ne lui avait jamais réussi. Il l'aimait, et ça allait faire mal.

Il finit son café d'une traite et s'en reversa.

Ce n'était pas encore l'amour profond de ses parents. Non, l'attirance qu'ils éprouvaient l'un pour l'autre était encore superficielle. Ils pouvaient revenir à leurs rôles précédents. C'était possible. Il le fallait. En la voyant tomber, la peur de la perdre…

Il ne pouvait pas. Il ressemblait trop à son père, il s'égarerait s'il n'y prenait pas garde.

Il reposa le mug vide et s'aspergea le visage d'eau froide, se préparant à aller chez Rory… chez Aurora.

Pourquoi son cerveau jouait-il à cela ?

Elle ouvrit au troisième coup sur la porte. Elle avait les yeux encore plus cernés, mais elle semblait reposée.

— J'aurais dû appeler hier soir.

— Oui, répondit-elle, le fixant de ses yeux verts.

Il pouvait désormais lire en elle comme à livre ouvert, alors qu'elle incarnait quelques semaines auparavant l'impassibilité même. Et il détestait la colère méritée qu'il avait fait naître en elle.

— Je suis désolé. Le Dr Levern a employé le terme « impossible » et je…

— Ça te fait immanquablement réagir, Dieu sait pourquoi.

Elle quitta sa raideur et ouvrit plus grand sa porte.

— Tu veux un café ? Le thé n'était pas assez fort pour moi ce matin.

— J'en ai déjà bu trois.

Elle haussa un sourcil mais ne releva pas et alla dans la cuisine se servir un mug.

— Je ne saute pas sur tous les cas impossibles.

Elle l'épingla du regard par-dessus son mug rose.

— Par pitié. Sous cet angle-là, tu ressembles à mon père. Courir après l'impossible, ajouter un nouveau succès à une liste déjà impressionnante.

— Je ne suis pas ton père.

— Je ne dis pas le contraire. Mais tu t'es énervé quand j'ai essayé de te montrer que l'opération de Jason était une réussite, même si ce n'était pas à cent pour cent.

— De la frustration, je ressentais de la frustration.

Pourquoi avait-il à ce point besoin de préciser ce détail ?

— Ce qui importe, c'est que tu ne peux pas tout maîtriser. Parfois, la vie s'en mêle. Les sentiments. Des choses qu'on n'a pas prévues.

— Ça ne veut pas dire que je ne peux pas essayer, dit-il avec une ironie qui sonnait terriblement faux.

— Asher.

Là, ils ne parlaient plus de l'hôpital ni des patients.

Le silence se prolongea. Il la regardait, le cœur battant à tout rompre. Il ne leur restait plus que quelques jours. Cette… période enchantée allait prendre fin. Ils étaient à un tournant, s'il voulait bien le reconnaître comme tel. Son cœur lui hurlait d'essayer, mais la peur le paralysait.

— Aurora, dit-il avec une sorte de grimace, je ne veux pas que ce qu'il nous reste de temps ensemble se transforme en bataille.

— Je vois, dit-elle dans un souffle.

Il perçut une vibration. Il venait de perdre quelque chose de précieux.

— Aurora…

Comme il n'ajoutait rien, elle se tourna vers lui.

— Oui ?

— Je ne sais pas. J'ai oublié ce que je voulais dire.

C'était faux. Il voulait lui dire qu'il l'aimait, ça lui déchirait la poitrine. Envoyer balader des décennies de contrôle et de sécurité. L'image de son père assis en silence à la table de la cuisine. La douleur toujours palpable après toutes ces années.

— J'ai des choses à régler avant mon service, dit-elle en l'embrassant sur la joue, on se voit à l'hôpital ?

Le Roc se tenait de nouveau devant lui.

— Docteur Miller, je vois que vous avez des tasses de thé sur votre blouse, indiqua Diego Arnold, l'anesthésiste nouvellement arrivé dans l'équipe.

Aurora sourit. Pour les opérations, l'hôpital fournissait des tenues spécifiques, mais les praticiens étaient autorisés à choisir la leur pour les visites du service.

Elle avait acheté cette blouse des années auparavant mais n'avait jamais osé la porter. Sauf ce matin. C'était comme si elle s'autorisait à être elle-même, et elle adorait ça.

— Vous avez vu, moi, c'est une tasse de café que ma femme a brodée sur la mienne.

— Parfait !

— Je trouve aussi. D'ailleurs, à propos de mon adorable femme, est-il envisageable que vous me remplaciez pour l'opération de samedi matin ? Ma femme m'a rappelé que je n'avais encore assisté à aucun match de foot de mes jumelles cette année… Mais qui programme des opérations à 6 heures du matin un samedi ? Sans blague !

Aurora, désolée pour lui, secoua la tête.

— J'ai promis d'assister à un gala de charité pour la recherche contre le cancer ce week-end. C'est un brunch, et j'ai réservé deux places…

— Je comprends, c'est important aussi, répondit Diego en faisant la moue. Leona va me tuer, mais ce n'est pas ma faute si le Dr Parks programme une opération au dernier moment.

Il sortit son téléphone.

— Je sais qu'il y a des imprévus, des urgences, mais il n'était pas censé travailler lui-même, souligna-t-il en appelant un numéro. Chérie…

Il se retourna pour parler en privé.

Asher avait programmé une opération pour samedi matin ! Ils avaient conclu en toute amitié un accord provisoire qui prenait fin de sa part à lui !

Aurora tremblait. Elle aurait voulu se mettre en position fœtale au sol et pleurer. Hurler. Mais elle ne ferait rien de tel. Elle réprima un sanglot et fit un petit signe de la main à Diego quand celui-ci se retourna.

Sa relation avec Asher n'était pas amicale. Elle l'aimait, elle ne le niait pas. Mais c'était terminé. D'une certaine manière, tout avait changé à sa première expression de frustration.

Et maintenant, il avait prévu une opération pour le samedi du gala ! Cela la blessait à un point inimaginable.

Asher se posta dans l'encadrement de la porte, et Diego et elle se tournèrent d'un même mouvement vers lui.

— Deux anesthésistes en colère, dit-il, levant les mains en l'air. Ça aiderait si je refaisais mon entrée en faisant l'andouille ?

Ils restèrent de marbre.

— Pas facile, comme public, déclara-t-il avec une grimace peu convaincante.

Comme elle décryptait désormais facilement ses mascarades ! Elle n'était pas plus le Roc que lui n'était un clown.

— J'ai prévenu ma femme que je ne pourrais pas assister au match de foot des jumelles ce week-end.

— Je suis désolé, dit Asher en inclinant la tête.

Aurora secoua la tête.

— Tu as fixé une opération…

Elle dut s'interrompre. Diego la regarda, mais elle ne détourna pas les yeux d'Asher.

— Pour samedi matin ?

Ce dernier ouvrit la bouche, la referma, et se reprit.

— Aurora, j'aurai fini avant le brunch. L'opération commence à 6 heures. Elle va prendre trois heures. Je sors d'ici à 9 h 30, je suis au gala à 10 h 30. Sans problème.

Diego remua puis sortit en disant :

— Ma femme n'est pas contente, mais je serai là. On parlera du patient plus tard.

Asher hocha la tête.

— Aurora…

— Oublie, j'irai seule.

— L'opération sera finie !

— Pourquoi faut-il que ce soit toi ?

— Parce que.

Qu'il esquive à ce point la question la désespéra.

— Et si l'opération se passe mal ? Que le patient ne se remet pas aussi vite que tu le souhaites ? Tu n'auras peut-être même pas envie de me rejoindre.

— Ça ira. On va très bien s'en sortir. Cette tumeur doit être retirée, dit-il, l'air agacé.

Ça ne répondait pas à sa question, mais ça en disait long. Et c'était blessant.

— Aucun autre chirurgien ne peut le faire ? Le Dr Loep ou le Dr Kuil ? Le Dr Reges n'est pas libre ? Ce sont tous d'excellents professionnels, non ? Et la tumeur doit être retirée samedi ?

— Il n'y avait pas de créneau disponible avant.

Elle secoua la tête. Ils savaient l'un comme l'autre qu'il était possible de libérer une salle d'opération en cas d'urgence.

— Ne t'inquiète pas pour le gala, Asher, j'irai seule.

— Rory...

Ce fut le mot de trop.

— Parce que je ne suis Aurora que quand tu es heureux, content de moi ? Pas si je te pousse dans tes retranchements ou que je te dérange, ou que je te force à reconnaître que tu n'es un boute-en-train qu'en façade ?

Ses yeux la picotaient, mais elle ne craquerait pas. Pas ici.

— Au moins mon père, lui, est honnête sur ce qu'il attend de moi.

Cela laissa Asher sans voix.

Il plaisantait moins, tout d'un coup.

Honteuse de cette pensée cruelle, elle tourna les talons.

— Au revoir, Asher.

Avec sa maîtrise d'elle-même, le personnage du Roc était de retour. Elle aurait tout le temps de le déplorer plus tard.

14.

Asher croisa Aurora dans le couloir, mais elle évita son regard.

Ces deux derniers jours, il s'était obligé à garder ses distances, à prétendre que tout allait bien. Parce que le Roc semblait parfaitement sereine. Elle portait de nouvelles blouses et laissait des mèches s'échapper de ses queues-de-cheval. Elle semblait détendue.

Il aurait dû s'en réjouir, mais il n'en revenait pas qu'elle se remette si vite.

— Pour la chirurgie de demain, dit Diego en lui tendant une tablette ouverte sur le bon dossier, le patient vient d'être admis avec de la fièvre, 38,5.

— De la fièvre ? s'étonna Asher en quittant des yeux la pièce où Aurora était entrée.

Il était hors de question d'opérer un patient malade. Il avait accepté de le faire en urgence pour penser à autre chose qu'aux sentiments qu'il éprouvait pour Aurora, mais il avait su dès le départ que c'était une mauvaise idée. Elle avait raison, d'autres pouvaient s'en charger.

Partir le premier évitait de souffrir de la fin d'une relation. Alors, pourquoi se sentait-il aussi mal ? C'était pire que quand il avait découvert Kate au lit avec son témoin de mariage. Le monde était plus sombre. Les couleurs avaient pâli, les sons étaient assourdis. Le bonheur et la joie avaient disparu. Les blagues et les succès qu'il avait utilisés pour faire face à la trahison de Kate, à la mort de sa mère, n'atténueraient pas la perte d'Aurora. Rien ne le pourrait.

— Demain, je serai joignable mais pas sur place, dit Diego. Envoyez-moi un message si vous avez besoin de moi. Mais si ce n'est pas une urgence, ce sera à vous d'affronter la colère de ma femme.

— Diego, vous n'avez jamais envie de ne pas être marié ? De ne pas avoir d'autres responsabilités ? De ne pas risquer de blesser qui que ce soit ?... Euh, désolé, s'excusa Asher en se reprenant. Je ne sais pas ce qu'il me prend.

— Je crois que vous le savez...

Il regarda ses pieds, toutes ses répliques bien senties l'avaient déserté en même temps qu'Aurora.

— Non, Asher. Je ne regrette jamais de m'être marié. Leona est la meilleure chose qu'il me soit arrivé. Et elle vous fera la même réponse si vous le lui demandez.

Il rit, repensant manifestement à un souvenir précis.

— C'est le Dr Levern qui est de garde demain, je ne venais que pour l'opération. Aucune chance que je me fasse enguirlander par Leona, dit Asher avec un clin d'œil. J'espère que les filles vont marquer des tonnes de buts.

— Elles ont quatre ans, personne ne marque... Le coach appelle ça le foot des petites abeilles, on dirait qu'il y a une ruche autour du ballon, qui se déplace d'un bout du terrain à l'autre. Bonne soirée, docteur Parks.

— Vous aussi, docteur Arnold.

— Excusez-moi, docteur Parks, dit Aurora en pointant la porte du bureau derrière lui, j'ai besoin de clore quelques dossiers avant de rentrer chez moi.

— L'opération de demain est annulée.

Elle fit un son indéchiffrable et se glissa derrière un poste de travail. Ses yeux ne quittèrent plus l'écran.

— Le patient a de la fièvre.

Le son des touches de l'ordinateur lui répondit.

— Je pourrais venir demain si tu ne voulais pas y aller seule...

Il déglutit, allait-elle seulement considérer sa proposition ?

C'était peut-être égoïste de sa part, mais il ne se sentait pas prêt pour les adieux. Et peut-être était-ce acceptable.

— Je ne crois pas que ce soit une bonne idée.

Elle cliquait sur des documents, remplissait des cases.

Il aurait dû partir, ne pas insister, mais…

— Pourquoi ?

— Qu'est-ce qu'il va se passer après-demain, Asher ? Après dimanche ?

Y avait-il de l'incertitude dans son ton ? Tout ce qu'il entendait, c'était la voix claire du Roc. Elle avait repris son rôle. Pourquoi ne le pouvait-il pas ?

— Après ?

Il savait qu'il s'accrochait aux quelques instants de plus qu'il pouvait passer avec cette femme.

— Six semaines, c'est le temps que tu accordes à tes petites amies, n'est-ce pas ? Six semaines pour s'amuser, puis tout s'arrête tant que c'est encore léger, non ? Pas de sentiments froissés.

Il avait l'impression d'un piège, mais il se lança.

— Oui.

— On y est presque, dit-elle, tapant toujours sur son clavier.

Puis elle le regarda droit dans les yeux.

— C'est vrai, répondit-il.

— J'ai brisé la règle numéro un. Je l'ai brisée, je ne peux pas revenir en arrière.

— La première règle, c'est de ne pas tomber amoureux.

Ça ne pouvait pas être ça, elle ne pouvait pas avoir brisé cette règle. Elle avait l'air normale, alors que lui se contenait à peine.

— Je connais la règle, Asher, c'est moi qui l'ai choisie, dit-elle en se retournant vers l'ordinateur pour clore sa session. Je ne veux pas quelques jours de plus. Je veux tout.

— Peut-être que, euh, on pourrait essayer le long terme ?

Il savait qu'il regretterait ces quelques mots pour le restant de ses jours. Il avait eu le cœur brisé par la trahison de Kate, et il était fait du même bois que son père. Mais pour Aurora, il était prêt à essayer.

Aurora ferma les yeux, elle trembla brièvement. Mais lorsqu'elle ouvrit les paupières, elle était calme, déterminée.

— Je ne demande pas le long terme.

Cela le frappa de plein fouet, il eut l'impression de chuter dans l'espace.

Peut-être avait-il manqué d'enthousiasme dans sa formulation, mais le simple fait de le dire lui avait coupé le souffle. L'inquiétude de s'exposer à souffrir, le risque de devenir un zombie.

Et elle ne lui demandait pas de repousser le délai !

Cela lui arrachait le cœur. Il avait besoin de plus de temps, alors qu'elle semblait paisible.

Il le serait aussi. Il le fallait.

15.

Aurora se tenait devant le miroir de sa salle de bains, les yeux fixés sur les mèches roses de ses cheveux. Qu'avait-elle fait ? C'était irréfléchi et imprévisible. L'exact opposé de tout ce qu'elle faisait normalement.

Elle prit la boîte de teinture qu'Asher lui avait offerte.

En rentrant du mariage, il avait dit pour plaisanter que si elle ne la jetait pas immédiatement, c'était la preuve qu'elle la voulait. Il ne s'était pas trompé. Comme pour tant d'autres choses, il semblait véritablement la connaître.

Après leur rupture, elle avait eu besoin d'agir.

Mais peut-on parler de rupture pour une relation qui n'était pas censée durer ?

Peu importe. Ce qu'elle avait vécu avec Asher avait pris fin. Cela seul comptait. Elle lui avait dit qu'elle avait brisé la première des règles et qu'elle l'aimait, et il ne lui avait pas répondu la même chose. À la place il avait évoqué l'idée que peut-être ils pouvaient essayer une relation à long terme.

« Peut-être. » Du bout des lèvres.

Cela l'avait achevée. Elle aurait voulu hurler qu'elle acceptait, avec l'espoir qu'ils s'ouvrent l'un à l'autre avec tous leurs défauts et toutes leurs qualités, mais elle voulait plus que ce « peut-être ». Elle voulait tout. Le bonheur et l'amour étaient faciles, elle voulait aussi les difficultés, la frustration, la colère, les mauvais jours qui rendent les bons encore meilleurs. Toutes les émotions.

Asher gara sa voiture dans l'allée devant chez son père et posa sa tête sur le volant.

Il était tôt, et il n'avait pas prévenu de sa visite, mais il n'avait pas voulu rester chez lui avec Aurora à la porte d'à côté.

Si près et si loin.

Son père frappa à la fenêtre du conducteur.

— Tu viens manger quelque chose ?

Asher ouvrit sa porte et demanda à brûle-pourpoint :

— Si tu avais su à quel point la mort de maman te ferait souffrir, est-ce que tu te serais marié avec elle ? Ou même, est-ce que tu serais sorti avec elle ? Si tu avais pu t'éviter des dizaines d'années de souffrance, tu l'aurais fait ?

Son père ne répondit pas, il le prit dans ses bras, et Asher céda enfin à sa tristesse. Longtemps.

— Tu veux des œufs ?

— Oui. Et un café, répondit-il en s'essuyant les yeux.

Il se sentait un tout petit peu mieux.

Ils rentrèrent dans la maison dans laquelle il avait grandi.

C'était petit, mais c'était là que sa mère l'avait ramené après sa naissance, là que ses parents dansaient dans la cuisine. Son père ne disait rien. Avait-il oublié sa question ?

Il plaça deux assiettes devant eux, prit une bonne gorgée de café, et parla.

— Oui à tes deux premières questions, et non à la troisième. Si j'avais su que j'avais si peu de temps avec ta mère, je l'aurais aimée deux fois plus.

Asher prit le mug de café, regrettant que ce ne soit pas un thé au nom imprononçable.

— Je ne suis pas sûr que ce soit possible.

— J'aurais pu essayer. Et je n'aurais pas voulu éviter la souffrance en ne l'aimant pas. Seulement, j'aurais pu t'épargner ma réaction.

— Je t'en ai tellement voulu, avoua-t-il, incapable de retenir les mots. Désolé, ce n'est pas ce que je voulais dire.

— Je crois que si. Et je suis heureux de l'entendre, dit son père en haussant les épaules. Je ne vais pas prétendre que j'ai bien réagi au deuil. Tout s'est arrêté.

— Tu n'as pas prononcé une seule phrase en cent soixante-neuf jours. Cent soixante-neuf jours de silence. Et puis, tu as ri à une de mes blagues. Je t'en veux encore, d'une certaine manière.

— Et tu as raison. Je pense que tu m'en voudras toujours, et c'est normal, dit son père en serrant sa main. Je t'aime. Je peux accepter ta souffrance et ta colère.

— Vraiment ? demanda Asher en laissant presque tomber ses couverts.

Il consulta sa montre. Il était un peu après 9 heures. Il devait voir Aurora. Sur-le-champ.

Toc-toc.

Aurora repoussa le livre qu'elle ne lisait pas vraiment.

Il était presque 9 heures. Elle devait s'en aller dans l'heure suivante. Elle ne voulait pas espérer. Ce n'était pas Asher. Il était parti à la première heure.

— Aurora, s'il te plaît, j'ai besoin de te voir.

Il était vraiment là !

Sa voix la projeta sur ses pieds. Elle se précipita à la porte sans prévoir ce qu'elle allait dire.

Elle avait passé une partie de la nuit à se répéter leur conver-sation. Elle n'avait même pas employé le mot « amour ». Elle avait dit qu'elle avait brisé la première règle. Puis elle avait refusé d'envisager une histoire à long terme parce qu'il avait dit « peut-être ». Que se serait-il passé si elle avait vraiment parlé à Asher de ses sentiments ? Si elle lui avait dit qu'elle l'aimait et qu'elle était pratiquement certaine qu'il s'agissait du fameux amour pour la vie. Hésiterait-il toujours ?

Et maintenant il était là. Elle pouvait tout arranger, si elle en avait le courage.

— Je t'aime, dit-elle en ouvrant la porte. J'ai brisé la règle numéro un et je veux briser la numéro sept. Je ne veux pas six semaines plus un jour avec toi, je veux tout.

Les mains d'Asher s'agrippèrent à ses épaules.

— J'ai fait n'importe quoi, vraiment. Je le sais. J'essayais d'échapper aux sentiments, à ce qu'il se passe entre nous. J'ai utilisé le travail pour penser à autre chose. Pour me distraire. Parce que j'étais terrifié de te perdre. Mais je *veux* être terrifié, Aurora. Je veux être merveilleusement heureux et terriblement triste, et toutes les émotions entre les deux avec toi. Si tu me donnes une nouvelle chance.

Il la regardait intensément, et les mots cascadaient hors de sa bouche.

— Waouh, répondit-elle en se tendant vers lui.

Leurs lèvres se touchèrent, et elle sentit son cœur exploser tandis qu'il refermait les bras autour de sa taille.

C'était ce qu'elle voulait. Pour toujours.

— Waouh, en effet, dit-il, prenant son visage en coupe entre ses mains.

Avant qu'il aille plus loin, elle mit un doigt sur ses lèvres.

— Je t'aime. C'est ça que j'aurais dû te dire. Je n'aurais pas dû parler des règles, j'aurais dû…

Refermant la porte du pied, il s'appuya contre le mur, la prit dans ses bras et l'embrassa à perdre haleine.

— Je vote pour qu'on reparte de zéro aujourd'hui. On oublie le passé et les règles. D'accord ?

— D'accord !

Elle lui caressa les joues en riant. Il était à elle, et elle était à lui.

Il lui embrassa le sommet du crâne et l'enlaça tandis qu'ils se dirigeaient vers la chambre.

— J'adore tes cheveux roses, à propos. C'est très toi.

C'était vrai. Elle était enfin exactement telle qu'elle voulait être.

Épilogue

Asher vérifia sa poche pour la cinquième fois tandis que l'employée leur indiquait les pinceaux et les pots de peinture. Lui qui n'avait pas l'habitude d'être nerveux, il s'était réveillé fébrile.

La bague de fiançailles de sa mère était bien là. Où, sinon, aurait-elle bien pu être ?

— Merci, dit Aurora à la jeune femme. On est déjà venus. À quelques reprises.

Et elle éclata de rire, le son qu'il préférait au monde.

— On va passer pour des gens bizarres, à venir régulièrement nous défouler avec de la peinture ?

Il répondit en secouant la tête, tant il doutait d'être capable de parler. Il avait un plan, et il allait le suivre. Il attendrait que la femme sorte, il laisserait Aurora couvrir les murs de peinture, et il peindrait : « Veux-tu m'épouser ? »

— Ça va ? dèmanda Aurora en se plaçant à côté de lui.

— Absolument, répondit-il en l'embrassant.

L'envie de lui poser la question montait en lui.

Non. Aurora méritait qu'il suive son plan. Elle s'en souviendrait toute sa vie. Plus que quelques minutes.

Elle le scruta de ses yeux verts, puis elle attrapa un pinceau et le trempa dans l'indigo.

— Tu es sûr que ça va ?

— Je suis avec la femme que j'aime.

Ils avaient commencé à mettre les mêmes vêtements pour venir ici, sa chemise était de toutes les couleurs de l'arc-en-ciel.

— Bien, dit-elle en lui dessinant un énorme cœur sur le torse.

Son sourire le fit définitivement fondre.

— Épouse-moi.

Elle laissa tomber son pinceau.

— Zut, je ne me suis même pas mis à genoux.

Il allait le faire, mais elle l'arrêta.

— Oui. Mille fois oui.

Elle mit ses mains tièdes sur ses joues.

— J'avais tout un discours, Aurora. Et je voulais écrire sur le mur pour te faire des souvenirs.

Il embrassa ses lèvres en sortant la bague de sa poche.

— C'est parfait, dit-elle en l'attirant à elle. Parfait.

NIKKI BENJAMIN

Le meilleur des remèdes

BLANCHE

HARLEQUIN

Titre original :
THE BEST MEDICINE

Ce roman a déjà été publié en 2018

© 1991, Barbara Vosbein.
© 2018, 2023, HarperCollins France pour la traduction française.

Prologue

— Bonne année !

Vautré dans un fauteuil, Cal Corelle leva son verre de whisky en esquissant un petit sourire forcé.

— Oui, bonne année ! répliqua Blake Hammond en levant à son tour son verre de bourbon coupé d'eau. Après ce qui s'est passé ces cinq derniers mois, ce serait bien.

— Revenir lundi au cabinet serait une bonne façon de commencer l'année. Steve et moi, nous avons vraiment besoin de toi et, maintenant que les charges qui pesaient sur toi ont été levées, tu pourras passer plus de temps avec Mark. Debra n'a plus aucune raison de t'empêcher de voir ton fils.

Blake fit la grimace tandis qu'il avalait une autre gorgée de bourbon. Après avoir posé son verre, il s'adossa aux coussins moelleux de son canapé avant d'ouvrir le vieil album de photos qu'il avait sorti d'un placard l'après-midi même.

— Je ne sais pas, Cal. Je ne sais plus rien du tout.

Aussitôt, il s'en voulut d'avoir pris un ton défaitiste. Certes, il venait de subir de terribles épreuves, mais il était loin d'être abattu et, maintenant que le pire était derrière lui, il pouvait de nouveau prendre le contrôle de sa vie. Ou, plutôt, il devait le reprendre s'il voulait avancer et oublier le cauchemar qu'il avait vécu durant de longs mois.

Deux semaines s'étaient écoulées depuis qu'il avait été définitivement lavé des fausses accusations portées contre lui. Il avait été reconnu innocent du crime d'agression sexuelle qu'on lui imputait, ainsi que de la faute professionnelle dont l'accusait le mari de Phyllis Rowan qui, aux dernières nouvelles, avait été admise dans un hôpital psychiatrique. Blake espérait qu'elle y trouverait l'aide dont elle avait tant besoin et qu'il n'avait pas été en mesure de lui apporter.

— La majorité de tes patients n'ont jamais douté de ton innocence, Blake. Ils sont impatients de te revoir.

— Cela me touche beaucoup, mais je ne crois pas que...

Jamais il ne pourrait rendre à Cal tout ce que celui-ci avait fait pour lui. Mais il savait qu'il créerait plus de problèmes qu'il n'en réglerait s'il retournait travailler au cabinet médical avant d'y être vraiment prêt. Tant qu'il ne serait pas capable d'accorder à ses patients la dose d'attention qu'il fallait, c'est-à-dire ni trop ni trop peu, il ne pourrait pas s'occuper d'eux correctement. Il devait retrouver sa confiance en lui et sa capacité de jugement. Ce n'était pas chose facile après avoir failli tout perdre parce qu'il s'était montré trop gentil envers une femme très seule qui confondait rêve et réalité.

— Allons, mon vieux, il est temps de tourner la page, reprit Cal d'une voix douce tandis qu'il quittait son fauteuil pour venir s'asseoir sur le canapé à côté de lui.

— Je le ferai... un de ces jours, dit Blake en tournant les pages de l'album.

— Tiens, c'est Warren's Retreat ! commenta Cal en montrant l'une des photographies. Nous y avons passé de bons moments, pas vrai ? Nous y sommes allés chaque été, de nos douze ans jusqu'à...

— Jusqu'à l'été qui a précédé notre entrée à la faculté de médecine. D'abord comme jeunes pensionnaires peu enthousiastes, puis comme moniteurs. Tout semblait si simple au milieu des forêts du Minnesota...

— J'ai toujours pensé que tu travaillerais un jour au Elk Rock Memorial Hospital, surtout après que tu te fus fiancé à cette chère... comment s'appelait-elle, déjà ?

— Jenna... Jenna Warren.

Le regard de Blake se posa sur l'une des multiples photographies qu'il avait prises d'elle durant toutes ces années. Il songea combien sa vie aurait été différente si elle avait eu besoin de lui autant qu'il avait besoin d'elle, alors.

Elle n'avait que dix-huit ans lorsqu'il lui avait demandé de l'épouser. Elle avait mené jusqu'alors une vie si protégée qu'elle était plus dépendante de sa famille que ne l'étaient la plupart des filles de son âge. L'idée de quitter les lieux de son enfance l'avait effrayée. Il aurait fallu se montrer plus patient et plus compréhensif avec elle. Malheureusement, il était alors trop centré sur lui-même pour le comprendre. Il s'était laissé aveugler par sa douleur et sa colère.

À la fin, lorsqu'il avait su qu'il était en train de la perdre, il lui avait adressé un ultimatum impossible que, par fierté et par stupidité, il avait refusé de lever. Il était tellement sûr qu'elle reviendrait vers lui, qu'elle se rendrait compte à quel point ils tenaient l'un à l'autre... Mais elle n'en avait rien fait.

— Je le pensais, moi aussi, murmura-t-il.

Il referma l'album et le posa sur la table basse.

— Nous devrions envoyer Mark et Jonathon là-bas durant une quinzaine de jours, en juillet ou en août prochain, dit Cal en se levant.

Emportant avec lui les deux verres vides, il se dirigea vers la cuisine.

— Je parie qu'ils s'y plairaient autant que nous lorsque nous avions leur âge, poursuivit-il. Pourquoi n'écrirais-tu pas aux Warren pour leur demander de nous envoyer une brochure ? Tu pourrais aussi prendre des nouvelles de Jenna.

— Ne dis pas de bêtises ! De toute façon, rien ne permet d'imaginer que Debra accepterait de...

— Tu n'as qu'à l'envoyer balader ! Après la façon dont elle t'a traité durant ces trois dernières années...

— Allons, Cal, tu sais aussi bien que moi que j'étais loin d'être le mari parfait.

Blake était le premier à reconnaître que l'échec de son mariage lui incombait autant qu'à Debra. Peut-être même davantage, puisqu'il l'avait épousée alors qu'il gardait en lui le souvenir d'une autre femme. Une femme qu'il devait, aujourd'hui encore, essayer d'oublier.

— Excuse-moi, j'ai dépassé les bornes, répliqua Cal en

revenant dans la salle de séjour. Mais Mark est aussi ton fils et nous avions parlé d'envoyer les garçons en colonie cet été. Pourquoi pas à Warren's Retreat ?

— J'y réfléchirai, d'accord ?

— Parfait.

Cal prit son parka qu'il avait posé sur le dossier d'une chaise et l'enfila.

— Es-tu vraiment sûr de ne pas vouloir m'accompagner à la maison ? Kathy et Jonathon seraient ravis si tu dînais avec nous.

— Je te remercie, mais je vais plutôt rester ici.

À son tour, il se leva et, s'approchant de la fenêtre, regarda la rue, située plusieurs étages en contrebas. Une pluie glaciale mêlée de neige frappait les vitres.

— Le temps devient affreux, ajouta-t-il. Conduis doucement en rentrant chez toi.

— Promis. Toi aussi, vas-y doucement, d'accord ? Et quand tu seras prêt...

— Oui, promis.

Il accompagna son ami jusqu'à la porte de l'appartement.

— Merci, Cal. Merci pour tout.

— Tu en aurais fait autant pour moi si je m'étais retrouvé dans la même situation. Phyllis Rowan aurait aussi bien pu être ma patiente que la tienne. À ta place, je n'aurais pas agi différemment de toi.

Les deux hommes échangèrent une poignée de main puis, après avoir pris congé, Cal sortit sur le palier et se dirigea vers l'ascenseur.

Resté seul, Blake retourna près de la fenêtre.

Son ami avait raison. Il devait faire quelque chose. Mais il ne se sentait pas prêt à rejoindre le cabinet médical où il travaillait depuis des années avec ses deux associés, Steve Daley et Cal. Après tout ce qui s'était passé, il avait besoin de s'accorder un peu de temps pour lui — du temps qu'il n'aurait pas s'il restait à Boston.

Peut-être le moment était-il venu pour lui de se lancer dans ce long voyage à travers le pays qu'il s'était promis de faire un jour. Janvier n'était pas l'époque idéale pour entamer un tel périple, mais rien ne le pressait. Il pourrait s'arrêter là où il voudrait. Il finirait peut-être sur une plage ensoleillée de la côte californienne. S'il prenait la direction du sud, le temps ne devrait pas être trop mauvais. Mais il ne pensait pas à descendre vers le sud. Il songeait à…

S'écartant de la fenêtre, il alla s'asseoir sur le canapé. Il songeait à Jenna… Sans doute était-elle mariée et mère de famille. D'ailleurs, elle l'avait probablement oublié depuis bien longtemps, tout comme lui-même aurait dû l'oublier.

Il reprit l'album et le feuilleta pour chercher la photo qu'il préférait de Jenna. Il l'avait prise le jour où elle fêtait ses dix-huit ans. Grande, élancée, elle se tenait debout au bord du lac, ses longs cheveux noirs attachés en queue-de-cheval. Dans ses yeux vert d'eau brillait un regard espiègle. Il avait pris la photo, puis, après avoir posé l'appareil sur un tas de feuilles, il l'avait serrée dans ses bras et…

Étouffant un juron, Blake repoussa l'album et se leva. Que lui arrivait-il ? Il serait vraiment le dernier des imbéciles s'il retournait à Warren's Retreat. Quinze ans auparavant, il avait quitté cet endroit, le cœur déchiré, et il n'avait aucune envie de voir l'histoire se répéter. Apprendre que Jenny Warren s'était mariée et menait une vie de famille heureuse entre son époux et ses enfants serait une véritable souffrance.

Mais cela pourrait aussi l'aider. Peut-être était-ce justement ce dont il avait besoin pour la chasser une bonne fois pour toutes de ses pensées. Peut-être l'expérience valait-elle la peine d'être tentée.

Il hésita encore un moment puis s'installa à son bureau pour écrire une lettre. Il voulait le faire sans tarder, avant de changer d'avis.

Il allait s'inviter à Warren's Retreat. Probablement les Warren ne l'accueilleraient-ils pas à bras ouverts, mais ils ne le chasseraient pas de chez eux. Pas s'il leur disait qu'il souhaitait leur confier son fils durant une partie de l'été. Par ailleurs, il n'abuserait pas de leur hospitalité. Il resterait chez eux juste le temps nécessaire pour apprendre tout ce qu'il voulait savoir. Un jour ou deux devraient suffire.

Quelques minutes plus tard, il glissait sa lettre dans une enveloppe, puis il prit son téléphone. Avec un peu de chance, ce serait Mark qui décrocherait et son fils et lui pourraient se parler un peu avant que Debra ne s'empare du combiné. Ensuite, malgré la pluie glaciale et la neige, il ferait un tour dehors et irait jusqu'au bureau de poste.

1.

— Oh ! Non… tu ne… tu ne peux pas…, murmura Jenna en froissant dans sa main la lettre qu'elle venait de lire.

Les yeux fixés sur l'étroite fenêtre située au-dessus de l'évier de la cuisine, elle essayait de lutter contre la panique qui l'envahissait.

Il n'était pas encore 18 heures, mais dans le nord du Minnesota, à la mi-janvier, il faisait déjà nuit à cette heure-là. Et il avait recommencé à neiger. Dans la vitre, elle ne voyait que son reflet — un visage très pâle, le front plissé, la bouche crispée. Enveloppée dans sa robe de chambre rouge, elle avait enroulé autour de sa tête une serviette blanche. L'image qui s'offrait à elle n'avait rien d'attirant.

Poussant un soupir, elle ôta la serviette qu'elle jeta sur le comptoir, puis elle passa les doigts dans ses courts cheveux noirs et s'éloigna de la fenêtre, ignorant les protestations de son vieux gros chien couché à ses pieds.

Elle ne se considérait pas comme une beauté. Elle n'en avait jamais été une. Mais si, à dix-huit ans, elle avait la fraîcheur de la jeunesse, maintenant qu'elle en avait trente-trois, les choses étaient différentes.

Pourtant, elle ne regrettait pas ses dix-huit ans. Pour rien au monde elle n'aurait voulu redevenir ce qu'elle était à l'époque. Elle préférait la femme qu'elle était aujourd'hui, autonome, indépendante, plutôt que la petite fille apeurée d'alors. Elle était fière du parcours qu'elle avait réalisé au cours des quinze dernières années, et peu lui importait que Blake en ait connaissance.

Mais il y avait une chose qu'elle ne voulait pas qu'il apprenne.

Une chose qu'il aurait eu le droit de savoir depuis des années, et qu'elle avait peur qu'il ne découvre s'il venait à Warren's Retreat.

— Je ne suis pas d'humeur à affronter ça, murmura-t-elle. Pas du tout !

Elle s'était levée à 5 h 30, le matin, pour se rendre au Elk Rock Memorial Hospital où elle avait travaillé de 7 à 15 heures au service des urgences. Son service terminé, elle était passée à la poste pour prendre le courrier adressé au camp de vacances, puis elle était rentrée chez elle, à quinze kilomètres de là, conduisant avec prudence sur la route verglacée. Durant tout le trajet, elle n'avait rêvé que d'un solide repas chaud suivi d'une bonne nuit de sommeil. Elle n'avait aucune envie de voir Blake Hammond débarquer dans sa vie, réveillant de vieux souvenirs qui lui rappelleraient tout ce qu'elle avait perdu.

Si seulement il avait adressé sa lettre au camp de vacances, elle l'aurait eue une semaine plus tôt, ce qui lui aurait donné le temps de réfléchir, de prévoir quelque chose. Mais il l'avait envoyée à ses parents. Ceux-ci passant l'hiver à Sarasota, la lettre leur avait été réexpédiée là-bas et sa mère avait attendu plusieurs jours avant de la lui renvoyer.

Si seulement elle avait ouvert l'enveloppe avant d'ôter son uniforme, de se démaquiller et de prendre une douche chaude, elle aurait peut-être eu l'énergie de préparer un sac de voyage, de prendre son chien et de partir pour Duluth. Mais cela aurait ressemblé à une fuite. Elle avait appris depuis longtemps que s'enfuir créait plus de problèmes que cela n'en résolvait. Quinze ans plus tôt, elle avait fui Blake, et quel bénéfice en avait-elle tiré ?

— Aucun, murmura-t-elle.

De toute façon, il n'était pas question pour elle, ce soir, d'aller où que ce soit, alors qu'elle était en robe de chambre, avec son dîner dans le four, et que le blizzard menaçait dehors. Elle allait rester chez elle, quoi qu'il arrive... y compris Blake Hammond.

Pourquoi voulait-il revenir ici ? Pourquoi ?

Défroissant la lettre, elle relut les quelques lignes qu'il avait rédigées deux semaines auparavant. Il annonçait qu'il serait à Elk Rock le 18 janvier. Il souhaitait passer un week-end à Warren's

Retreat afin de voir comment était le camp aujourd'hui avant d'y inscrire son fils pour une quinzaine de jours l'été suivant.

— Jusqu'à quel point les choses ont-elles changé depuis la dernière fois où tu es venu ? chuchota-t-elle, le cœur serré.

Il avait un fils, un garçon solide, en bonne santé, tandis que le sien… son bébé… était…

« Nous sommes désolés, mademoiselle Warren. Il était si petit, mais c'était un battant. Nous pensions qu'il survivrait. »

— Arrête, Jenna ! s'écria-t-elle. Arrête de penser au passé et de pleurer sur ton sort. Pense à Blake Hammond et à ce que tu feras si jamais il apparaît sur le pas de la porte.

Elle aurait une seule chose à faire : se débarrasser de lui au plus vite, avant qu'il ne découvre la vérité au sujet de Robbie. Elle ouvrit la porte du four et retourna le poulet qu'elle avait mis à rôtir avant de prendre sa douche.

Il ne saurait rien à propos de Robbie. Impossible… Car s'il l'apprenait, il lui reprocherait la mort de leur enfant, tout comme elle se la reprochait elle-même.

Si, comme il le lui avait demandé, elle l'avait suivi à Boston, son bébé aurait pu survivre. Sa peur, ses doutes et son excès d'orgueil lui avaient coûté la vie de leur enfant. C'était déjà assez difficile de vivre en sachant qu'elle s'était conduite comme une pauvre idiote, et elle ne supporterait pas que Blake le découvre, lui aussi.

— Morgan ! Qu'y a-t-il ?

Le vieux chien venait de se dresser sur ses pattes aussi vite que le lui permettait son corps massif. Son regard endormi céda la place à une vivacité soudaine tandis qu'il émettait une sorte d'aboiement rauque en s'agitant devant la porte.

Jenna retourna près de la fenêtre. À travers la vitre, elle aperçut les phares d'une voiture engagée dans la longue allée sinueuse qui menait à la maison. Quelqu'un s'approchait et elle savait qui c'était.

Et si elle lui faisait croire qu'elle n'était pas là ?

— Allons, Jenna, comporte-toi en adulte, toi qui te vantes

tellement d'en être une, marmonna-t-elle en rejoignant le chien près de la porte.

De toute façon, elle savait que si elle ne recevait pas Blake Hammond ce soir, il reviendrait le lendemain, ou le surlendemain, jusqu'à ce qu'il ait obtenu ce qu'il voulait.

— Tout va bien, mon chien, il ne va pas rester, dit-elle d'un ton calme, cherchant à se rassurer tout autant que l'animal.

Elle se sentait capable de faire face à Blake pendant cinq ou dix minutes, le temps de régler la situation. Elle pouvait le faire, et elle le ferait.

Respirant à fond, elle observa à travers l'œilleton l'arrivée d'une élégante voiture de sport noire qui avançait lentement sur la couche de neige fraîche. Elle ferma les yeux et porta la main à sa poitrine, tentant de garder son sang-froid. Elle savait qui était au volant de la Porsche.

Lorsqu'elle rouvrit les paupières, le moteur de la voiture était coupé et les phares éteints. Qu'attendait Blake pour ouvrir la portière ? Réfléchissait-il à ce qu'il allait lui dire, après tant d'années ?

Mais non ! Il pensait être accueilli par Fern et par Henry. C'étaient eux qu'il était venu voir. Pas elle.

Soudain, elle aperçut un homme en jean, bottes et blouson de cuir noir qui sortait de la voiture et s'avançait dans la neige. Le vent ébouriffait ses épais cheveux noirs, lui dégageant le visage. Quinze ans s'étaient écoulés depuis la dernière fois où elle avait vu Blake, mais elle le reconnut sans peine tandis qu'il grimpait les marches du perron.

Elle faillit sourire devant son air étonné lorsqu'elle lui ouvrit la porte. Visiblement, il ne s'était pas attendu à la trouver ici. Comme il restait silencieux, elle en profita pour le regarder fixement.

Il n'avait guère changé. Il était toujours aussi grand, avec les mêmes cheveux noirs et le teint mat… et il était toujours aussi beau. Cependant, il semblait plus marqué par le temps qu'elle ne l'aurait cru. Il avait les traits tirés et quelques fils d'argent dans son abondante chevelure. Elle nota aussi dans son regard une tristesse, une incertitude qu'elle n'y avait jamais vues autrefois. Elle en eut le cœur serré, à un point tel qu'elle en fut la première surprise.

Elle s'était préparée à affronter le Blake Hammond qu'elle avait connu jadis, avec son sourire arrogant et ses remarques cinglantes destinées à l'intimider. Elle n'avait pas imaginé éprouver pour lui une attirance aussi soudaine qu'étrange. Elle avait envie de le toucher, de lui dire que tout irait bien. Elle voulait le guérir des coups qu'il semblait avoir reçus.

— Bonsoir, Blake.

— Tu t'es coupé les cheveux, dit-il d'une voix grave, le regard accusateur.

Elle se sentit rougir. Comment ne pas penser à la promesse qu'elle lui avait faite, des années auparavant ?

Ils se trouvaient alors seuls tous les deux dans leur refuge secret, près du lac. Il avait commencé à la déshabiller…

« Ne te coupe jamais les cheveux, Jenna. Promets-le-moi.

— Même lorsque je serai vieille, avec des cheveux gris ? »

— Oui. Ne les coupe jamais. »

— Oh ! Blake, cela semble si… »

— Promets-le-moi, Jenna. »

— Je te le promets. »

Elle n'avait pas tenu sa promesse. Mais quelle importance ? Il s'agissait de ses cheveux, et, si Blake n'était pas content, c'était son problème. Son problème à elle, c'était de trouver le moyen de se débarrasser de lui, et le plus tôt serait le mieux.

Si Blake s'attardait davantage, elle devrait lui proposer de passer la nuit ici. La route menant à Elk Rock pouvait s'avérer dangereuse en cas de tempête. Elle ne voulait pas lui faire courir de risques, elle avait déjà suffisamment mauvaise conscience comme cela vis-à-vis de lui.

— Que fais-tu ici ? demanda-t-elle d'un ton sec.

Elle avait froid, avec cette porte ouverte, et elle se sentait fatiguée. Tout comme lui, sans doute. Mais elle refusait de se laisser attendrir.

— Et toi, qu'y fais-tu ? rétorqua-t-il en fourrant ses mains dans les poches de son blouson.

Une rafale de vent lui ébouriffa les cheveux et couvrit ses épaules d'une mince couche de neige.

— J'habite dans cette maison.

— Vraiment ? Avec tes parents ?

Jenna lut dans son regard de la surprise et un brin de pitié.

— Je vis seule.

Elle fit un pas en arrière et saisit la poignée de la porte.

— Je crois que tu ferais mieux de…

— Jenna, attends.

Il s'avança et lui attrapa le bras, l'empêchant ainsi de battre en retraite.

— Je me conduis comme un idiot. Je ne suis pas venu ici pour te chercher querelle. Je ne pensais même pas te voir.

Il marqua une pause, comme s'il attendait qu'elle dise quelque chose. Mais elle le regardait sans rien dire, incapable de prononcer un mot. Il était beaucoup trop près d'elle.

La douceur soudaine de sa voix et le contact de sa main posée sur son bras déclenchèrent chez elle un frisson qui ne devait rien à l'air glacé qui les transperçait.

Il y avait si longtemps que cet homme, ou n'importe quel autre, ne l'avait tenue ainsi, comme s'il était décidé à ne jamais la laisser partir. Elle avait oublié combien c'était bon.

— Si nous essayions de repartir de zéro ? demanda-t-il enfin, lui décochant son sourire irrésistible. Tu sais, il fait affreusement froid, ici. Puis-je… puis-je entrer ?

Elle ne voulait pas repartir de zéro. Et elle ne voulait pas de lui dans sa maison. Elle voulait… elle voulait… poser la tête sur son épaule, frotter sa joue contre son sweater, presser ses lèvres sur sa peau nue, à la base du cou.

Faisant appel à toute sa volonté, elle libéra son bras et recula.

— Je ne crois pas que ce soit une bonne idée. Avec un temps pareil, tu ferais mieux de retourner en ville avant que les routes ne deviennent impraticables. Si ta femme t'attend à Elk Rock, j'imagine qu'elle doit s'inquiéter pour toi.

Il la fixa un long moment avant de répondre.

— Mon ex-femme vit à Boston avec mon fils. Je suis seul, Jenna. Tout comme toi. Dis-moi, as-tu peur de moi ?

— Mais non, bien sûr, je ne…

— Je ne suis pas venu ici pour te créer des problèmes, et pour rien au monde je ne voudrais te faire du mal. Tu le sais, n'est-ce pas ?

— Oui, je le sais. Seulement… je pensais que…

Elle comprenait maintenant que s'il était revenu à Warren's Retreat, c'était peut-être parce qu'il voulait y retrouver une partie de son passé. Comment pouvait-elle lui refuser cela ? Il avait été son ami et son amant, il avait toujours occupé une place spéciale dans son cœur. Une place qu'il aurait toujours.

Croisant son regard, elle y vit encore de la tristesse et de l'incertitude. Il souffrait certainement d'une blessure profonde qu'il avait enfouie en lui. Comment pourrait-elle l'empêcher de rester ici un jour ou deux si cela l'aidait à apaiser sa douleur ? Il ne risquait pas, avec un séjour aussi court, de découvrir quoi que ce soit sur Robbie.

— Tu n'es pas le seul à t'être conduit comme un imbécile, dit-elle avec un sourire. Cela fait au moins dix minutes que j'aurais dû t'inviter à entrer. Le dîner est presque prêt et il y en a bien assez pour deux. Si tu veux, tu peux prendre dans ta voiture tout ce dont tu as besoin pour la nuit et, ensuite, tu la mettras dans le garage. Je t'offre volontiers l'hospitalité jusqu'à demain matin. Les chambres d'amis sont toutes…

— Tu es sûre, Jenna ? l'interrompit-il, l'air étonné.

— Mais oui. Avec le temps qu'il fait dehors, tu mettras très longtemps à regagner Elk Rock, et il te faudra revenir demain matin si tu veux inspecter le camp de vacances. C'est bien pour ça que tu es venu, non ?

— Oui, mais je ne pensais pas… je ne m'attendais pas à… Je ne sais pas si c'est une bonne idée que je passe la nuit ici.

Pas une bonne idée ? Que croyait-il donc ? Qu'elle allait lui sauter dessus au beau milieu de la nuit ? Elle tenait à mettre les choses au point immédiatement.

— Si tu préfères rentrer à Elk Rock, fais-le. Je ne vais pas me jeter en travers de la route pour t'empêcher de partir, ajouta-t-elle d'un ton sarcastique. Mais si tu choisis de rester, eh bien, reste. Le dîner sera sur la table dans vingt minutes.

Tournant les talons, elle rentra dans la maison et ferma la porte derrière elle.

Pendant quelques instants, Blake resta les yeux fixés sur cette porte close. Il ne plaisantait pas quand il disait que passer la nuit ici ne lui semblait pas une bonne idée. Dès l'instant où Jenna lui avait ouvert, il n'avait eu qu'une envie : la prendre dans ses bras et l'embrasser. Il l'avait mise en garde : s'ils restaient seuls tous les deux, tout pouvait arriver. Mais elle n'avait pas paru tenir compte de cet avertissement.

Étouffant un juron, il redescendit les marches du perron. Qu'importait le blizzard, il devait remonter dans sa voiture et regagner Elk Rock.

Il était venu ici avec l'idée que cela l'aiderait à chasser Jenna Warren de son esprit et de son cœur une bonne fois pour toutes. S'il avait découvert qu'elle était mariée, son plan aurait réussi, car il n'était pas du genre à convoiter la femme d'un autre. Mais, apparemment, Jenna n'avait pas d'homme dans sa vie. Elle vivait seule dans cette vieille et grande maison, au milieu de nulle part. Et elle lui avait demandé d'y passer la nuit.

Elle ressemblait beaucoup à la Jenna d'avant tout en étant maintenant très différente. Il retrouvait la jeune fille qu'il avait aimée chez la femme plus âgée, plus réservée et infiniment plus mystérieuse qu'elle était devenue. Une femme qu'il avait envie de connaître.

Elle n'était plus la gamine naïve d'autrefois. Elle avait perdu sa timidité et son manque d'assurance. Il lui avait reproché de s'être coupé les cheveux, mais il devait reconnaître que cette nouvelle coiffure lui allait très bien. Comme il aurait aimé glisser ses doigts dans cette chevelure soyeuse, suivre le contour de ses joues, puis de son long cou si gracieux et…

— Tu es resté sans femme depuis trop longtemps, Hammond,

se dit-il à mi-voix en ôtant la neige qui s'était accumulée sur le pare-brise.

Divorcé depuis trois ans, il était sorti avec plusieurs jeunes femmes, mais aucune ne lui avait donné l'envie de s'engager dans une relation plus sérieuse. Après que Phyllis Rowan l'eut accusé de l'avoir agressée, il avait renoncé à tout rendez-vous amoureux. Voilà peut-être pourquoi il trouvait Jenna Warren si attirante.

Mais peut-être pas. Jenna et lui avaient ri et pleuré ensemble. Ils avaient partagé les mêmes espoirs, les mêmes rêves et les mêmes peurs bien avant de devenir amants. Elle avait été sa meilleure amie. Non seulement il l'avait aimée, mais il avait mis en elle toute sa confiance, comme elle-même avait mis toute confiance en lui.

Il lui avait affirmé, tout à l'heure, qu'il ne voulait pas lui faire de mal. Physiquement, elle n'avait rien à craindre de lui. Mais affectivement…

— Allez, monte dans ta voiture et va-t'en, se dit-il d'une voix rauque.

Malgré la neige qui tombait de plus en plus dru, il allait rentrer à Elk Rock.

Ouvrant la portière, il s'installa derrière le volant et mit le moteur en marche. Il attendit un moment, écoutant les battements de son cœur tandis qu'il regardait les flocons de neige tourbillonner dans le ciel nocturne.

Finalement, après avoir poussé un soupir résigné, il alluma les phares et prit la direction du garage. Il voulait passer un peu de temps avec Jenna Warren. Il en avait besoin. Tant qu'il s'abstiendrait de la toucher, où était le mal ? Et il était bien décidé à ne pas poser les mains sur elle.

Cinq minutes plus tard, portant son sac sur l'épaule, il franchit la porte de la cuisine. La chaleur de la pièce l'enveloppa et les délicieuses odeurs qui s'échappaient du four lui mirent l'eau à la bouche.

Il s'arrêta en voyant Jenna arborer un sourire satisfait. Elle avait voulu le garder ici pour la nuit. Que désirait-elle d'autre ? Se pourrait-il qu'elle partageât les mêmes désirs que lui ? Elle était en robe de chambre et en pantoufles, comme si elle s'apprêtait à se mettre au lit. Et lui-même se sentait prêt à…

— Tu peux t'installer dans l'une des chambres du haut, dit-elle.

— N'importe laquelle ? demanda-t-il avec un large sourire.

D'après ses souvenirs, elle-même dormait à l'étage.

— Oui, bien sûr. Mes neveux et nièces viennent ici régulièrement, aussi y a-t-il des draps sur les lits et des serviettes de toilette dans la salle de bains. Tu n'auras qu'à te servir.

Sans doute venait-elle de comprendre le sens de sa question, car, soudain, elle rougit.

— Je… je dors en bas, maintenant.

Lui tournant le dos, elle ouvrit un placard.

— Nous pourrons nous mettre à table dans cinq minutes. À moins que tu n'aies besoin d'un peu plus de temps pour t'installer.

— Non, cela me va. Je n'en aurai pas pour longtemps.

Il tentait de prendre un ton léger pour masquer sa déception. En quelques mots, Jenna venait de le remettre à sa place. Qu'avait-il imaginé ? Ce n'était pas parce qu'ils avaient été amants voilà une quinzaine d'années qu'ils allaient nécessairement le redevenir. Pas après la façon dont ils s'étaient séparés. Il s'était mis tellement en colère, et elle avait été si blessée, si perdue.

« Je dois retourner à Boston, Jenna. Ne me laisse pas repartir tout seul. Tu sais que nous appartenons l'un à l'autre.

— Je ne peux pas, Blake. Je t'en prie, essaie de comprendre. Ils ont besoin de…

— Et tes besoins à toi ? Ou peut-être as-tu plus besoin d'eux que de moi ? Ah, je suis fatigué de te supplier. Si tu veux de moi, si tu as besoin de moi, tu sais où tu peux me trouver. »

Il entendait encore le bruit de la porte qu'il avait claquée et le crissement des pneus sur la route. Quel idiot il avait été ! Un sale type, plein d'orgueil et d'arrogance. Et, apparemment, il n'avait guère changé. Il était venu à Warren's Retreat pour satisfaire un caprice, sans réfléchir aux conséquences pour Jenna et pour lui-même.

La revoir avait déclenché chez lui bien plus que des souvenirs.

Mais il lui avait promis de ne pas lui faire de mal. S'introduire dans son lit simplement pour combler un désir physique serait la pire des choses, pour elle comme pour lui.

Chargé de son sac, il grimpa l'escalier et s'arrêta quelques instants sur le seuil des trois premières chambres. L'une avait toujours fait office de chambre d'ami et les deux autres avaient été celles des frères de Jenna. Toutes ne semblaient être utilisées que de façon sporadique. Elles étaient trop nettes, trop propres pour être occupées en permanence.

La quatrième chambre, située au bout du couloir, avait été celle de Jenna. Blake constata que la jeune femme y avait opéré des changements notables. Les murs rose pâle avaient été repeints dans une couleur vieux rose, le mobilier rustique avait été remplacé par des meubles anciens. Le couvre-lit vaporeux rayé rose et blanc avait fait place à un tissu vert foncé, plus simple et plus solide. Cette chambre était aussi neutre et aussi anonyme que les trois autres, mais elle avait été celle de Jenna, et il savait que la chambre du rez-de-chaussée se trouvait juste sous celle-ci. Sans doute aurait-il du mal à dormir, cette nuit, et il éprouvait une sorte de plaisir pervers à l'idée que Jenna entendrait les craquements et les grincements des ressorts chaque fois qu'il se retournerait dans son lit.

Après s'être débarrassé de son sac et de son blouson, il redescendit dans la cuisine. Jenna avait mis le couvert et posé sur la table un poulet accompagné de légumes fumants.

— Je peux t'aider, dit-il en la voyant se battre avec un tire-bouchon et une bouteille de vin blanc.

— Volontiers. Je vais sortir les petits pains du four. Après, nous passerons à table. Je meurs de faim !

— Moi aussi.

Malgré lui, il avait pris une voix enrouée qui donnait à sa remarque un double sens. Oui, il avait faim, et pas seulement de nourriture.

Jenna le regarda fixement quelques secondes tandis que son sourire s'estompait, puis elle s'occupa des petits pains tandis qu'il débouchait la bouteille.

Ils prirent place autour de la table. Après s'être servie, Jenna lui passa le plat sans dire un mot.

Blake comprenait sa froideur soudaine. Elle l'avait accueilli chez elle, mais avec des réticences dont il aurait dû tenir compte. Il n'avait pas le droit d'essayer de la séduire alors qu'il savait ne rester là que très peu de temps. Ce ne serait pas loyal envers elle.

— Il y a bien longtemps que je n'ai pas eu un dîner fait maison comme celui-ci, dit-il d'un ton léger.

L'observant du coin de l'œil, il la vit se détendre.

— Et il y a bien longtemps que je n'ai pas cuisiné un repas pareil, répliqua-t-elle en souriant. D'habitude, je me contente de sortir du congélateur quelque chose que j'enfourne aussitôt dans le micro-ondes.

— Ah, tu as donc préparé tout ça pour moi ? demanda-t-il d'un air taquin. Parce que tu m'attendais ?

— Quelle prétention ! Je l'ai préparé pour moi. Je n'ai appris ta venue qu'une demi-heure avant ton arrivée.

— Mais j'ai posté ma lettre il y a deux semaines !

— Tu l'as adressée à mes parents qui ont acheté un logement à Sarasota, voici déjà quelques années. Lorsqu'ils sont en Floride, ils font suivre leur courrier là-bas. Ma mère a réexpédié ta lettre ici. Elle est arrivée aujourd'hui seulement.

— Serais-tu restée chez toi ce soir si tu avais appris plus tôt que j'arrivais ?

Elle prit son temps avant de répondre.

— Je n'en suis pas sûre.

La réponse était claire. Si elle avait eu le choix, elle serait partie quelques jours pour ne pas se retrouver seule avec lui. Parce qu'ils savaient tous les deux que, malgré leurs bonnes résolutions, cette situation était dangereuse pour eux.

— Et toi, serais-tu venu si tu avais su que j'habitais ici ?

— Je n'en suis pas sûr. Mais je suis là, à présent, et toi aussi. Et je suis content.

Elle le contempla un moment et esquissa un petit sourire.

— Moi aussi, dit-elle.

Elle saisit son verre et le leva dans sa direction, comme pour porter un toast.

— J'imagine que cela nous met à égalité, non ? ajouta-t-elle avant de boire une gorgée de vin sans le quitter des yeux.

— Oui, nous sommes à égalité, dit-il, levant aussi son verre.

Voulant éviter d'aborder des sujets trop personnels, il lui posa des questions sur sa famille. Elle parut contente de parler de ses parents et de ses frères, tous les deux mariés, pères de famille et très pris par leur travail.

Il comprit que la charge de Warren's Retreat incombait principalement à Jenna. Vivant là toute l'année, elle s'occupait des préparatifs de la saison, du courrier, des réservations et du recrutement du personnel. Ses frères assuraient l'entretien des lieux et revenaient, comme leurs parents, passer l'été ici pour lui donner un coup de main.

— Et tes parents, Blake ? Vivent-ils toujours à Boston ?

— Ils sont dans l'Arizona depuis quelques années. Comme les tiens, ils ne supportent plus les hivers glacés. Ils reviennent à Boston chaque automne, pour une quinzaine de jours. Et, l'été, j'emmène mon fils les voir à Phoenix.

— Quel âge a-t-il ? s'enquit-elle en se levant de table.

— Mark a douze ans. C'est un gentil gamin. Je crois que tu l'aimerais bien.

— J'en suis certaine.

Jusqu'à présent, leur conversation avait eu un ton léger et amical, mais Blake avait l'impression que, depuis qu'il avait parlé de Mark, une barrière s'était dressée entre Jenna et lui.

— Jenna, que se passe-t-il ? Qu'est-ce qui ne va pas ?

— Mais rien du tout, répondit-elle, affichant un sourire forcé. Dis-moi, je me suis toujours demandé si tu avais terminé tes études de médecine ?

— Oui, je suis médecin.

Visiblement, elle ignorait tout des problèmes qu'il venait de connaître et il n'avait pas l'intention de la mettre au courant. À vrai dire, il n'avait aucune envie de parler de lui.

— As-tu ton propre cabinet médical ? poursuivit-elle.

— Tu te souviens de Cal Corelle ? demanda-t-il en se levant pour l'aider à remplir le lave-vaisselle. Nous nous sommes associés avec un troisième médecin, Steve Daley. Nous nous sommes connus en faisant notre internat. Nous avons un cabinet de consultations à Cambridge.

— Et ils t'ont laissé venir dans le Minnesota ? J'aurais cru qu'à cette période de l'année, vous étiez débordés de travail !

— J'avais besoin de faire une pause et j'en ai profité pour venir jusqu'ici. Nous avons un médecin qui assure les remplacements lorsque l'un de nous s'absente.

De toute évidence, elle n'était pas décidée à lui dire ce qui la troublait. Lui-même était las de répondre à ses questions. Il chercha à amener la conversation sur un terrain neutre. Avisant un bibelot émaillé posé sur le rebord de la fenêtre, il le prit pour le regarder de près.

— Où as-tu eu cela ? C'est très joli.

— Je l'ai rapporté de Florence.

— Florence ? En Italie ? Tu es allée là-bas ? Avec qui ? Tes parents, un petit ami… ?

— J'y suis allée seule.

— Ah, je vois.

Il remit le bibelot en place tandis que Jenna posait sur la table une cafetière et deux tasses déjà remplies. À cet instant, la sonnerie du téléphone mural retentit. Alors que la jeune femme décrochait, Blake s'assit pour boire son café.

— Mais oui, madame Purdy, tout va bien, dit Jenna. C'est un ami de… de mes parents. Il va passer la nuit ici à cause de ce mauvais temps et repartira dès demain matin.

Blake n'aimait pas la façon dont elle s'exprimait. Il était son ami à elle, et il n'avait pas dit qu'il repartirait à l'aube.

Après avoir promis à son interlocutrice de la rappeler le lendemain, Jenna raccrocha.

— C'est une de tes amies ? demanda Blake.

— Une voisine qui habite la maison au bout de la route. Elle a vu passer ta voiture et elle voulait s'assurer que tout allait bien pour moi. Comme nous vivons seules l'une et l'autre, chacune veille sur l'autre.

— Est-ce que c'est vrai ?

— Quoi donc ?

— Est-il vrai que tout va bien pour toi ? En te retrouvant seule ici, en compagnie d'un ami de tes parents ?

Il ne pouvait s'empêcher de jouer les provocateurs, car il ne supportait pas de la voir prendre ses distances avec lui.

— Mais oui, tout va bien. En réalité, je suis assez fatiguée et je dois encore faire pas mal de paperasse, ce soir. Aussi, je vais te souhaiter bonne nuit. Il y a du gâteau au chocolat dans la boîte à pain, tu n'auras qu'à te servir, et il reste du café. Tu peux laisser sortir Morgan s'il le demande, mais, avant d'aller te coucher, assure-toi qu'il est bien rentré.

Au moment de quitter la cuisine, elle se retourna.

— Si tu veux, tu peux faire la grasse matinée, demain matin. Les routes ne seront pas dégagées avant midi. À moins que... tu ne sois... pressé.

— C'est toi qui me parais pressée, murmura-t-il.

— Que dis-tu ?

— Bonne nuit, Jenna, dit-il avec un sourire rassurant.

— Ah !

Elle semblait étonnée qu'il la laisse partir si facilement.

— Eh bien... bonne nuit, Blake. On se verra demain matin.

Tournant les talons, elle disparut dans le vestibule. Quelques instants plus tard, Blake entendit une porte claquer.

— Tu peux être sûre de me revoir demain matin, mademoiselle Warren, murmura-t-il en se servant une autre tasse de café. Et aussi demain après-midi, et demain soir...

Morgan, resté jusque-là très calme, s'approcha de lui et posa la tête sur ses genoux, comme s'il avait senti que Blake avait besoin de compagnie.

— Tu as envie d'aller faire un petit tour, Morgan ? Bonne idée ! L'air frais nous fera du bien.

Il monta chercher son blouson dans sa chambre puis sortit de la maison, Morgan sur ses talons. Après avoir marché une dizaine de minutes dans la neige et le froid, il eut envie d'une douche bien chaude.

Il lui fallait trouver le moyen de prolonger son séjour à Warren's Retreat sans gêner Jenna, se dit-il plus tard alors qu'il se glissait sous ses couvertures. Parce que maintenant qu'il avait retrouvé la jeune femme, il n'avait aucune envie de la perdre une seconde fois.

2.

Pour la énième fois, Jenna se retourna dans son lit, cherchant en vain le sommeil. Les aiguilles fluorescentes du réveil posé sur la table de nuit indiquaient 3 heures du matin.

Marmonnant quelques mots bien sentis, elle enfouit son visage dans l'oreiller. Un peu plus tard, elle entendit les grincements des ressorts du lit qu'occupait Blake dans la chambre située juste au-dessus de la sienne, puis son attention fut attirée par les grognements de Morgan et le bruit de ses griffes sur le parquet. Le traître ! pensa-t-elle. D'habitude, il dormait au pied de son lit, mais comme, au moment de se coucher, elle avait fermé sa porte, son vieux chien avait trouvé refuge dans la chambre de Blake.

Blake. Si elle passait une nuit blanche, c'était à cause de lui, incapable qu'elle était de le chasser de son esprit. Si elle avait su que sa présence la perturberait autant, jamais elle ne lui aurait proposé de passer la nuit sous son toit.

Le revoir la replongeait brutalement dans le passé. Elle avait l'impression que quelques jours seulement s'étaient écoulés depuis leur séparation, et non pas des années.

Elle avait toujours attaché beaucoup d'importance à ce que disait et pensait Blake. Il était différent des autres garçons qui venaient passer l'été à Warren's Retreat et peut-être était-ce cette différence qui l'avait attirée. Alors que les autres la considéraient comme un des leurs, lui avait paru comprendre qu'elle n'était pas tout à fait le garçon manqué qu'elle prétendait être. Il était devenu son meilleur ami.

Elle avait conservé les lettres qu'il lui écrivait durant les longs mois où ils restaient séparés. Elle lui répondait, rédigeant des textes légers et amusants où rien ne transparaissait de son amour grandissant pour lui. Elle le trouvait tellement plus mûr et plus sage qu'elle que jamais elle n'aurait imaginé qu'il pût, lui aussi, tomber amoureux d'elle. Mais, l'été de ses seize ans, il l'avait embrassée. Elle avait alors espéré que leur amitié se transformerait en autre chose. Elle se mit à rêver d'un bonheur parfait, se voyant couler, sa vie durant, des jours heureux à Warren's Retreat.

Elle était alors si jeune et si naïve qu'elle n'avait pas réfléchi aux changements qu'elle connaîtrait inévitablement si elle devenait la femme de Blake Hammond. Elle savait vaguement qu'il comptait faire ses études de médecine à Boston, mais elle n'avait pas pris la mesure des conséquences que cela entraînerait pour elle.

L'été qui avait suivi sa dernière année au collège, ils avaient fait l'amour. Elle était si éprise de lui que, lorsqu'il lui avait demandé de l'épouser, elle avait accepté sans l'ombre d'une hésitation. Ni la désapprobation de ses parents ni ses vagues craintes à l'idée de quitter le cocon familial ne l'avaient dissuadée de suivre Blake à l'autre bout du pays. Durant la dernière semaine d'août, elle était partie avec lui à Boston afin de rencontrer ses parents et de commencer à parler de l'organisation du mariage.

Ils l'avaient bien accueillie, mais, au bout de deux jours, ils avaient repris leurs activités habituelles. Accaparés par leur travail, leur cercle d'amis et leurs projets personnels, ils ne s'étaient plus guère occupés d'elle. De son côté, Blake était très pris par les préparatifs de dernière minute de son entrée à la faculté de médecine et il avait de moins en moins de temps à lui consacrer. Le pire, c'était le sentiment de gêne que Jenna éprouvait en présence des amis de son fiancé, tous plus âgés et plus sophistiqués qu'elle. Elle se trouvait mal habillée, et trop sauvageonne au milieu de ces gens élégants.

Se retrouvant très seule dans une ville inconnue, à des centaines de kilomètres de chez elle, elle avait enfin commencé à comprendre ce qui l'attendait. Elle avait promis à Blake Hammond de l'épouser sans imaginer le bouleversement que cela provoquerait dans sa vie. À présent, elle avait peur de ne pouvoir assumer de tels changements.

La panique l'avait alors saisie. Prenant comme prétexte l'accident sans gravité dont son jeune frère avait été victime en mobylette, elle était retournée à Warren's Retreat moins de deux semaines après son arrivée à Boston, déclarant qu'elle ne savait pas combien de temps sa famille aurait besoin d'elle. Elle était partie sans que la date du mariage ait été fixée.

Blake s'était montré patient, mais, à mesure que le temps passait, il se faisait plus insistant. Quand reviendrait-elle à Boston ?

Il avait fini par se lasser. À la fin du mois d'octobre, un vendredi, il avait débarqué dans le Minnesota alors qu'elle se trouvait seule à la maison. Lorsqu'il l'avait prise dans ses bras, elle s'était sentie incapable de lui résister, et ils avaient fait l'amour. Pourtant, aussitôt après, elle lui avait déclaré qu'elle ne retournerait pas à Boston avec lui. Profondément blessé, il s'était mis en colère et il était reparti sans se retourner.

Deux mois plus tard, Jenna avait découvert qu'elle était enceinte. Jamais elle n'avait eu autant besoin de Blake, mais elle était trop fière pour prendre contact avec lui. Comme il n'avait donné aucune nouvelle depuis le mois d'octobre, elle en avait conclu qu'elle ne l'intéressait plus. Si elle lui avait dit qu'elle attendait un enfant, il aurait certainement assumé ses responsabilités, mais elle voulait bien davantage. Ce qu'elle aurait voulu, c'était retrouver son amour et sa confiance, deux choses qu'elle pensait avoir perdues à jamais.

Elle était donc restée à Warren's Retreat. Cela n'avait pas été facile, mais sa famille l'avait soutenue lorsqu'elle avait décidé de garder le bébé.

Tout s'était bien passé jusqu'à cette nuit du mois de mai où les douleurs avaient commencé. Son bébé était né prématurément et l'hôpital d'Elk Rock ne disposait pas de l'équipement qui aurait peut-être sauvé l'enfant. Dans une ville comme Boston, son fils aurait sans doute survécu. Si seulement elle ne s'était pas montrée si fière, si elle était allée voir Blake pour lui dire qu'elle était enceinte, qui sait, son petit garçon serait peut-être bien vivant aujourd'hui ?

Elle fondit en larmes. Pendant des années, elle n'avait pas pleuré, mais, soudain, elle semblait ne plus pouvoir s'arrêter. C'était la faute de Blake.

Il n'avait pas le droit de venir ici, de réveiller des souvenirs douloureux qu'elle préférait oublier. Elle n'avait plus besoin de lui. Pas plus qu'il n'avait besoin d'elle. Il était marié, non ? Et il avait un fils, un garçon solide, en bonne santé.

Mais il s'était montré si chaleureux, si présent. Et, après tout ce temps, il avait été si facile de parler avec lui. Il l'avait interrogée sur elle, sur sa vie. S'ils n'avaient pas été interrompus par l'appel de Mme Purdy, peut-être lui aurait-elle fait des confidences... et même lui aurait-elle tout dit ?

— Comment pourrais-je ? murmura-t-elle. Comment pourrais-je lui avouer que j'étais trop fière pour lui demander de m'aider, et qu'à cause de ça notre enfant est mort ?

C'était impossible. Elle ne le ferait pas. De toute façon, le matin venu, il s'en irait.

Elle ferma les yeux, mais ne s'endormit qu'à l'aube.

Lorsqu'elle se réveilla, il faisait grand jour. Elle avait mal à la tête et sentait ses yeux la picoter. Ils devaient être tout rouges et gonflés, songea-t-elle en se tournant sur le côté pour regarder l'heure. Mais, soudain, une grosse langue chaude et humide lui balaya la joue. Quelques secondes plus tard, Morgan se hissait lourdement sur le lit et s'écroulait à côté d'elle, la queue frétillante.

— Qu'est-ce que tu crois ? s'exclama Jenna. Tu m'as abandonnée toute la nuit, et tu penses qu'il te suffit de venir me voir et de me faire un câlin pour que je te pardonne ? Je sais bien que j'avais fermé ma porte, mais...

Elle avait fermé sa porte. Alors comment le chien était-il entré ? Se retournant dans le lit, elle vit que la porte était grande ouverte, et son regard croisa celui de Blake Hammond.

Vêtu d'un jean délavé et d'une chemise écossaise bleue, il

était appuyé contre le chambranle, les mains dans les poches et le sourire aux lèvres. Il la regardait d'un air malicieux.

— Qu'est-ce que tu fais là ? demanda-t-elle, le cœur battant à tout rompre. J'ai fermé la porte parce que je voulais…

— C'est sa faute, coupa Blake en désignant le chien tandis qu'il s'avançait dans la chambre. Il se faisait du souci pour toi. Il m'a juré que tu te levais toujours avant 10 heures, et il est presque 10 h 30. Il m'a demandé de venir voir si tu allais bien.

— Et, bien sûr, maintenant que vous êtes devenus copains tous les deux, tu as accepté ?

— Oui, quelque chose comme ça.

Il s'assit au bord du lit et lui caressa doucement la joue.

— Alors, Jenna, est-ce que tu vas bien ?

— Heureusement… oui, je… je vais bien.

Il fronça les sourcils et, avec son pouce, suivit sur son visage le tracé des larmes qu'elle avait versées cette nuit.

— Tu es sûre ? insista-t-il en posant une main sur son épaule.

— Oui, absolument.

C'était faux. Elle ne se sentirait bien que lorsqu'il serait parti.

— Bon.

Les doigts de Blake glissèrent le long de son épaule, et lui enserrèrent la nuque. Comme il se penchait vers elle, Jenna eut l'impression qu'il allait l'embrasser et qu'elle le laisserait faire… À cet instant, Morgan se mit sur le dos et appuya ses pattes avant sur le thorax de Blake tandis qu'il posait la tête sur les genoux de Jenna en poussant des petits grognements.

— Merci, mon vieux…, grommela Blake en s'écartant.

— Oh ! Morgan ! murmura-t-elle. Méchant chien.

Elle éclata de rire. Et Blake l'imita.

— Et si nous prenions notre petit déjeuner ? proposa-t-il lorsque leur hilarité fut calmée. Je peux te l'apporter au lit, si tu veux. J'ai déjà fait le café et les petits pains à la cannelle seront prêts dans dix minutes.

— Des petits pains à la cannelle ?

Elle les adorait et Blake le savait.

— Je vais mettre tout ça sur un plateau et nous pourrons…

— Non, coupa-t-elle. Je préfère déjeuner dans la cuisine…

Elle était consciente que si elle ne sortait pas bientôt de cette chambre, ils risquaient d'y passer le reste de la journée.

— Très bien, dit Blake.

Cependant, son sourire montrait que, la prochaine fois, il n'abandonnerait pas si facilement la partie.

Il n'y aurait pas de prochaine fois, se promit Jenna en le regardant sortir de la chambre. Elle avait failli tomber dans ses bras, mais cela ne se reproduirait plus. Elle y veillerait.

Après avoir pris une douche rapide, elle s'habilla chaudement, enfilant des chaussettes de laine, un pantalon gris en velours côtelé, une chemise de flanelle et un gros sweater en laine vert émeraude. Ainsi vêtue, elle se sentait moins vulnérable.

— Sous cette armure, je n'ai rien à craindre ! murmura-t-elle en souriant.

Apercevant son reflet dans la glace de la salle de bains, elle poussa un soupir.

— Ne t'inquiète pas, Jenna. Avec la tête que tu as ce matin, tu ne risques rien !

Et c'était très bien comme cela. Vraiment très bien.

Dans la cuisine, Blake était plongé dans ses pensées tandis qu'il sortait du four les petits pains à la cannelle. Il avait remarqué les yeux cernés de Jenna et les traces de larmes sur ses joues. Elle avait dû pleurer une bonne partie de la nuit. Était-ce à cause de lui ? Si c'était le cas, il pouvait y remédier, d'une façon ou d'une autre. Et il le ferait, si seulement elle lui en donnait l'occasion.

Il devait réfléchir au moyen de prolonger son séjour. Il se sentait bien, ici, et il voulait savoir pourquoi.

— Mmm, quelle bonne odeur ! murmura Jenna en le rejoignant près du comptoir. Et ça a l'air délicieux.

Plongé dans ses réflexions, il ne l'avait pas entendue entrer dans la cuisine. Il eut envie de rire en la voyant engoncée dans ses gros vêtements épais. Si elle croyait, en s'habillant ainsi, le dissuader de toute tentative d'approche, elle se trompait lourdement ! Il se voyait bien, plus tard, lui proposer une partie de strip-poker afin d'avoir le plaisir de lui ôter, une à une, chaque couche de son armure. Mais il devait d'abord s'assurer qu'il y aurait un « plus tard ».

— Sers-toi pendant que c'est chaud, dit-il.

— Volontiers !

Elle posa deux petits pains sur une assiette et alla s'asseoir à la table, bientôt imitée par Blake.

— Où as-tu appris à faire ça ? demanda-t-elle.

— J'ai lu un jour la recette sur un paquet de farine. C'est très simple à préparer.

— Il faudra que tu me laisses cette recette avant de partir.

— Promis.

Jenna se leva pour regarnir son assiette.

— Bon, alors, que veux-tu savoir à propos du camp ?

— À propos du camp ?

Il marqua une pause, ne comprenant pas. Puis il se rappela ce qu'il avait écrit dans sa lettre.

— Oh ! oui, bien sûr, le camp…

— J'ai pensé que je pourrais répondre à tes questions pendant que nous finissons de déjeuner.

Elle revint s'asseoir, tenant d'une main son assiette et, dans l'autre, une brochure en couleurs sur Warren's Retreat qu'elle lui tendit.

— Avant que tu ne t'en ailles, nous pourrons aller visiter le camp et les bungalows. Nous avons opéré quelques changements, mais rien de très important. Tu ne verras pas grand-chose des aménagements extérieurs, à cause de la neige, mais nous entrerons dans l'un des bungalows afin que tu voies les améliorations que nous y avons apportées. Il y a un peu plus de confort qu'autrefois même si l'ensemble reste assez rustique.

— Ce programme me semble parfait, dit-il en feuilletant la brochure. Y a-t-il eu d'autres changements durant ces quinze dernières années ?

— Pas vraiment. L'été, nous organisons trois séjours de trois semaines chacun, mais nous avons beaucoup de garçons qui restent six semaines. Nous pouvons en accueillir jusqu'à soixante-quinze et trente membres du personnel, y compris ma famille. L'an dernier, nous avons eu soixante garçons et quinze membres du personnel. Plusieurs de nos salariés sont des enseignants, et les autres sont des étudiants. Les activités sportives que nous proposons vont d'une randonnée d'un jour jusqu'à des sorties d'une semaine en canoë. Tout dépend de l'âge, du degré d'expérience et des envies de nos jeunes. Récemment, nous nous sommes équipés d'un petit voilier qui a eu beaucoup de succès, et nous avons aussi un nouveau canot à moteur pour faire du ski nautique. Je… je crois que ton fils se plaira, ici, conclut-elle en se levant pour aller poser son assiette et sa tasse dans l'évier.

— Oui, je crois, répondit Blake. Les inscriptions sont-elles cette année aussi nombreuses que l'an dernier ?

— Jusqu'à présent, cela marche plutôt bien. Nous avons beaucoup de garçons qui reviennent d'une année sur l'autre. En février, Craig et Billy effectuent plusieurs voyages pour recruter la clientèle, ce qui, en général, s'avère efficace.

— Et toi, tu ne recrutes jamais ?

— Crois-tu qu'une femme soit la mieux placée pour faire la promotion d'un camp de vacances destiné aux garçons ?

— Tu es aussi compétente que n'importe qui d'autre dans ce domaine, mais je comprends ce que tu veux dire. C'est supposé être une affaire d'homme, j'imagine ?

— C'était ainsi lorsque tu venais ici, non ?

— Dans une certaine mesure. Mais tu étais là, toi.

Il la regardait fixement, pensant à tout ce qu'elle avait signifié pour lui, à l'époque. S'en souvenait-elle, elle aussi ?

— Moi ? Je passais le plus clair de mon temps à essayer d'être comme vous. Je trouvais très injuste d'être une fille, et non un garçon.

Elle eut un petit sourire et baissa les yeux pour ajouter :

— Bien sûr, j'ai fini par changer d'avis.

— Et qu'est-ce qui t'a fait changer d'avis ? demanda-t-il tandis qu'il se levait et débarrassait son couvert.

— Tu veux vraiment me le faire dire, Blake ?

— Qu'en penses-tu ?

— Que tu connais parfaitement la réponse. C'est toi qui m'as fait changer d'avis.

Les mains sur les hanches, elle le défiait du regard.

— Toi aussi, Jenna, tu m'as fait changer d'avis sur beaucoup de choses, murmura-t-il en lui caressant doucement les cheveux. Je pensais que…

— Seigneur, regarde quelle heure il est ! s'exclama-t-elle en s'écartant rapidement de lui. La matinée est presque passée et tu n'as pas encore visité les bungalows. Si nous n'y allons pas maintenant, tu ne partiras jamais.

Elle se dirigea vers la porte de la cuisine d'un pas décidé.

— Le soleil brille et il n'y a presque pas de vent, mais il fait encore très froid dehors, aussi habille-toi chaudement. Si tu as besoin d'une paire de bottes fourrées ou d'un parka, tu peux regarder dans la buanderie.

Puis elle disparut dans le vestibule.

Resté seul, Blake rinça les deux assiettes et les deux tasses avant de les placer dans le lave-vaisselle, puis il mit les petits pains qui restaient dans une boîte en plastique et rangea la cafetière. Tout en s'affairant ainsi, il s'interrogeait. Qu'allait-il faire si Jenna insistait pour qu'il s'en aille ?

— Tu n'es pas encore prêt ?

Elle se tenait dans l'embrasure de la porte, portant une doudoune bleu vif et tenant à la main une écharpe rouge, des gants et un chapeau.

— Je vais chercher mon blouson. J'en ai pour un instant.

Lorsqu'il revint, Jenna avait mis son chapeau, enroulé l'écharpe autour de son cou et boutonné sa doudoune.

— Tu es sûre d'être assez couverte ? plaisanta-t-il.

— Mais oui. Et toi ? Tu ne mets pas de bonnet ?

— J'ai horreur de ça.

— Tu devrais en porter un, pourtant.

— Certainement pas.

Durant quelques secondes, elle le regarda fixement.

— Eh bien, n'en mets pas, dit-elle. Nous ne resterons pas longtemps dehors.

Elle ouvrit la porte de la maison et laissa Morgan filer devant eux.

— J'imagine que tu as hâte de t'en aller, poursuivit-elle. Retournes-tu à Boston ou bien te rends-tu ailleurs ?

Tandis qu'il la suivait à l'extérieur, il se demanda comment elle réagirait s'il l'attrapait et l'embrassait en lui disant qu'il n'avait l'intention d'aller nulle part pour le moment. Sans doute le giflerait-elle, pensa-t-il avec un petit sourire. Il n'avait aucune envie qu'elle le chasse sur-le-champ, ce dont il la savait parfaitement capable.

— J'hésite encore, répondit-il. Je suis libre jusqu'à la mi-mars, et j'ai le choix. Tu ne serais pas tentée de prendre un peu de vacances et de m'accompagner jusqu'à la côte Ouest ?

— Je… je ne peux pas, dit-elle en allongeant le pas.

Entrant dans le petit bois qui séparait la maison du terrain réservé au camp de vacances, ils marchaient à présent côte à côte dans l'étroit sentier qui avait été aménagé dans la neige.

— Tu ne peux pas ou tu ne veux pas ?

— Je ne peux pas. Je… j'ai une vie à moi, tu sais.

Comme ils débouchaient dans une vaste clairière, Jenna indiqua un long bâtiment bas, situé sur la gauche.

— Je vais d'abord te montrer le pavillon central, puis nous irons voir les bungalows et le lac.

Tandis qu'elle marchait vers la bâtisse, Blake s'arrêta un moment pour regarder autour de lui. La neige rendait presque méconnaissable ce décor qu'il avait connu en plein été, année après année et, pourtant, ses souvenirs se réveillaient avec une étonnante vivacité. Il croyait entendre les rires et les cris de joie des enfants. Il percevait l'odeur du feu de bois et, sur sa langue, le goût du pain fraîchement sorti du four. Il avait l'impression de sentir sur sa peau la chaleur du soleil d'été et de revoir les petites ondulations que le vent dessinait sur la surface du lac.

Cal avait raison. Ils avaient passé de merveilleux moments, ici. Tout y était si simple, si agréable. Comment avait-il pu en rester éloigné si longtemps ? Pourquoi était-il parti ? À cause de son orgueil masculin. Aujourd'hui, il s'apercevait à quel point il avait eu tort, mais il était toujours possible de réparer ses erreurs… Il fallait simplement faire preuve d'un peu de courage et de beaucoup de détermination, pensa-t-il en traversant la clairière. Et il n'en avait jamais manqué.

— Allez, viens, Blake. La porte est ouverte.

La voix de Jenna marquait une certaine impatience. Il se hâta de la rejoindre dans la cuisine du camp.

— Hé, vous avez fait beaucoup de changements, ici !

— Il y a dix ans, nous avons modernisé la cuisine et, cinq ans plus tard, nous avons doublé la superficie du réfectoire et de la salle de récréation.

Le soleil faisait briller les éléments en Inox fixés le long des murs de la grande cuisine. Des portes battantes donnaient sur le réfectoire équipé de longues tables de bois, de chaises et de bancs. À côté, se trouvait la salle de récréation.

Ils quittèrent le pavillon principal pour se diriger vers les bungalows qui se dressaient au milieu des pins bordant le lac. Jenna s'arrêta devant le premier bungalow et l'ouvrit.

— Entre jeter un coup d'œil à l'intérieur, dit-elle. Les volets sont fermés, mais cela te donnera une idée des changements que nous avons opérés. Ces bungalows se ressemblent tous. Je t'attends dehors.

— Je ne resterai pas longtemps.

Le camp possédait quinze bungalows pouvant accueillir chacun huit personnes : six enfants et deux moniteurs. Blake constata que les lits superposés destinés aux jeunes garçons étaient toujours à la même place, s'alignant le long des murs, mais des placards avaient remplacé les étagères qu'il avait connues autrefois. Par ailleurs, l'espace réservé aux moniteurs était équipé aujourd'hui d'un petit bureau et de deux fauteuils.

— C'est vraiment parfait, Jenna, déclara-t-il lorsqu'il la rejoignit à l'extérieur.

— Veux-tu que nous allions jusqu'au lac pour visiter les vestiaires ? Nous avons également modernisé ce bâtiment. Nous y avons installé l'eau chaude.

— Tout me paraît très bien, et je crois que la visite va s'arrêter là. En ce qui me concerne, je suis prêt à regagner la maison.

— Que se passe-t-il, Blake ? Tu as froid ? dit-elle d'un ton moqueur. Je t'avais dit de mettre un bonnet.

— Et moi, je t'ai dit que je détestais les chapeaux. C'est bon pour les femmelettes.

Comme il la regardait marcher devant lui, son écharpe rouge enroulée autour du cou, il eut soudain envie de se lancer dans une bataille de boules de neige.

Jenna et lui n'avaient jamais eu l'occasion d'en faire une car ils n'avaient jamais passé d'hiver ensemble. Mieux vaut tard que jamais, pensa-t-il en se penchant pour fabriquer une boule de neige qu'il tassa soigneusement avant de la lancer sur sa victime. Le projectile toucha Jenna derrière la tête.

— Blake, non !

Elle se retourna pour lui faire face, ses yeux jetant des flammes.

— Quand on porte un chapeau, il y a toujours une grosse brute pour essayer de le faire tomber, dit-il.

Il se baissa pour confectionner une autre boule de neige.

— Ne fais pas ça ! s'écria Jenna en lui tournant le dos.

La boule lui frôla le sommet du crâne.

— Oh ! je vais te le faire payer ! s'exclama-t-elle.

À son tour, elle confectionna une boule de neige qu'elle lança de toutes ses forces et qui atterrit sur l'épaule de Blake.

Partant d'un grand éclat de rire, elle s'éloigna de quelques pas et fabriqua un autre projectile. Pris au jeu, ils se poursuivirent dans la neige en riant comme des fous, se bombardant sans relâche.

— Tu abandonnes ? demanda Blake en la voyant frotter la neige qu'elle avait sur le visage.

— Jamais !

Avec un sourire triomphant, elle lui lança la boule qu'elle cachait derrière son dos puis s'enfuit en courant.

En quelques enjambées, il la rattrapa et, la saisissant par la taille, il la fit tomber avec lui dans la neige.

— Je t'ai eue ! murmura-t-il en la faisant rouler sur le dos.

— C'est moi qui t'ai eu ! riposta-t-elle tandis qu'elle lui écrasait une poignée de neige sur la figure.

— Tu te crois maligne, n'est-ce pas ?

— Oui, quelquefois.

Elle hésita un moment et son sourire s'effaça tandis que leurs regards se croisaient.

— Et parfois non, poursuivit-elle.

Posant ses mains gantées sur le torse de Blake, elle le repoussa.

— Nous ferions mieux de rentrer, maintenant.

Elle avait raison. Il faisait bien trop froid pour se rouler ainsi dans la neige, mais il n'avait pas envie de la lâcher. Il voulait l'embrasser, la toucher, la goûter.

— Jenna, murmura-t-il. Ma chérie…

Otant ses gants qu'il jeta à côté de lui, il prit doucement le visage de Jenna entre ses mains et s'empara de sa bouche.

Il l'embrassa lentement, délicatement, avec une infinie tendresse. Puis, levant la tête, il croisa son regard.

Elle ne disait rien, ne faisait pas un mouvement. Simplement, il lisait dans ses yeux un tel désir qu'il en eut le cœur serré. Ce désir était aussi intense que le sien et, malgré leur longue séparation, il était tout aussi profond et tout aussi fort.

— Jenna…

Puis il l'embrassa fiévreusement tandis qu'elle écartait les lèvres comme pour mieux goûter ses baisers.

Jenna gémit doucement et se serra contre lui, se laissant envahir par la chaleur et la force qui se dégageait de Blake. Chaque fibre de son corps vibrait d'un désir irrépressible et elle maudissait les épaisses couches de vêtements qu'elle portait, ne rêvant que de sentir les mains de Blake sur sa peau nue. Lorsqu'il leva la tête et s'écarta légèrement, elle refusa de le laisser s'éloigner d'elle.

— Non, Blake. Ne t'arrête pas…, murmura-t-elle en l'embrassant sur le coin de la bouche.

— Chut, ma chérie, tout va bien. Nous ne nous arrêtons que le temps de regagner la maison, dit-il en l'aidant à se relever.

Une fois debout, en voyant les yeux de Blake briller d'un désir fou, Jenna prit conscience de tout ce qu'elle venait de dire et de faire. Non seulement elle l'avait laissé l'embrasser, mais elle lui avait rendu ses baisers, et même réclamé bien davantage. De toute évidence, Blake avait l'intention de ne pas en rester là. S'ils retournaient à la maison ensemble, il ne la lâcherait plus et, faible comme elle était, elle lui céderait avec ravissement.

— Non, murmura-t-elle en faisant un pas en arrière. Nous ne pouvons pas… je… je ne peux pas…

Elle continua à reculer, accélérant le mouvement tandis que Blake se baissait pour ramasser ses gants.

— Jenna ! Attends…

Mais elle ne l'écoutait pas. S'il s'approchait d'elle, s'il posait la main sur son bras ou sur son épaule, elle serait perdue, et elle ne pouvait pas se permettre de vivre cela une seconde fois. Il ne lui laissait pas d'autre choix que de le fuir.

Décidée à s'éloigner de lui le plus vite possible, elle fonça droit devant elle.

— Non, Jenna… Attention ! cria Blake. Morgan, non !

À l'instant même où il lui lançait cet avertissement, Jenna vit son vieux chien foncer vers elle, les oreilles flottantes, la langue pendante. Instinctivement, elle fit un bond sur le côté, espérant ainsi éviter la collision, mais cet écart soudain lui fit perdre l'équilibre. Tandis que son pied gauche glissait sur une plaque de glace, son talon droit heurta quelque chose de dur dissimulé sous la neige. Poussant un cri sourd, elle tomba sur le sol et entendit un craquement sinistre, suivi d'une douleur fulgurante dans sa cheville droite.

Pendant un moment, sa vue se brouilla et elle se sentit prise d'une nausée subite. Fermant les yeux, elle essaya de respirer profondément et de se détendre.

— Ce n'est pas vrai… Ce n'est pas arrivé… Je vais me lever et…

À côté d'elle, Morgan poussait des petits cris plaintifs, et elle sentit qu'il lui léchait la joue. Ouvrant les paupières, elle vit Blake s'agenouiller devant elle.

— Tu vas bien ? demanda-t-il, inquiet.

— Mais non ! Non, je ne vais pas bien du tout !

Puis, vaincue par l'émotion, elle fondit en larmes.

3.

— Jenna, ma chérie, calme-toi. Dis-moi où tu as mal.

— Ce qui me fait souffrir, c'est d'abord mon amour-propre.

Pour elle qui était si sûre de sa force et de sa sérénité, pleurer ainsi deux fois en moins de vingt-quatre heures était à la fois humiliant et démoralisant. Elle avait supporté des épreuves bien plus pénibles qu'une simple entorse à la cheville sans se mettre à sangloter comme une enfant.

— C'est ma cheville droite. Je crois que je me suis fait une entorse en tombant. Tu veux bien m'aider à me relever ?

— Et si tu me laissais y jeter un coup d'œil avant que tu essaies de…

— Non !

Avant qu'il ait pu l'en empêcher, elle avait pris appui sur son genou gauche, puis, passant un bras autour du cou de Morgan, elle se leva et pesa de tout son poids sur son pied gauche tandis que le droit touchait à peine la neige.

— Ce ne doit pas être très grave, dit-elle. Je sens que ça va aller.

Il le fallait.

— Je ne pense pas que…

— Il s'agit de ma cheville, Blake.

Elle était infirmière. Elle savait aussi bien que lui que son comportement était stupide. Pourtant, elle allait marcher pour prouver que tout allait bien.

Se servant de Morgan comme point d'appui pour garder son équilibre, elle fit porter une partie de son poids sur sa cheville blessée. La douleur était supportable, pensa-t-elle en serrant les dents. Après avoir respiré à fond, elle lâcha le chien et s'appuya un peu plus sur son pied droit.

Terrassée par la douleur qui la traversait, elle poussa un hurlement et tomba dans les bras de Blake qui se tenait devant elle, prêt à la rattraper.

— Quelle petite idiote ! marmonna-t-il en la soulevant dans ses bras. Tu sais bien qu'il ne faut pas mettre le pied par terre lorsqu'on vient de se faire une entorse.

La tenant étroitement serrée contre lui, il s'engagea dans le chemin qui menait à la maison.

— Je crois que je vais y renoncer, dit-elle, s'accrochant au cou de Blake, le visage enfoui dans son blouson de cuir noir.

Elle ressentit soudain une douleur si vive qu'elle se mit à trembler comme une feuille en comprenant qu'il s'agissait sans doute d'une fracture.

— Courage, ma chérie, nous sommes presque arrivés... Je vais pouvoir t'enlever ta botte et te mettre des glaçons sur la cheville.

Dès qu'ils seraient à la maison, elle devrait lui avouer qu'elle souffrait non pas d'une entorse, mais bel et bien d'une fracture, et elle serait obligée de lui demander de l'emmener à Elk Rock. Cette idée lui faisait horreur. Lorsque Blake s'apercevrait qu'elle avait essayé de marcher alors que l'os était brisé, il serait furieux. Elle s'était comportée comme une gourde et son obstination avait sans doute aggravé les dégâts provoqués par sa chute.

— Peux-tu ouvrir la porte ? demanda-t-il lorsqu'ils arrivèrent devant la maison.

— Ce n'est pas fermé à clé.

Précédé de Morgan, Blake entra dans la cuisine et, après avoir posé Jenna sur une chaise, il s'agenouilla devant elle.

— Bon, commençons par te débarrasser de cette botte. On verra alors si c'est grave ou non.

— Non, ne fais pas ça. C'est... Ce n'est pas... une entorse.

— Allons, Jenna, je suis médecin, dit-il en fronçant les sourcils. J'ai bien vu ce qui s'est passé lorsque tu as essayé de te relever. Tu as eu si mal que tu as presque fait un malaise. C'est vrai, non ?

Elle hocha la tête. Otant ses gants, il entreprit de lui déboutonner sa doudoune.

— Tu crains de souffrir lorsque je t'ôterai ta botte, c'est ça ? Fais-moi confiance, ma chérie. Je vais y aller très doucement.

Il se mit à dénouer les lacets de la botte.

— Ma cheville est cassée, murmura-t-elle.

— Quoi ? s'exclama Blake en relevant lentement la tête. Qu'as-tu dit ?

— Ma cheville… elle est… cassée, bredouilla-t-elle.

Elle attendit qu'il dise quelque chose, n'importe quoi. Mais il restait là, silencieux, la regardant fixement comme si elle venait d'une autre planète.

— Je… Quand j'ai essayé de marcher, j'ai senti qu'un os frottait contre… un autre os.

Elle marqua encore une pause, cherchant dans les yeux bleus de Blake un signe de colère ou de mépris.

— Tu ne me hurles pas dessus ? demanda-t-elle d'une voix étouffée, essayant de retenir ses larmes.

Il sortit de sa poche un mouchoir propre qu'il lui tendit.

— Je ferais bien plus si je pensais que ça pouvait servir à quelque chose, mais ce n'est pas le cas, n'est-ce pas ? La prochaine fois que tu auras besoin de mon aide, tu te montreras aussi têtue qu'aujourd'hui, attendant le dernier moment pour l'accepter. N'ai-je pas raison ?

— Je ne sais pas, répondit-elle en essuyant ses larmes avec le mouchoir qu'il lui avait donné. J'ai besoin que tu me conduises à l'hôpital à Elk Rock, mais, une fois que je serai là-bas, je pourrai me débrouiller toute seule. Tu as certainement des obligations qui t'attendent, des gens à…

— N'y compte pas, murmura-t-il d'un ton qui pouvait passer pour une menace ou pour une promesse. Mais qu'il y ait ou non fracture, il faut enlever cette botte. Et il vaut mieux que je te pose une attelle avant de t'emmener à Elk Rock. Tu dois avoir des attelles à l'infirmerie, non ?

— Durant l'hiver, je garde les fournitures dans un placard qui se trouve dans la buanderie. Et, en effet, il y a des attelles.

Malgré ses deux paires de chaussettes de laine, elle se rendait compte que sa cheville avait commencé à gonfler. Il ne serait pas facile de la déchausser. Le front en sueur, elle respira profondément.

— Détends-toi, mon cœur, murmura-t-il en lui massant doucement la jambe. Je ne te ferai pas mal.

Calmée par son ton apaisant, Jenna ferma les yeux. Blake saisit la botte qu'il avait délacée et la tira délicatement, comme il l'avait promis.

— Est-ce que ça va ? s'enquit-il.

— Oui.

Il se mit à palper avec précaution la cheville, puis le pied de Jenna, en lui demandant si elle avait mal. Mise à part une douleur sourde, elle ne sentait rien de particulier.

— Ce n'est peut-être pas aussi grave que je le pensais, dit-elle quand Blake eut fini son examen.

— Peut-être, mais je peux difficilement me prononcer avec ces deux paires de chaussettes que tu portes. De toute façon, cela ne change rien. Nous devons nous rendre à l'hôpital.

C'était la meilleure chose à faire.

Blake alla dans la buanderie et revint avec l'attelle, un bandage, des ciseaux, un pack de gel et un petit coussin qu'il posa près de lui en s'agenouillant devant Jenna.

— Je n'arrive pas à croire que cela me soit arrivé, murmura Jenna. Je ne suis pas maladroite. Je ne tombe jamais.

— Vraiment ? dit Blake sur le ton de la plaisanterie.

— Oui, c'est vrai.

— Eh bien, tant mieux, parce que je ne pense pas qu'il y ait quelque chose de pire qu'une personne maladroite obligée de marcher avec des béquilles.

— Des béquilles ?

— Ça n'a rien de dramatique. Je suis certain que, si tu dois en utiliser, tu te débrouilleras très bien.

L'attelle une fois mise en place, il se releva et contempla son ouvrage.

— Bon, tu vas rester assise ici jusqu'à ce que je revienne, d'accord ? dit-il en lui posant le pack de gel sur la cheville.

— Ai-je le choix ?

— Non. Mais ne t'inquiète pas, je n'en aurai pas pour long-temps. Où sont les clés de ton 4x4 ?

— Dans mon sac qui est sur ma commode. Pourquoi ?

— Nous devons aller à Elk Rock, non ?

Sans attendre sa réponse, il sortit de la cuisine et revint deux minutes plus tard, tenant le sac dans une main, les clés du Blazer dans l'autre, et, sous le bras, un oreiller et une couverture.

Il posa le sac sur la table.

— Je reviens tout de suite, annonça-t-il en se dirigeant vers la porte de derrière.

— Je crois que nous ferions mieux de prendre ta voiture, dit Jenna. Comme ça, tu pourras me laisser à l'hôpital et… continuer ta route sans avoir à m'attendre. Tu en as fait déjà suffisamment pour moi et je t'en suis très reconnaissante. Je ne voudrais pas que tu perdes davantage ton temps.

Blake s'était arrêté. Quand elle eut fini son petit discours, il se retourna et marcha droit sur elle, le regard furibond. Jetant par terre l'oreiller et la couverture, il saisit Jenna par les épaules.

— Mettons les choses au point, d'accord ? Je n'ai pas l'intention de te laisser toute seule à l'hôpital. Tu es blessée et je ne partirai pas avant de m'être assuré que tout va bien pour toi. Compris ?

Elle le regarda fixement puis acquiesça d'un simple hochement de tête, trop surprise pour dire un mot.

— Par ailleurs, poursuivit-il, toi et moi devons régler cer-taines choses entre nous et nous ne pourrons pas le faire durant le trajet jusqu'à Elk Rock. Il s'est passé quelque chose lorsque nous nous roulions dans la neige, Jenna. Quelque chose de bien. Tu ne peux pas le nier, n'est-ce pas ?

— Non.

Une seule fois elle l'avait vu aussi en colère : la nuit où il était sorti de sa vie, quinze ans auparavant.

— Et tu ne peux pas t'enfuir, n'est-ce pas?

De nouveau, elle secoua la tête.

La lâchant, il ramassa l'oreiller et la couverture, puis se redressa. Après l'avoir regardée fixement un moment, il se détourna.

— Moi non plus, dit-il en se dirigeant vers la porte.

Quand l'air glacial lui fouetta le visage, il sentit sa colère retomber. Jenna avait vraiment l'art de le pousser à bout, pensa-t-il en ouvrant le garage. Elle venait de le prouver une fois de plus.

Il n'avait pas apprécié de la voir marcher avec une cheville blessée au lieu d'accepter son aide, mais, à la rigueur, il pouvait comprendre son attitude. Elle avait beaucoup changé en quinze ans. Aujourd'hui, c'était une femme indépendante, habituée à se prendre en charge, et elle avait voulu lui faire passer le message. Il espérait seulement qu'elle n'avait pas trop aggravé l'état de sa cheville en agissant ainsi.

Cependant, en imaginant qu'il la laisserait toute seule à l'hôpital, elle l'avait piqué au vif. Jamais il ne s'était conduit comme un balourd dépourvu de toute sensibilité. Jenna l'avait vexé en suggérant qu'avec le temps il en était devenu un. Par ailleurs, comment pouvait-elle croire qu'il s'éloignerait d'elle après la façon dont elle l'avait embrassé? Comment pourrait-il oublier le désir qu'il avait lu dans ses yeux lorsqu'elle lui avait offert ses lèvres entrouvertes?

Il était venu à Warren's Retreat avec l'espoir d'obtenir des réponses aux questions qu'il se posait depuis trop longtemps. Jusqu'à présent, tout ce qu'il avait récolté, c'était davantage de questions. Mais qu'importe! Il avait le temps de trouver les réponses dont il avait besoin. Et tant qu'il ne les aurait pas, il n'irait nulle part.

Il mit le moteur en marche et amena le 4x4 devant la porte de service donnant sur la cuisine. Lorsqu'il rejoignit Jenna, il la trouva assise à la même place, Morgan à côté d'elle, la tête posée sur les genoux de sa maîtresse.

— Allez, mon vieux, bouge-toi, ordonna-t-il.

Le chien alla se tapir sous la table.

— Tiens ta jambe droite pour que le pack de gel reste en place, reprit Blake en soulevant Jenna dans ses bras. Bon, prends ton sac et le coussin, et allons-y.

Elle obéit sans dire un mot.

S'en voulant de lui avoir parlé d'un ton brusque, il se pencha vers elle et l'embrassa sur la joue.

— Cela va aller pour toi, ajouta-t-il doucement. Et pour nous aussi. Fais-moi confiance, c'est tout. D'accord ?

— Ai-je le choix ? répondit-elle avec un sourire taquin.

— Aucun. Et tu ferais bien de t'en souvenir.

Quand il l'eut installée sur la banquette arrière du Blazer, elle le remercia poliment, se nicha sous la couverture et ferma les yeux.

Après être retourné à la maison pour verrouiller la porte de service, Blake s'installa au volant. Regardant par-dessus son épaule, il vit que Jenna avait toujours les yeux clos.

— Est-ce que ça va, derrière ? demanda-t-il.

— Oui, ça va, murmura-t-elle.

Elle n'en donnait pas vraiment l'impression. Le mieux était de l'emmener dans les meilleurs délais à l'hôpital.

Malgré la neige, ils arrivèrent à Elk Rock sans incident majeur, mis à part deux ou trois légers dérapages. Durant le trajet, à aucun moment Jenna ne s'était plainte, mais Blake l'entendit pousser un soupir de soulagement lorsqu'ils entrèrent dans les faubourgs de la ville.

— Comment te sens-tu ? demanda-t-il en la regardant dans le rétroviseur.

Très pâle, elle avait les traits tirés et les yeux cernés.

— Bien, répondit-elle avec un sourire forcé. Te souviens-tu de la route qu'il faut prendre pour aller à l'hôpital ?

— La première à gauche au premier feu rouge et, après avoir dépassé quatre immeubles, il faut tourner à droite après le stop.

— Le stop a été remplacé par un feu rouge, mais, pour le reste, c'est un sans faute.

Après le calme et le silence de Warren's Retreat, la banlieue d'Elk Rock apparut à Blake presque aussi bruyante et congestionnée que les rues de Boston un jour de grande circulation. Tandis que, noyé dans une longue file de voitures, il attendait au feu rouge, il remarqua les changements notables qui s'étaient opérés durant les quinze dernières années. La construction d'un centre commercial, de nouveaux immeubles, d'un énorme supermarché et de plusieurs fast-foods avait étendu la banlieue bien au-delà des limites qu'elle avait autrefois, et la plupart des petites boutiques pittoresques, des bars et des restaurants du centre-ville avaient été rénovés.

— Ça a bien changé ici, n'est-ce pas ?

— Oui, dit Jenna. Depuis que l'État a commencé à développer le tourisme, de plus en plus de gens sont venus passer des vacances dans la région et beaucoup s'y sont tellement plu qu'ils s'y sont installés. Nombre d'hôtels restant ouverts toute l'année afin d'accueillir les amateurs de sports d'hiver, il n'y a plus de morte saison. Et attends de voir l'hôpital... Nous avons presque doublé de volume ces dernières années.

— *Nous ?* Tu travailles à l'hôpital ?

Elle hésita un bref instant avant de répondre.

— Je suis infirmière diplômée. Je travaille aux urgences de début septembre à fin mai. Et en juin, juillet et août, je travaille à l'infirmerie à Warren's Retreat.

— Infirmière, dis-tu ? Eh bien, tu vas te sentir chez toi, n'est-ce pas ? dit-il en garant le 4x4 près de l'accès des urgences.

— En effet, répliqua-t-elle, visiblement moins amusée que lui par la situation.

Il sortit du véhicule et, portant Jenna dans les bras, il se dirigea vers l'entrée du service des urgences.

— Comment va ta cheville ?

— Elle me fait souffrir...

Elle marqua une légère hésitation.

— Ils vont me demander comment ça m'est arrivé. Je... je n'ai pas envie de leur parler de la bataille de boules de neige. Je pensais dire simplement que j'ai glissé et fait une chute.

— Tu crains que je ne te mette mal à l'aise devant tes amis ?

Est-ce pour cette raison que tu voulais tellement te débarrasser de moi ?

— Mais non, voyons, bien sûr que non ! C'est seulement que... ils vont déjà me mener la vie assez dure comme ça.

— Ne t'inquiète pas, je vais bien me tenir avec toi, ici. C'est bien le moins que je puisse faire, étant un ami de tes parents, ajouta-t-il en franchissant la porte vitrée.

— Je ne suis pas tellement rassurée, murmura-t-elle.

La salle d'attente était presque vide. Un homme âgé était assis devant une télévision fixée au mur. Alors que Blake installait Jenna dans un fauteuil roulant, une femme aux cheveux gris acier coupés très court apparut sur le seuil d'un petit bureau.

Les mains sur les hanches, elle les toisait tandis que ses yeux noisette brillaient de curiosité.

— Jenna Warren, que faites-vous dans ce fauteuil roulant ?

— Eh bien, Ruby, je me suis dit que j'allais passer une partie du week-end à me promener dans votre salle d'attente, répondit Jenna en se propulsant vers sa collègue.

— Inutile de faire la maligne avec moi, ma chère, rétorqua Ruby.

Les invitant à la suivre, elle les fit entrer dans son bureau.

— Est-ce grave ? demanda-t-elle.

— Je ne sais pas s'il s'agit d'une entorse ou d'une fracture.

— Je vois.

Ruby s'installa derrière son bureau et, d'un signe de la tête, désigna Blake.

— Et lui, qui est-ce ?

— Un vieil ami... à moi, expliqua Jenna. Comme il passait dans la région, il a décidé de venir me voir. Ruby Jenks, je vous présente Blake Hammond.

— Blake Hammond... Ce nom ne m'évoque rien.

Du plat de la main, elle lissa sa jupe bleu marine, puis ajusta le badge d'identification épinglé sur sa blouse blanche. Après un long silence, elle tendit la main à Blake.

— Ravie de vous rencontrer, monsieur Hammond.

— Moi aussi, madame Jenks. Appelez-moi Blake, ajouta-t-il

avec un sourire engageant en échangeant avec elle une solide poignée de main.

— Tout le monde m'appelle Ruby, répondit-elle. Où vous êtes-vous connus, tous les deux ? Au cours de l'un de ces voyages que fait Jenna ? Vous êtes italien ? Vous n'en avez pas l'air, mais avec vos cheveux noirs et vos yeux de velours… Bien sûr, ils sont bleus, et non pas noirs, et je ne crois pas que…

— Ruby ! s'écria Jenna dont les joues étaient devenues roses.

Blake comprenait à présent pourquoi Jenna avait essayé de le dissuader de l'accompagner à l'hôpital. Ruby Jenks était une personne originale certainement dépourvue de malice, mais il était prêt à parier qu'à Elk Rock on allait bientôt entendre parler de sa relation avec Jenna. Dans une petite ville, les rumeurs se répandaient comme une traînée de poudre et pouvaient ruiner la réputation d'une femme en quelques jours. Il ne voulait pour rien au monde que Jenna en soit la cible, mais il ne pouvait pas non plus se résoudre à la laisser toute seule à l'hôpital alors qu'elle était blessée.

— J'ai travaillé à Warren's Retreat il y a quelques années, et, en me retrouvant dans le coin, j'ai ressenti une certaine nostalgie, dit-il. J'ai vraiment beaucoup aimé mon travail de moniteur dans ce camp de vacances et j'ai toujours été reconnaissant envers les Warren de m'avoir permis de gagner de l'argent d'une façon aussi intéressante durant mes années de faculté, donc je souhaitais les remercier pour m'avoir donné cette chance. Malheureusement, ils sont en Floride, mais Jenna m'a promis de leur transmettre mon message. N'est-ce pas, Jenna ? ajouta-t-il en se tournant vers elle avec un sourire.

— Oh ! bien sûr, je n'y manquerai pas ! dit-elle d'un ton solennel que démentait son regard amusé.

— Je vois, commenta Ruby.

Visiblement, elle ne croyait pas un mot de ce qu'il venait de dire. Elle sortit d'un tiroir de son bureau quelques formulaires.

— Eh bien, Jenna, je dois remplir tous ces papiers avant de pouvoir vous envoyer à la radiologie. Avez-vous votre carte d'assurance ?

Jenna la lui donna, puis répondit à ses questions tandis que Blake, assis sur une chaise, attendait à l'extérieur du bureau.

Une fois les formalités administratives terminées, les deux femmes le rejoignirent.

— Bon, allons en radiologie ! dit Jenna.

Elle avait pris un ton léger, mais, tandis qu'il poussait le fauteuil roulant, Blake remarqua qu'elle agrippait les accoudoirs avec tant de force que ses jointures étaient toutes blanches.

— Dwayne est en route, dit Ruby en passant devant eux pour ouvrir une porte. Il devrait arriver d'un instant à l'autre.

— Dwayne ? interrogea Blake.

— Dwayne Greenwell, le meilleur chirurgien orthopédique de l'État. Il est de garde, aujourd'hui. Ne vous inquiétez pas, monsieur Hammond, nous prendrons bien soin de Jenna. Si vous voulez l'attendre, vous pouvez vous asseoir ici.

— Je l'accompagne.

— Je ne peux pas vous y autoriser. Ces portes ne peuvent être franchies que par le patient et un membre de sa famille. Je lui ai proposé de téléphoner à son frère, mais…

— Ruby !

— Oui, Jenna ?

— Poussez-vous.

— Mais…

— Poussez-vous !

— Oh ! excusez-moi ! dit Ruby en s'écartant de la porte dont elle barrait le passage. Mais je crois bien me rappeler que vous étiez la première à vous plaindre des gens qui viennent se mettre dans vos pattes.

— Il est médecin, Ruby. Il a suffisamment de bon sens pour ne gêner personne.

— Pourquoi ne pas l'avoir dit plus tôt ?

Rassurée, elle les laissa passer puis regagna son bureau.

La porte une fois franchie, Blake et Jenna se retrouvèrent plongés dans une ambiance d'activité fiévreuse. Les infirmières les entourèrent, taquinant Jenna sur ce qui lui était arrivé. Malgré sa gêne évidente, celle-ci s'efforçait de faire bonne figure avant de se résoudre enfin à présenter Blake à ses amies et collègues, dévorées de curiosité.

Affichant un petit sourire, il serra la main de Molly, de Lynn et d'April, conscient de la foule de questions qu'elles devaient se poser à son sujet. Mais, en bonnes professionnelles, elles firent passer le bien-être de Jenna avant tout autre considération et elles indiquèrent à Blake la salle d'examen où il devait conduire la blessée. Tandis que Molly vérifiait les constantes vitales de Jenna, Lynn interrogeait la jeune femme et remplissait un formulaire. Quant à April, elle ôta le pack de gel pour le remplacer par un nouveau qu'elle posa sur la cheville.

Réfugié discrètement dans un coin de la pièce, Blake admirait la rapidité et l'efficacité de l'équipe au travail. C'était ce genre d'infirmières qui facilitaient considérablement la tâche d'un médecin.

— J'imagine que nous pouvons faire confiance à ton M. Hammond pour te conduire à la radiologie et te ramener ici, dit Molly en enlevant le brassard du tensiomètre qu'elle avait fixé autour du bras de Jenna.

— Oui, je pense, répliqua celle-ci.

— Parfait, parce que nous attendons une ambulance qui doit arriver d'une minute à l'autre.

— Où se trouve le service de radiologie ? s'enquit Blake tandis qu'il manœuvrait le fauteuil pour le faire sortir de la salle d'examen.

— Par là, répondit Jenna en montrant une autre porte battante. Ensuite, c'est à gauche jusqu'à l'ascenseur, et on montera au deuxième étage.

Lorsqu'ils arrivèrent à la radiologie, un manipulateur les attendait et il emmena Jenna, en promettant qu'il n'y en aurait pas pour longtemps.

Resté seul dans la petite salle d'attente, Blake, qui trouvait le temps long, se mit à arpenter la pièce de long en large. Il avait hâte de voir revenir Jenna. Il avait envie de savoir que tout allait bien pour elle. Il voulait la sortir d'ici, la ramener chez elle, la serrer dans ses bras et…

314

— Voilà, c'est fait.

La voix douce de la jeune femme l'arracha à ses rêveries. Il se retourna et croisa son regard. Elle lui sourit tandis que le manipulateur roulait le fauteuil dans sa direction.

— Alors ? s'enquit-il.

— Richie ne veut rien dire. N'est-ce pas, Richie ?

Le manipulateur haussa les épaules.

— Vous savez ce que Dwayne pense des manipulateurs en radiologie qui parlent des clichés avec les patients, répliqua-t-il. J'ai pour consigne de prendre les radios dès qu'elles sont prêtes et de les remettre moi-même en mains propres à Dwayne. Cela ne devrait demander que quelques minutes.

— Et qu'est-ce que quelques minutes de plus alors que j'attends depuis des heures de savoir ce que j'ai, marmonna Jenna tandis que Blake la ramenait vers l'ascenseur.

Il fut tenté de lui faire remarquer qu'ils n'étaient à l'hôpital que depuis une heure, mais il jugea préférable de garder ce commentaire pour lui.

— Courage, mon cœur, nous allons bientôt être fixés.

— Et s'il s'agit d'une fracture ? murmura-t-elle.

— L'os se ressoudera.

— Mais je ne veux pas que ce soit une fracture !

— Moi non plus.

Ils prirent place dans l'ascenseur et regagnèrent le rez-de-chaussée.

— Si tu ne m'avais pas lancé des boules de neige, ce ne serait jamais arrivé, dit Jenna tandis qu'ils entraient dans la salle d'examen des urgences.

— Corrige-moi si je me trompe, mais il me semble que tu es tombée après la bataille de boules de neige. En fait, tu étais en train de t'enfuir en courant…

— Parce que tu… tu m'avais…

— Parce que je t'avais embrassée ? Je crois bien que tu m'as embrassé, toi aussi.

— Bon, d'accord, c'est vrai. Mais pas parce que je… Oh ! bonjour, Dwayne…

— Bonjour, Jenna.

Affichant un large sourire, le Dr Dwayne Greenwell s'avança vers eux.

— Et vous, vous devez être le beau médecin dont les infirmières ne cessent de parler ! reprit-il en regardant Blake. Ravi de faire votre connaissance, docteur Hammond…

— Enchanté, monsieur.

Les deux hommes échangèrent une poignée de main.

— Vous n'êtes pas venu chercher du travail ici, n'est-ce pas ? demanda Dwayne.

Caressant sa barbe soigneusement taillée, il observait Blake à travers les verres épais de ses grosses lunettes. Vêtu d'un pantalon brun en velours côtelé, d'une chemise de flanelle plutôt défraîchie et d'un gros pull bleu marine qui avait connu des jours meilleurs, il rappelait à Blake un professeur qu'il avait eu autrefois au collège.

— Euh… non… je suis de passage.

Un poste ici ? Au Elk Rock Memorial Hospital ? Rien que d'y penser, il en avait les mains toutes moites.

— Avez-vous mes radios ? demanda Jenna, le regard plein d'espoir.

— Oui, les voici, répondit Dwayne en brandissant une grosse enveloppe.

— Et ?

— Eh bien, il y a une bonne nouvelle et une mauvaise.

— Quelle est la bonne ? murmura-t-elle.

— Je ne crois pas que j'aurai à utiliser une plaque métallique et des vis pour réparer l'os.

Jenna devint toute pâle.

— Oh ! non… Blake…

— Je suis là, Jenna.

Il lui prit la main tandis que Dwayne Greenwell exposait un cliché à la lumière et montrait la ligne de fracture de la malléole droite.

— Voici ce que je vais faire, expliqua le chirurgien. Je vais procéder à une manipulation sous anesthésie générale. Si je réussis à opérer une réduction totale, je vous plâtrerai la jambe et nous attendrons quinze jours pour voir si cela tient.

— Et si, au bout de quinze jours, ce n'est pas le cas ? s'enquit Jenna d'une voix tremblante.

— Alors, il faudra vous opérer pour poser la plaque et les vis.

— Combien… combien de temps devrai-je garder le plâtre ?

— Tout dépend de la cicatrisation. À votre place, je me préparerais à devoir marcher avec des béquilles durant six à huit semaines.

— Huit semaines ! Mais je ne peux pas…

— Mais si, vous pouvez. Bon, maintenant dites-moi à quand remonte votre dernier repas ? Depuis quand n'avez-vous rien bu ni mangé ?

Comme Jenna regardait le chirurgien sans rien dire, Blake lui pressa la main.

— As-tu avalé quelque chose depuis le petit déjeuner ? demanda-t-il.

Elle secoua la tête.

— Elle n'a rien pris depuis 11 heures ce matin, expliqua-t-il.

— Parfait. Nous pouvons donc nous occuper de cette cheville ce soir. Je programme l'intervention pour 19 heures. Et je veux vous garder ici cette nuit en observation. Molly, avons-nous une chambre de prête ?

— On en a déjà préparé une pour elle au troisième étage, répondit l'infirmière. Vous pouvez l'y emmener quand vous voulez, docteur Hammond.

— Très bien, dit Dwayne. Emmenez-la là-haut, Blake. Installez-la.

Il lui administra une tape dans le dos en lui adressant un sourire d'encouragement.

— Et vous, je vous vois à 19 heures, ajouta-t-il à l'intention de Jenna.

Tournant les talons, il quitta la salle.

— Veux-tu m'accorder une faveur, Blake ? demanda Jenna d'une toute petite voix.

— Si c'est en mon pouvoir.

— Pince-moi pour me réveiller parce que ce cauchemar ne me plaît pas du tout.

— Jenna, mon cœur, tu es réveillée.

— Je craignais de t'entendre dire cela.

Elle adressa un petit signe d'adieu à ses amies tandis que, la poussant dans son fauteuil, Blake lui faisait quitter le service des urgences.

— Ce ne sera pas si terrible une fois que tu auras pris l'habitude de marcher avec des béquilles.

— Qu'en sais-tu ? T'es-tu déjà cassé la cheville ? As-tu été obligé de sautiller sur un pied avec des béquilles pendant six ou huit semaines ?

— Non, mais…

— Alors, ne me dis pas que ce ne sera pas si terrible.

— D'accord, ce sera une expérience pénible, mais je serai là pour la partager avec toi.

— Oh ! Sachant ça, je me sens déjà mieux, murmura Jenna d'un ton sarcastique.

L'ascenseur les avait conduits au troisième étage. Au bout du couloir, une infirmière leur fit signe et leur désigna une porte.

— Votre chambre est par là, dit-elle.

Tandis qu'ils prenaient la direction indiquée par l'infirmière, Jenna se retourna sur son siège pour regarder Blake.

— Tu sais, j'apprécie vraiment tout ce que tu as fait pour moi, mais tu ne peux pas rester là indéfiniment.

— Il me semble que nous avons déjà eu cette discussion. Au cas où tu l'aurais oublié, je te rappelle que je ne m'en irai pas.

— Oh ! mais si !

L'infirmière qui leur avait indiqué la chambre venait d'y entrer juste derrière eux. C'était une femme d'âge mûr, à l'air décidé.

— Vous allez vous rendre dans le salon des visiteurs pendant que j'aide Jenna à se déshabiller et à enfiler une chemise de l'hôpital.

Elle marqua une pause, étudiant Blake avec attention.

— Si vous me promettez de bien vous comporter, vous pourrez revenir ici dès que j'en aurai terminé.

— Bien me comporter, dites-vous ?

S'efforçant de ne pas sourire, il regarda le badge que la femme portait sur sa blouse.

— Pour vous, Mildred Schmidt, je crois que je vais essayer.

— Si vous faites ça, jeune homme, nous nous entendrons bien, tous les deux. Je vous accorde encore cinq minutes et, après, vous sortez de cette chambre !

— Oui, madame, répondit-il en la gratifiant d'un grand sourire.

Elle quitta la pièce.

— Si elle me dit de sortir, j'imagine que je n'ai pas le choix, observa Blake. As-tu besoin que je te rapporte quelque chose de la boutique ? Des revues, un livre ?

— Non, je n'ai besoin de rien. Mais tu peux me rendre un service.

— Lequel ?

— Retourne à la maison et occupe-toi de Morgan. Il faudrait le sortir un moment, et t'assurer qu'il a de l'eau et de quoi manger. Je voudrais aussi que tu me rapportes ma robe de chambre rouge ainsi qu'un pantalon de jogging pour rentrer chez moi demain. Je devrais arriver à le mettre par-dessus mon plâtre. Tu en trouveras un dans le dernier tiroir de ma commode.

— Rien d'autre ?

— Non.

Il consulta sa montre et calcula le temps qu'allait lui prendre un aller-retour entre l'hôpital et Warren's Retreat. Il pourrait certainement être revenu avant qu'on n'emmène Jenna au bloc opératoire, mais il se dit qu'elle avait certainement envie d'être un peu seule.

— Je serai de retour lorsque tu sortiras de la salle de réveil, et je me débrouillerai pour convaincre cette bonne vieille Mildred de me laisser t'attendre ici. D'accord ?

— D'accord.

Ses grands yeux vert le fixèrent.

— Blake, je... je suis désolée de t'avoir fait des reproches tout à l'heure. Ce n'est pas ta faute si je suis tombée et que je me suis cassé la cheville.

— Ce n'était pas ta faute non plus. C'était juste un accident.

Il lui prit les mains et se pencha pour l'embrasser sur la joue.

— Tout ira bien, mon cœur. À tout à l'heure.

— Oui, à tout à l'heure.

Elle se libéra de son emprise et lui sourit d'un air brave, ne lui laissant pas d'autre choix que de tourner les talons et de s'en aller.

4.

Jamais elle ne dormait sur le dos, et là, malgré l'envie qu'elle en avait, il lui était impossible de se tourner. C'était au-dessus de ses forces. Quelque chose de très lourd pesait sur sa jambe droite. Lorsqu'elle avait essayé de la bouger, une douleur sourde l'avait envahie de la cheville à la hanche et s'était amplifiée jusqu'à devenir insupportable, aussi n'avait-elle aucune envie de renouveler l'expérience.

À mesure qu'elle émergeait de sa torpeur, elle prenait davantage conscience de son inconfort et se moquait de savoir ce qui l'attendait une fois qu'elle serait complètement réveillée. Elle aurait de loin préféré se rouler en boule et laisser son esprit vagabonder. Elle voulait rêver de Blake Hammond, de ses caresses, de ses baisers.

— Blake…

— Je suis là, mon cœur.

Elle vit au fond de la pièce un homme se lever de sa chaise et s'approcher du lit où elle était couchée. Il se pencha vers elle et lui posa un baiser sur la joue avant de repousser délicatement une mèche de cheveux qui lui retombait sur le visage. Si elle pouvait à peine distinguer ses traits dans cette chambre faiblement éclairée qui n'évoquait chez elle aucun souvenir, elle avait reconnu la voix de Blake et son parfum musqué où se mêlaient des odeurs de cuir et d'épices. Que faisait-il là ? Et où se trouvait-elle exactement ? La pièce ressemblait à une chambre d'hôpital.

Elle vit par la fenêtre que la nuit était tombée. Elle tourna son regard vers le pied de son lit, et, la panique commençant à l'envahir, elle chercha à s'asseoir dans son lit.

— Blake ! Ma jambe… Que s'est-il passé avec ma jambe ?

Elle avait les yeux fixés sur la masse bosselée qui déformait les couvertures à l'endroit où aurait dû reposer sa jambe. L'aiguille d'une perfusion était plantée dans sa main gauche.

— Allons, Jenna, calme-toi, dit Blake en la tenant par les épaules pour la maintenir. Tout va bien. Ça s'est plutôt bien passé. Le Dr Greenwell a réussi une réduction parfaite de la fracture et, si elle tient durant les deux prochaines semaines, il n'aura pas besoin de mettre une plaque et des vis. Mais tu devras te tenir tranquille.

— Je ne veux pas me tenir tranquille !

Elle détourna la tête, retenant ses larmes. Se sentir aujourd'hui si vulnérable lui était insupportable, elle qui s'était donné tant de mal pour devenir forte et indépendante et, si la douleur lancinante qui la torturait dans sa jambe droite ne cessait pas rapidement, elle allait se mettre à hurler.

Ignorant Blake, elle appuya sur le bouton qui réglait l'inclinaison de son lit afin de relever légèrement le dossier. Puis, se penchant en avant pour repousser les couvertures, elle regarda sa jambe. Posée sur des coussins, celle-ci était enfermée dans un plâtre en fibre de verre qui commençait juste au-dessous du genou et allait jusqu'à la base des orteils.

Elle poussa un grognement sourd et, rejetant la tête en arrière, elle ferma les yeux.

— Veux-tu que j'appelle Mildred et que je lui demande de te donner quelque chose pour calmer la douleur ? demanda Blake en lui effleurant la joue.

Il se montrait si prévenant que, soudain, Jenna eut honte de se comporter si mal avec lui. Alors qu'elle avait tout fait pour l'éloigner, il avait choisi de rester. Et, tout au fond d'elle-même, elle se réjouissait de l'avoir auprès d'elle.

— Je suis désolée, Blake. Je me comporte comme une gamine capricieuse.

Elle avait du mal à retenir ses larmes. C'était un homme bon, gentil, et elle n'avait pas le droit de le punir sous prétexte qu'elle avait mal et qu'elle était en colère.

— Je crois que tu as des excuses, dit-il. Tu as eu une journée difficile. Et tu souffres, n'est-ce pas ? ajouta-t-il, l'air soucieux, en lui caressant tendrement le visage.

— Oui…

— Mildred a quelque chose qui pourra te soulager.

Il lui prit la main droite et la porta à ses lèvres pour y poser un rapide baiser.

— Je vais l'appeler, ajouta-t-il.

— Cela va m'abrutir. Ou, plutôt, je devrais dire que cela va me rendre encore plus abrutie que je ne le suis déjà, corrigea-t-elle avec un sourire. Je me sens si… si engourdie.

— C'est à cause de l'anesthésie. Il faut attendre un moment avant que les effets se dissipent.

Il appuya sur le bouton d'appel et, lorsque Mildred répondit, il lui expliqua ce dont Jenna avait besoin. Après quoi, il abaissa le rail de sécurité pour pouvoir s'asseoir au bord du lit et garda la main de Jenna dans la sienne.

Elle se déplaça légèrement afin de se rapprocher de lui et posa la tête sur son épaule.

— Mildred va piquer une crise si elle te surprend installé ainsi, dit-elle en souriant.

— Et comment crois-tu qu'elle réagirait si elle me surprenait en train de…

— De quoi ? demanda-t-elle, le souffle court.

— De t'embrasser, murmura-t-il en lui mordillant l'oreille.

— Je ne sais pas, mais je pense que nous allons bientôt le découvrir.

Elle lui tendit ses lèvres et, lorsqu'il s'en empara, elle répondit à son baiser sans la moindre hésitation, glissant sa langue contre la sienne tandis qu'une vague de chaleur se répandait dans tout son corps.

— Dire que j'ai cru que vous alliez vraiment essayer de bien vous conduire, docteur Hammond ! Quelle honte d'abuser ainsi de notre Jenna…

Mildred alluma le plafonnier, traversa la chambre et s'arrêta au pied du lit. Les mains sur les hanches, elle les regarda durant quelques secondes, puis secoua la tête.

— Je vais devoir vous demander de partir, monsieur.

— Il est 22 heures, Mildred. Je dois de toute façon m'en aller puisque l'heure des visites est passée.

— Ne jouez pas au plus fin avec moi, jeune homme. Surtout si vous voulez revenir demain, ajouta-t-elle en le menaçant du doigt.

Puis elle se tourna vers Jenna.

— Et vous, jeune fille, vous savez ce que je pense des visiteurs qui s'asseyent sur le lit. Qu'avez-vous à dire pour votre défense ?

— Je l'avais averti de votre réaction, répliqua Jenna en essayant de prendre un air innocent.

— Elle m'a dit que vous alliez piquer une crise, ajouta Blake, toujours assis à la même place.

— Mais il a refusé de m'écouter. Que pouvais-je faire ? Je suis immobilisée sur ce lit, Mildred.

— Vous auriez pu appeler et demander de l'aide, marmonna l'infirmière.

Elle ne souriait pas, mais il y avait dans ses yeux comme une lueur amusée. Elle fit le tour du lit et tendit à Jenna deux pilules et un verre d'eau.

— J'étais prête à le faire dès qu'il aurait cessé de m'embrasser, dit Jenna en avalant le médicament.

— J'ai eu l'impression que, vous aussi, vous l'embrassiez, Jenna Warren.

— C'est tout à fait exact, intervint Blake.

— Il était temps…, déclara Mildred. J'ai toujours pensé que ce n'était pas bon qu'une femme comme vous vive toute seule au milieu de nulle part. Il vous faut un mari et une famille. Vous devez cesser de vous punir pour…

— Mildred, je vous en prie ! coupa Jenna, devenue cramoisie.

Elle aimait beaucoup Mildred Schmidt, mais, à cet instant précis, elle avait une envie folle de l'étrangler de ses propres mains. Et si jamais Mildred parlait de Robbie devant Blake, elle passerait à l'acte.

— Excusez-moi, Jenna. Je sais que je devrais me mêler de ce qui me regarde. Mais je ne veux pas que vous finissiez vieille fille comme moi, ajouta-t-elle, l'air penaud, en tapotant le bras de Jenna.

Lorsqu'elle se tourna vers Blake, elle reprit son ton sévère.

— Je vous donne trois minutes pour vous lever de ce lit, dire bonne nuit et quitter la chambre. Si vous m'obligez à revenir pour vous faire partir d'ici, je ne me montrerai pas aussi conciliante que je l'ai été jusqu'ici.

— C'est quelqu'un de spécial, non ? commenta Blake lorsque Mildred eut disparu dans le couloir.

— Parfois, elle peut se montrer pénible, mais elle est pleine de bonnes intentions.

Jamais Jenna ne s'était sentie aussi embarrassée. Soudain, elle se réjouit que Blake fût obligé de s'en aller. Elle n'avait aucune envie de répondre aux questions qu'il devait se poser. En tout cas, pas ce soir.

Laissant échapper un soupir, elle appuya sa tête sur l'oreiller et ferma les yeux.

— L'antidouleur commence à faire de l'effet ? demanda Blake.

— Heu… oui…

— Eh bien, je ferais mieux de partir et de te laisser te reposer.

Il lui pressa la main et se leva.

— Ton sac est sur la table de nuit. Veux-tu ta robe de chambre, ou autre chose ?

— Non, je n'ai besoin de rien pour l'instant.

Elle souffrait moins et se sentait flotter sur un petit nuage.

— Vas-tu… retourner à… à la maison ?

— Oui, si tu n'y vois pas d'inconvénient.

— Non, pas du tout. Morgan… Tu vas t'occuper de Morgan, n'est-ce pas ?

— Bien sûr.

Il lui passa les doigts dans les cheveux et se pencha pour l'embrasser sur la joue.

— Tu reviendras… demain matin ?

— Personne, pas même Mildred, ne pourra m'en empêcher. Bonne nuit, mon cœur, murmura-t-il.

— Bonne nuit… Blake…

Il hésita un moment avant de récupérer son blouson posé sur le dossier d'une chaise puis il éteignit le plafonnier. Jenna fut alors tentée de le retenir, mais elle y renonça. Elle le regarda s'en aller et, fermant les yeux, partit au pays des rêves.

Le lendemain matin, vers 9 heures, Jenna avait à peu près retrouvé ses esprits. Elle s'était réveillée vers 7 heures et, depuis, elle avait beaucoup réfléchi.

En moins de quarante-huit heures, elle avait vu sa vie complètement bouleversée, et elle en était la seule responsable. En invitant Blake Hammond chez elle, elle lui avait donné l'occasion d'essayer de la charmer. Elle avait essayé de se défendre, mais Blake avait de nouveau réussi à la séduire avec une incroyable facilité. Lorsqu'ils s'étaient lancés dans la bataille de boules de neige, elle avait fini par s'accrocher à lui et à l'embrasser avec fougue.

Et hier soir… Elle rougissait encore en pensant à la façon dont elle s'était comportée, et cela devant Mildred. L'analgésique, qui l'avait rendue un peu flottante, n'excusait pas tout.

Ce matin, elle avait refusé de prendre les pilules. Elle voulait avoir l'esprit clair lorsqu'elle reverrait Blake. Sinon, comment arriverait-elle à se débarrasser de lui ?

Non pas qu'elle eût vraiment envie de le voir s'en aller. Ce n'était pas sa faute à lui si elle s'était cassé la cheville, et pourtant il était resté près d'elle pour traverser cette épreuve. Il l'avait laissée passer sa colère sur lui. Sans sa gentillesse et sa sollicitude, sans doute n'aurait-elle pas tenu le coup. Elle n'avait aucune envie de demander à son frère et à sa belle-sœur de venir prendre la place de Blake.

Cependant, en y réfléchissant, elle savait que c'était ce qu'elle aurait dû faire. S'ils avaient été présents, il lui aurait été plus facile de renvoyer Blake. Elle était consciente qu'avec une cheville cassée elle ne pourrait pas s'en sortir toute seule, mais elle ne devait pas s'appuyer sur lui pour l'aider. N'avait-elle pas une famille ? D'autant qu'elle avait fait beaucoup de choses pour les siens par le passé.

En tout cas, il ne serait pas raisonnable de continuer à compter sur Blake comme elle l'avait fait hier, ce qui l'obligerait à rester. Et plus il prolongerait son séjour ici, plus il risquait d'apprendre la vérité au sujet de Robbie. Mildred avait failli laisser échapper l'information hier soir, et il y avait beaucoup d'autres personnes qui savaient que Jenna avait perdu un enfant.

Elle jeta un coup d'œil à l'horloge accrochée au mur. Il était presque 9 h 15. Blake avait promis de revenir ce matin, mais elle ne l'attendait pas avant 10 heures ou 10 h 30. Lui aussi avait eu une dure journée, la veille. Probablement ne se lèverait-il pas très tôt.

Avec un peu de chance, elle disposait de quarante-cinq minutes pour prendre contact avec sa famille, parler de son accident et organiser les choses afin de pouvoir rentrer chez elle. Blake ne pourrait pas soulever d'objections si elle avait une idée précise de ce qu'elle allait faire. Il n'aurait d'autres choix que de monter dans sa voiture et de partir, et ce serait la meilleure solution pour tout le monde.

Se déplaçant lentement vers le bord du lit, elle prit le téléphone posé sur la table de nuit, le plaça sur ses genoux et composa le numéro de son jeune frère Billy.

Une heure plus tard, elle reposait le téléphone sur la table de nuit, essayant de lutter contre la panique qui l'envahissait. Qu'allait-elle faire ? Elle devait trouver une solution. Rapidement. Et, de toute évidence, elle devait la trouver seule. Sous un prétexte ou un autre, tous les membres de sa famille la laissaient tomber.

Elle avait d'abord téléphoné à son frère Billy, qui était le plus proche. Il vivait avec sa femme Amanda et leurs trois enfants dans une petite ville de banlieue située à l'ouest d'Elk Rock. Malheureusement, Amanda et les enfants souffraient tous les quatre d'une gastro-entérite et Billy avait passé une bonne partie de la nuit à les soigner et à changer les draps. Il s'était montré désolé en apprenant l'accident de sa sœur, mais il semblait plus pressé de retourner se coucher que d'aider Jenna à trouver une solution à son problème. Il ne lui avait pas proposé de venir la voir à l'hôpital. Comme elle n'était pas du genre à quémander ni à se plaindre, elle n'avait pas insisté.

Son frère aîné, Craig, enseignait l'histoire à l'université, habitait à Duluth avec sa femme Diane et leurs deux enfants. En lui téléphonant, elle avait espéré qu'il lui proposerait de venir la chercher pour l'emmener chez lui et la garder au moins une semaine.

Elle avait fondé de faux espoirs. Avant même d'avoir pu aborder le sujet, Diane — qui laissait rarement les autres placer un mot — lui avait annoncé qu'ils hébergeaient un collègue norvégien venu diriger un séminaire à l'université durant six semaines. Avec sa femme, ils occupaient la chambre d'amis, et tout le monde était si affairé qu'on se serait cru dans une maison de fous. En fait, ils étaient juste sur le point de partir passer la journée au ski lorsque le téléphone avait sonné. S'il n'y avait rien d'urgent, pouvaient-elles se rappeler plus tard ?

Ses deux frères lui faisant faux bond, Jenna avait composé le numéro de ses parents, mais la ligne était occupée. Alors qu'elle s'apprêtait à faire une nouvelle tentative, Dwayne Greenwell était passé la voir. Il avait vérifié le plâtre et paru satisfait. Avant de quitter la chambre, il lui avait annoncé qu'il avait demandé à la kinésithérapeute de venir lui montrer comment se servir des béquilles. Après quoi, elle pourrait rentrer chez elle. Ils se reverraient en consultation le vendredi suivant, avait-il ajouté.

Après son départ, Jenna avait de nouveau appelé ses parents. Cette fois, sa mère avait répondu dès la première sonnerie, l'informant qu'elle venait en vain de téléphoner chez elle, pour lui dire que son mari et elle rejoignaient des amis à Las Vegas. Ils partaient ce matin même et seraient de retour dans huit ou dix jours. Jenna avait accueilli la nouvelle avec un enthousiasme modéré et fini par raccrocher sans même avoir parlé de sa cheville cassée.

Elle allait devoir se débrouiller toute seule pendant au moins une semaine. Elle y arriverait, elle en avait l'habitude. Elle apprendrait à se déplacer avec ses béquilles. Elle pourrait demander à Mme Purdy de lui téléphoner deux fois par jour pour vérifier que tout allait bien, et, bientôt, Amanda et les enfants devraient aller mieux. Billy pourrait alors lui apporter son courrier et quelques provisions.

Bien sûr, elle serait obligée de demander à Blake de la ramener chez elle, mais, après, elle l'obligerait à s'en aller.

Elle regarda la pendule. 10 h 30. Où pouvait-il bien être ? Pas à la maison, puisque personne n'avait répondu lorsque sa mère avait téléphoné.

Elle s'agita dans son lit, tentée d'appeler l'infirmière pour qu'elle lui donne un antidouleur. Sa cheville la faisait souffrir, mais elle avait aussi été prise d'un terrible mal de tête depuis sa conversation avec Diane. Son inquiétude au sujet de Blake Hammond n'arrangeait rien.

Peut-être avait-il changé d'avis. Peut-être avait-il décidé de la laisser se débrouiller et de reprendre la route. Peut-être ne le reverrait-elle plus…

— Hé, mon cœur, comment te sens-tu ? Je voulais venir plus tôt, mais j'ignorais que le pain aux noix demandait une heure de cuisson.

Blake entra dans la chambre d'un pas décidé, le sourire aux lèvres. Il portait d'une main une boîte en plastique, de l'autre une bouteille Thermos et, sous le bras, plusieurs journaux du dimanche.

— Oh ! Blake, murmura-t-elle, le cœur gonflé de gratitude.

Comment avait-elle pu croire qu'il était parti sans lui dire au revoir ? Et comment allait-elle trouver la force de lui demander de s'en aller ?

Il se pencha vers elle et posa un baiser léger sur ses lèvres.

— Tu ne pensais tout de même pas que j'avais déserté ?

Il mit la boîte en plastique et la bouteille Thermos sur la desserte à roulettes et jeta les journaux sur la table de nuit.

— Non, bien sûr que non, dit-elle en essayant de ne pas rougir de son mensonge. As-tu apporté des tasses ?

— Les voilà.

Il sortit des poches de son parka deux tasses, des serviettes et un petit couteau en plastique.

— Tu as faim ? demanda-t-il.

— Maintenant, oui, j'ai faim.

Sa cheville la faisait toujours souffrir, mais son mal de tête avait disparu. Blake Hammond était un vrai remède miracle, pensa-t-elle en souriant tandis qu'elle sirotait son café. Dommage qu'elle ne puisse pas en avoir une petite dose tous les jours...

— Tu as bien meilleure mine, aujourd'hui, déclara-t-il. Je vois qu'on t'a ôté ta perfusion...

— Ma cheville est affreusement douloureuse, mais à part ça je me sens bien.

— Tu ne prends aucun analgésique ?

Les sourcils froncés, il saisit son café et une tranche de pain, puis s'assit sur la chaise qu'il avait rapprochée du lit.

— J'ai pensé qu'il valait mieux que j'aie les idées claires lorsque la kinésithérapeute viendrait me montrer comment me servir d'une paire de béquilles. Dwayne a dit que je pourrai rentrer à la maison dès que je saurai me déplacer sans risquer de me briser le cou.

— Je comprends. Mais je n'aime pas te voir souffrir alors que tu pourrais prendre quelque chose qui te soulagerait.

Ils savourèrent tranquillement leur petit déjeuner tardif, tout en bavardant de choses et d'autres.

— À quelle heure doit passer la kinésithérapeute ? demanda Blake.

— Bientôt, j'espère.

Il était 11 heures passées.

— Moi aussi, dit Blake. Je voudrais te ramener chez toi le plus tôt possible. Morgan se languit de toi.

Il se leva pour marcher jusqu'à la fenêtre.

— As-tu téléphoné à ta famille ? s'enquit-il d'un ton neutre, le dos tourné.

Jenna hésita quelques secondes avant de répondre.

— Je les ai appelés ce matin.

— Et ?

— Et… ils sont très occupés, comme toujours.

Elle se força à sourire lorsque Blake se retourna vers elle.

— Tu ne leur as pas dit que tu t'étais cassé la cheville, n'est-ce pas ?

Il avait parlé d'une voix douce qui laissait cependant percer sa colère.

— J'ai juste dit à Billy que j'avais eu un accident, répondit-elle, soudain sur la défensive. Mais je n'ai vu aucune raison d'inquiéter Craig et Diane ni mes parents. Je suis parfaitement capable de prendre soin de moi.

— Comme je suis parfaitement capable de voler jusqu'à la lune…

— Alors, pourquoi ne le fais-tu pas ? Personne ne t'oblige à rester ici. En fait, ce qui me ferait le plus plaisir, c'est que tu t'en ailles, et le plus tôt sera le mieux.

— Dommage, parce que je n'irai nulle part.

— Comme tu voudras, mais tu ne t'installeras pas à Warren's Retreat.

— Si tu crois que…

Il se tut, le regard fixé sur la porte qui venait de s'ouvrir.

— Vous devez être la kinésithérapeute, dit-il d'un ton calme.

— Becky Branch, pour vous servir.

La jeune femme appuya une paire de béquilles contre le bord du lit.

— Bonjour, Jenna. J'espère ne pas avoir… heu… interrompu votre discussion.

— Oh ! ce n'était rien d'important.

— Dans ce cas, nous allons commencer tout de suite.

Arborant un sourire encourageant, elle abaissa le rail de sécurité du lit et donna ses instructions.

Vingt minutes plus tard, Jenna se déplaçait lentement dans le couloir en se disant que marcher avec des béquilles n'était pas aussi difficile qu'elle l'avait cru.

— C'est très bien, commenta Becky qui avait poussé le fauteuil roulant dans le couloir. Vous pourriez vous asseoir quelques minutes avant que nous passions à l'étape suivante : monter et descendre un escalier.

— Un escalier ? répéta Jenna, prise de panique.

— Vous y arriverez.

Après avoir écouté les explications de Becky qui l'avait équipée d'un harnais de sécurité, Jenna, plantée devant l'escalier de secours, contemplait les marches qu'elle devait descendre. Elle avait le front en sueur.

— Je ne crois pas que… Je ne peux pas…

— Mais si, tu peux, dit Blake d'une voix douce.

Il descendit quelques marches puis se retourna pour se trouver face à elle.

— Tu veux rentrer chez toi, n'est-ce pas ?

Elle hocha la tête.

— Alors, viens. Je ne te laisserai pas tomber.

Il la regardait droit dans les yeux, comme s'il voulait l'obliger à lui faire confiance. Et elle lui fit confiance.

Respirant un grand coup, elle descendit la première marche et, très lentement, très prudemment, elle continua sa descente. Arrivée sans encombre au bas de l'escalier, elle s'effondra dans les bras de Blake, en tremblant si fort qu'elle crut ne jamais pouvoir s'arrêter.

— Bravo, mon cœur, murmura-t-il. Tu t'en es bien tirée. Monter sera moins compliqué

— C'est vrai, intervint Becky.

— Ah, pour vous, c'est facile à dire, murmura Jenna en appuyant sa joue sur le torse de Blake.

Comme elle sentait son cœur battre rapidement, elle se demanda s'il avait eu peur pour elle. Elle releva la tête et comprit, en croisant le regard de Blake, qu'il s'était en effet angoissé pour elle.

— Ce n'est pas aussi facile que tu le crois, dit-il avec un petit sourire. Mais je sais que tu es assez têtue pour y arriver.

— Ah bon ? Comment le sais-tu ?

— Qui se ressemble s'assemble. Au cas où tu l'aurais oublié, je suis têtu, moi aussi.

Visiblement, il n'avait pas l'intention d'abandonner la discussion qu'ils avaient eue avant l'arrivée de la kinésithérapeute, et il lui faisait passer le message.

— Dois-je considérer ça comme une menace, Blake Hammond ?

— Plutôt comme une promesse.

Baissant la tête, il lui posa un baiser rapide sur les lèvres, puis il la fit pivoter afin de la placer face à l'escalier.

— Allez, monte. Je serai juste derrière toi.

Elle atteignit le palier sans problèmes, mais elle dut s'asseoir quelques minutes avant de pouvoir regagner toute seule sa chambre, aussi fut-ce avec soulagement qu'elle posa ses béquilles et s'installa dans son lit. Sa cheville avait beaucoup gonflé et elle avait l'impression d'avoir couru pendant des jours et des jours. En fait, elle aurait voulu maintenant se rouler en boule et dormir pendant une semaine entière.

— Vous allez très bien vous débrouiller, Jenna, dit Becky. Vous aurez mal au bras pendant une huitaine de jours, mais plus vous utiliserez vos béquilles, mieux cela ira. En ce qui me concerne, je suis d'accord pour que vous quittiez l'hôpital quand vous voudrez. Je vais le dire à l'infirmière de garde.

Elle se tourna vers Blake en souriant.

— Prenez bien soin d'elle, monsieur Hammond. C'est l'un de nos meilleurs éléments.

— Je le ferai, soyez-en certaine.

Il enfila son parka, puis ramassa la boîte en plastique, la bouteille Thermos et les journaux qu'il avait apportés.

— Je vais ranger tout ça dans le 4x4 pendant que tu t'habilles, Jenna, d'accord ? dit-il. J'avertirai les infirmières que tu es prête à partir et je leur demanderai de t'apporter un fauteuil roulant.

— Très bien, répondit-elle en évitant de le regarder.

Inutile de discuter avec lui maintenant, pensa-t-elle. Mais une fois qu'ils seraient à Warren's Retreat…

Il lui fallut plus de temps que prévu pour mettre le jogging gris pâle que lui avait apporté Blake. Le plus difficile pour elle fut d'enfiler une chaussette pour couvrir ses orteils nus qui dépassaient du plâtre.

Venue enfin à bout de sa tâche, elle se sentit épuisée, au point de se demander si elle ne ferait pas mieux de passer une autre nuit à l'hôpital.

— Alors, prête à partir ?

Blake venait d'entrer dans la chambre, poussant devant lui un fauteuil roulant.

— Excuse-moi d'avoir été si long, mais je me suis arrêté à la pharmacie pour prendre ton médicament, dit-il. Le Dr Greenwell a pensé que tu devais avoir quelque chose pour te soulager durant les deux prochains jours.

Il lui montra le flacon de pilules qu'il avait acheté, puis il le glissa dans son sac, y ajoutant ensuite les affaires personnelles de la jeune femme. Comme elle le regardait s'activer, elle fut prise d'une envie de crier. Ou peut-être de pleurer ? Elle n'aurait su le dire. Tout ce qu'elle savait, c'était que, chaque fois que Blake était près d'elle, un torrent d'émotions la traversait, lui donnant l'impression d'être sur des montagnes russes. C'était loin d'être désagréable, mais il était temps d'y mettre fin. Rester une nuit de plus à l'hôpital ne ferait que prolonger… le supplice.

— Je suis plus que prête, dit-elle.

Elle tendit la main pour prendre son manteau qu'il avait posé au pied du lit.

— Laisse-moi t'aider, proposa-t-il.

Avant qu'elle ait eu le temps de protester, il lui avait mis son manteau et l'avait installée dans le fauteuil roulant.

Les infirmières de garde leur firent des adieux chaleureux. Elles taquinèrent Jenna sur la façon dont elle allait occuper ses longues « vacances », tout en adressant des clins d'œil à Blake. Serrant les dents, Jenna leur rendit leurs sourires, souhaitant de tout son cœur qu'elles cessent leurs allusions. Inutile de donner des idées à Blake ! Il en avait déjà suffisamment tout seul.

Elle n'avait pas eu l'intention de dormir durant le trajet jusqu'à Warren's Retreat. On était en début d'après-midi, le soleil brillait dans un ciel sans nuages, et elle devait réfléchir à la façon dont elle allait s'organiser. Mais elle avait chaud et se sentait si bien, allongée sur la banquette arrière du Blazer, qu'elle s'endormit, bercée par le bruit du moteur.

Lorsqu'elle se réveilla, Blake la portait dans ses bras et marchait vers la maison, faisant crisser la neige sous ses pas.

— Pose-moi par terre, demanda-t-elle. Je veux… me servir de mes béquilles.

— Pas dehors. Il faut attendre que tu aies repris des forces.

Il grimpa les marches et poussa d'un coup d'épaule la porte de derrière déjà déverrouillée. Morgan vint le renifler en aboyant comme pour lui souhaiter la bienvenue.

— Mais oui, Morgan, je suis allé la chercher et elle va bien, comme je te l'avais promis. Maintenant, pousse-toi pour que je puisse la mettre au lit. Ensuite, elle sera tout à toi, au moins pour cette nuit.

— Mais je ne veux pas…, protesta Jenna.

— Et pourtant, tu vas le faire. Ordres du médecin.

— Ah, vraiment? Ce sont les ordres du Dr Greenwell ou bien les tiens?

— Je suis sûr qu'il serait d'accord avec moi si tu lui posais la question, rétorqua-t-il en l'installant sur son lit. Veux-tu que je l'appelle?

— Je te crois sur parole.

En fait, elle était contente de retrouver son lit. Elle avait bien l'intention de prendre son analgésique, de remonter ses couvertures jusqu'au cou et de dormir un bon moment. Elle le ferait dès qu'elle se serait débarrassée de Blake.

— Peux-tu m'apporter mon sac et mes béquilles? demanda-t-elle.

— Bien sûr.

Il quitta la chambre pour revenir quelques instants plus tard. Il posa le sac sur la table de nuit et les béquilles contre le mur, près de la tête du lit.

— As-tu besoin d'autre chose?

— J'aimerais avoir un verre d'eau, s'il te plaît.

— Tout de suite.

Pendant son absence, elle attrapa son sac dans lequel elle fouilla pour prendre sa boîte de pilules.

Blake réapparut avec une carafe pleine et le verre qu'elle avait réclamé.

— Merci.

Elle avala deux pilules qu'elle fit passer avec une gorgée d'eau.

— Il y a encore autre chose, reprit-elle. Voudrais-tu remettre le 4x4 au garage avant de partir ? Je ne crois pas que je m'en servirai avant un bon moment.

— Oui, je rangerai le Blazer dans le garage, dit-il avec un sourire qui n'avait rien d'aimable. Mais je n'irai nulle part.

— Tu ne peux pas rester ici !

— Et pourquoi ?

— Parce que je ne veux pas t'avoir chez moi.

— Désolé, mon cœur, mais tu n'as pas le choix. Je te l'ai dit, je ne vais pas m'en aller et te laisser seule ici.

Il fit un pas vers elle, les mains sur les hanches.

— Bien sûr, si tu veux téléphoner à ta famille pour leur dire ce qui se passe et si l'un d'eux vient s'occuper de toi, alors, oui, je partirai. Le mieux serait peut-être que je les appelle.

— Non ! s'écria Jenna.

— Mais pourquoi ?

— Parce que… parce que…

« Parce que, après la mort de notre fils, je me suis promis de n'être plus jamais un fardeau pour eux. »

Ils l'avaient soutenue sans lui faire aucun reproche. Ils avaient pris soin d'elle, la protégeant de leur mieux, et, par la suite, jamais ils ne lui avaient tenu rigueur de ce qui s'était passé. Mais si Blake les provoquait, comment réagiraient-ils ? Que diraient-ils ? Que feraient-ils ? S'il leur reprochait de l'abandonner, l'un d'eux l'accuserait peut-être d'avoir fait la même chose, en pire. Et s'il demandait alors une explication ? Garderaient-ils le secret ? Pas forcément.

— Eh bien, Jenna ? Tu as le choix. Eux ou moi. Mais tu ne resteras pas dans cette maison toute seule.

— Je te déteste, murmura-t-elle.

— Mais non, dit-il doucement.

Il s'assit au bord du lit et lui prit la main.

— Enfin, je l'espère, reprit-il. Parce que je ne veux pas t'ennuyer ni t'être désagréable d'aucune façon.

Il se tut. Comme elle retirait sa main, elle le vit serrer le poing.

— Tu sais, Jenna, je m'inquiète pour toi.

« Moi aussi, je m'inquiète pour moi, pensa-t-elle. Et pour toi. »

Il avait choisi de rester et elle ne pouvait rien faire pour l'en empêcher. Il était plein de bonnes intentions, ce qui la touchait, mais comment allait-elle pouvoir cohabiter avec lui pendant des jours, des semaines peut-être, alors que sa présence la mettait dans tous ses états ? Comment conserverait-elle son secret alors qu'elle perdait tout contrôle lorsque Blake était près d'elle ?

— Ne t'inquiète pas, dit-elle. Je... Tout ira bien.

Elle souhaitait le rassurer, mais elle-même ne croyait pas à ce qu'elle disait. Soudain, écrasée de fatigue, elle posa la tête sur l'oreiller et ferma les yeux. Elle ne voulait plus discuter avec lui. Ni réfléchir aux moyens de l'éviter. Tout ce qu'elle souhaitait, c'était dormir. Et grâce à l'analgésique, elle allait le faire, même si Blake restait assis au bord du lit.

— Je sais que tout ira bien, dit-il en lui tapotant la main. Je ferai le nécessaire pour ça. Repose-toi un peu, je reviendrai te voir plus tard, ajouta-t-il en se levant.

— Plus tard..., murmura-t-elle.

Se réfugiant sous les couvertures, elle dissimula un petit sourire. Elle venait de comprendre qu'elle avait enfin trouvé un moyen d'éviter Blake.

5.

Le mercredi matin, réfugié dans la cuisine, Blake se demandait pour la énième fois ce qu'il avait espéré en décidant de rester à Warren's Retreat. Il n'avait certainement pas prévu que Jenna refuserait de quitter son lit sauf pour se rendre à la salle de bains. Elle passait son temps à dormir — ou à faire semblant. Le choc qu'elle avait subi ne justifiait pas une cure de sommeil aussi prolongée.

De toute évidence, elle cherchait à l'éviter. Mais pourquoi ? Avait-elle peur de ce qui pourrait se passer s'ils finissaient dans les bras l'un de l'autre ?

Sans doute ferait-il mieux d'appeler le frère de Jenna pour lui demander de s'occuper d'elle tandis que lui-même reprendrait la route. Il avait suffisamment de problèmes personnels à régler sans y ajouter l'anxiété et l'incertitude qui accompagneraient ses efforts pour faire renaître sa relation avec Jenna.

Pourtant, il voulait profiter de cette seconde chance qui lui était donnée.

— Allez, Morgan…, dit-il en s'adressant au chien couché près de la cuisinière. Que dirais-tu si nous allions la réveiller ?

Morgan laisa échapper un bref aboiement et se leva pour se livrer à quelques étirements. Puis, apparemment d'accord avec la proposition de Blake, il sortit de la cuisine et se dirigea vers la chambre de Jenna. Quelques secondes plus tard, Blake entendit des cris de protestation. Le chien avait dû sauter sur le lit et réveiller assez brutalement sa maîtresse.

Lorsque, affichant un petit sourire, il pénétra à son tour dans la chambre, il vit Jenna, toute pâle, avec de grands cernes sous les yeux, qui luttait contre Morgan pour essayer de le faire descendre du lit.

— Je dormais, Blake ! Pourquoi l'as-tu laissé me réveiller ?

— Tu as assez dormi.

Il alla vers les fenêtres, tira les rideaux et, comme le ciel était gris, il alluma deux lampes.

— Qui a décrété ça ? murmura Jenna en essayant vainement de faire descendre le chien. Enfin, Blake, débarrasse-moi de lui !

— C'est moi qui l'ai décrété.

La laissant se débattre avec Morgan, il s'approcha de la table de nuit et prit le flacon de pilules.

— Quand as-tu avalé pour la dernière fois l'une de ces pilules ? demanda-t-il, les sourcils froncés, en mettant le flacon dans sa poche.

— Donne-moi ce…

— Quand ? répéta-t-il.

Attrapant Morgan par son collier, il le fit descendre du lit. Débarrassée du chien, Jenna s'assit et, se passant la main dans les cheveux, elle regarda le réveil.

— Il y a… environ deux heures, dit-elle.

— Ta cheville te faisait-elle souffrir ?

— Un peu. Je ne suis pas une droguée, tu sais. Je ne risque pas de faire une overdose avec cet analgésique.

— Certainement pas. Et tu ne vas pas non plus t'en servir pour m'éviter.

— Mais non, dit-elle en détournant le regard.

La voyant rougir légèrement, Blake eut un petit rire.

— Tu n'as jamais su mentir, n'est-ce pas ?

Puis, sans attendre sa réponse, il quitta la pièce.

Il revint deux minutes après, apportant un tabouret qu'il avait trouvé dans la buanderie qu'il alla placer dans devant le lavabo dans la salle de bains. Après avoir sorti d'un placard des serviettes de toilette, il ouvrit des tiroirs, choisit des sous-vêtements et des chaussettes, puis il prit dans la penderie un pantalon de jogging bleu pâle, un sous-pull en coton blanc et un pull-over bleu.

— Mais que fais-tu ? demanda-t-elle.

— J'essaye de te faciliter les choses du mieux que je peux, répondit-il en posant les vêtements au pied du lit.

— Me faciliter quoi ?

— Je fais ce que je peux pour t'aider à sortir de ton lit, à te laver et t'habiller. Dans une semaine, lorsque tu seras plus forte et plus sûre de toi avec tes béquilles, j'essayerai de trouver un moyen pour que tu puisses prendre une douche. Mais pour le moment, tu devras te débrouiller pour te laver au lavabo avec un gant.

— Mais je ne veux pas…

— Dommage, parce que tu vas le faire quand même. Puis, quand tu auras fini, tu me rejoindras dans la cuisine, et tu me tiendras compagnie pendant que je préparerai le déjeuner. Ensuite, tu m'aideras à faire la liste des courses et des choses que tu veux que je te rapporte d'Elk Rock. Tu pourras faire la sieste pendant que j'irai acheter tout ça.

— Je ne vais pas me laver, ni m'habiller, et je ne…

— Je te donne une heure, Jenna. Si, à 11 heures, tu n'es pas dans la cuisine, je reviendrai te voir et, s'il le faut, je te laverai et t'habillerai moi-même.

Il soutint son regard pendant quelques secondes, puis il se dirigea vers la porte.

— Allez, Morgan. Laissons un peu d'intimité à cette dame.

Moins d'une heure après, alors qu'il était dans le salon et passait en revue les livres entassés sur des rayonnages, il entendit une porte claquer. Sortant de la pièce, il vit Jenna arriver dans le couloir. Appuyée sur ses béquilles, elle avançait lentement, en vacillant.

— Je suis debout, lavée, habillée. Satisfait ?

— Je serai encore plus satisfait quand tu pourras marcher sans tituber comme un marin ivre. Après avoir passé deux jours dans ton lit, tu es affaiblie.

— Ce sera pire encore si tu ne t'écartes pas de mon chemin, murmura-t-elle en passant devant lui.

— Veux-tu que j'aille te chercher un oreiller pour que tu

puisses allonger ta jambe sur une chaise ? demanda-t-il, ignorant sa remarque caustique.

— Oui… merci, lança-t-elle par-dessus son épaule.

Il se rendit dans la chambre puis retourna dans la cuisine où il trouva la jeune femme assise près de la table. Il poussa une chaise devant elle, y posa l'oreiller et, avec d'infinies précautions, aida la jeune femme à allonger sa jambe plâtrée.

— Crois-moi, Jenna, si je t'ai forcée à quitter ton lit, c'est parce que je m'inquiétais pour toi. Tu es infirmière, aussi tu dois savoir que même la prise d'un simple analgésique peut devenir une habitude si on l'utilise pour fuir quelque chose. Tu sais aussi que de longues périodes d'immobilité peuvent te faire perdre tes forces et nuire à ta coordination.

— Au cas où je l'aurais oublié, tu es là pour me le rappeler, n'est-ce pas, docteur Hammond ? Eh bien, permets-moi de te dire que je n'apprécie guère tes méthodes. Si tu traites tes patients avec la même brutalité, j'imagine qu'ils s'enfuient de ton cabinet en hurlant. Pas étonnant que tu prennes d'aussi longues vacances !

Blake eut l'impression d'avoir reçu un coup de poing en plein visage. Il fit un pas en arrière, puis, les mâchoires serrées, les épaules raides, il tourna le dos à Jenna pour aller s'appuyer contre le comptoir. « Brutalité… s'enfuient en hurlant… » Il savait que Jenna n'avait pas eu l'intention de le blesser aussi profondément, mais sa réflexion n'en était pas moins cruelle.

Elle ne pouvait pas être au courant de ce qui s'était passé avec Phyllis Rowan : le couteau, le sang, les cris… Toutefois, sans le vouloir, elle avait dit la vérité.

« Si tu traites tes patients avec la même brutalité… Pas étonnant que… »

— Blake ? Je ne voulais pas…

— Que veux-tu que je te dise ? Tu n'as qu'à m'appeler Dr la Terreur, lança-t-il en la regardant avec un sourire forcé. Et si nous déjeunions ? Je parie que tu meurs de faim.

— Blake, qu'est-ce qui ne va pas ?

— Ce qui ne va pas, c'est que nous n'avons plus rien à

manger. Nous devrons nous contenter d'une soupe à la tomate et d'un bout de fromage.

— Parfait. Mais, Blake…

— J'ai commencé une liste.

Il prit sur le comptoir un papier et un stylo qu'il posa sur la table devant Jenna.

— Ajoute tout ce dont tu as besoin. J'irai faire les courses et je passerai aussi à la poste prendre ton courrier.

Il était conscient de parler trop vite, mais il voulait détourner l'attention de Jenna afin d'échapper à ses questions. Des questions auxquelles il ne voulait pas répondre.

Il fit réchauffer la soupe de tomates et prépara des sandwichs au fromage. Lorsque tout fut prêt, il plaça sur la table un bol de soupe et une assiette de sandwichs devant Jenna.

— Mmm, ça a l'air bon, dit-elle en prenant sa cuiller. Et c'est bon, ajouta-t-elle après avoir goûté sa soupe. Tu ne me tiens pas compagnie ?

— Si cela ne te fait rien, je vais aller regarder le journal télévisé dans le salon.

Il sortit d'un placard un plateau sur lequel il posa son déjeuner frugal, accompagné d'un verre de lait et d'une serviette.

— Tu n'auras qu'à m'appeler si tu as besoin de quelque chose, d'accord ?

Jenna resta sans voix tandis qu'elle le regardait quitter la pièce. Il allait regarder le journal télévisé ? Il l'avait forcée à se lever et à s'habiller pour finalement déjeuner tout seul dans le salon ?

— Qu'en penses-tu, Morgan ? murmura-t-elle. Aurais-je dit quelque chose…

En fait, elle savait très bien ce qui avait motivé le départ de Blake. Il n'avait pas supporté ses accusations. Elle avait voulu se venger de lui, le punir d'avoir deviné qu'elle cherchait à l'éviter. Mais à peine avait-elle lancé ses remarques blessantes qu'elle s'était fait des reproches. Elle avait vu Blake pâlir, se raidir. Il était devenu tout à coup froid et distant.

Elle soupira, repoussa son bol de soupe et saisit son sandwich. Elle qui avait tant désiré être débarrassée de Blake aurait dû se réjouir de le voir prendre ses distances. S'il voulait s'en aller, il pouvait bien le faire. N'était-ce pas ce qu'elle souhaitait depuis samedi dernier ?

Mais, maintenant, elle n'était plus certaine d'en avoir envie. Depuis bien longtemps, personne ne s'était montré avec elle aussi gentil et prévenant que lui ces derniers jours. Il s'était occupé d'elle, malgré sa mauvaise humeur et les reproches dont elle l'avait abreuvé. Et aujourd'hui, elle l'avait accusé d'être brutal et de faire fuir ses patients.

— Oh ! Non… qu'ai-je fait ? murmura-t-elle. Qu'ai-je fait ?

Elle devinait soudain qu'en l'attaquant sur l'exercice de sa profession elle avait réveillé chez lui une douleur qui le rongeait.

Il était sûrement venu ici pour guérir une blessure secrète. Mais pourquoi ? Qu'était-il arrivé au Dr Blake Hammond ? Elle avait besoin de le savoir. Malheureusement, par son comportement, elle avait compromis ses chances d'entendre les confidences de Blake. Elle l'avait blessé et sans doute ne le lui pardonnerait-il jamais. S'il décidait de s'en aller pour ne jamais revenir, elle ne pourrait le lui reprocher.

— Je croyais que tu avais faim, dit Blake qui venait d'entrer dans la cuisine.

Sans la regarder, il traversa la pièce et posa son plateau sur le comptoir.

— Je… Oui, j'avais faim…

Elle contempla les restes de son sandwich, éparpillés sur la table. Sans s'en rendre compte, elle l'avait émietté au lieu de le manger.

— Mais j'en avais assez, ajouta-t-elle.

— Veux-tu un morceau de pain à la banane en guise de dessert ?

— Non, tu peux le finir.

Ce qu'il fit. Appuyé contre le comptoir, les yeux tournés vers la fenêtre, il grignota son morceau de pain sans dire un mot.

Incapable de supporter ce long silence, Jenna dit la première chose qui lui vint à l'esprit.

— J'ai terminé la liste des courses. Tu… Tu iras les faire à Elk Rock, n'est-ce pas ?

« Et, surtout, reviendras-tu ? », pensa-t-elle.

— Oui.

Il s'approcha de la table.

— As-tu fini ?

Comme elle hochait la tête, il prit l'assiette et le bol qu'il alla déposer dans l'évier.

Elle savait que c'était à elle de s'excuser, mais elle ne savait pas comment s'y prendre.

— Blake, nous devons parler. À propos de ce que j'ai dit.

— Pas maintenant, Jenna.

Il acheva de remplir le lave-vaisselle avant de se tourner vers elle.

— Mais, Blake, je veux…

— Je t'en prie, n'insiste pas.

— D'accord, dit-elle en baissant les yeux.

Otant sa jambe plâtrée de la chaise, elle saisit ses béquilles.

— La clé de ma boîte aux lettres au bureau de poste se trouve dans mon sac. Si tu m'accordes quelques minutes, je vais aller la chercher.

Elle passa devant lui lentement, essayant de se concentrer sur chacun de ses pas.

— Il y a un grand sac en toile dans la buanderie, ajouta-t-elle. Tu en auras besoin pour mettre tout le courrier arrivé depuis vendredi.

Le trajet jusqu'à sa chambre lui parut durer une éternité. À peine s'était-elle assise sur le lit que Blake apparut dans l'embrasure de la porte, revêtu de son blouson de cuir noir et tenant à la main le sac en toile, visiblement prêt à partir. À l'expression de son visage, Jenna comprit qu'il était toujours aussi fâché et impatient.

Ne voulant pas l'irriter davantage, elle tendit le bras pour prendre son sac. Malheureusement, elle avait oublié qu'il était ouvert… et tout son contenu tomba par terre, à ses pieds.

Consternée, sûre que Blake allait se mettre à hurler, elle ferma les paupières.

— Un problème ?

Elle ouvrit les yeux. Agenouillé devant elle, il ramassait toutes les petites choses tombées du sac pour les y remettre. Lorsqu'il releva la tête, elle vit briller dans ses yeux bleus une lueur d'amusement tandis qu'un sourire se dessinait sur ses lèvres. Puis il reprit sa tâche.

— Je suis désolée, murmura-t-elle.

Il ne répondit pas. Lorsqu'il eut terminé, il posa le sac sur le lit, à côté d'elle.

— Dis-moi s'il manque quelque chose. Si oui, j'irai chercher sous le lit. Et tu ferais mieux d'étendre ta jambe, tes orteils tournent au violet.

— Ça ne m'étonne pas. Mon plâtre me semble trop petit.

Ayant trouvé dans son sac la clé de la boîte aux lettres, elle la donna à Blake en évitant de le regarder. Après quoi, elle s'allongea sur le lit et glissa un oreiller sous sa jambe.

— Ah, c'est déjà mieux…, murmura-t-elle.

— Tes pilules sont là si tu en as besoin, dit Blake en posant le flacon sur la table de nuit.

— Je ne crois pas que ce sera nécessaire.

Elle était si lasse qu'elle n'aurait aucun mal à s'endormir.

— Bien. Je tâcherai de ne pas m'absenter trop longtemps.

Avant de franchir la porte, il se retourna.

— Tu te tiendras tranquille pendant que je ne serai pas là, d'accord ? Tu n'es pas encore assez forte pour te promener partout dans la maison quand tu es toute seule.

— Je n'ai pas l'intention de bouger, sauf pour aller à la salle de bains si c'est nécessaire. Je crois que je vais m'offrir une longue et délicieuse sieste, ajouta-t-elle avec un petit sourire.

Il hocha la tête, l'air satisfait, puis il sortit de la chambre.

Quelques minutes plus tard, alors que Morgan venait se coucher au pied du lit, elle entendit le ronflement d'un moteur et le crissement des pneus sur la neige glacée. Ainsi, Blake avait pris la Porsche.

Durant un long moment, elle s'imagina assise près de lui pendant que le petit bolide avalait les kilomètres, les emportant vers… elle ne savait où. Elle s'imagina fuyant cette maison avec Blake Hammond. Si seulement c'était possible… Mais il le lui avait déjà demandé une fois, et il était peu probable qu'il lui refasse la même proposition. D'ailleurs, s'il le faisait, comment pourrait-elle partir avec lui sans lui avoir parlé de… de leur fils ?

Poussant un long soupir, elle finit par se blottir sous les couvertures et s'endormit.

En se réveillant, Jenna découvrit que la nuit était tombée et qu'elle n'était plus seule dans la maison. Venue de la cuisine, une délicieuse odeur de viande et de légumes en train de mijoter sur le feu la mit en appétit.

Elle n'avait rien fait pour mériter les soins dont l'entourait Blake, et, surtout, elle ne lui avait jamais exprimé sa gratitude, bien au contraire. Elle avait tellement cherché à se débarrasser de lui qu'elle n'avait jamais réfléchi à ce qu'elle ressentirait une fois qu'il l'aurait quittée. Maintenant qu'il avait pris ses distances avec elle, elle s'apercevait à quel point elle désirait le garder à Warren's Retreat.

Mais il lui serait difficile de le convaincre de rester, voire impossible. Le mieux qu'elle avait à faire, c'était de surveiller ses propos dans les heures à venir. Il avait refusé d'entendre ses explications et ses excuses, aussi s'abstiendrait-elle de les lui présenter de nouveau. Du moins pas dans l'immédiat. Par ailleurs, comme il n'avait pas voulu répondre à ses questions, elle le laisserait prendre l'initiative de la conversation, décidat-elle en attrapant ses béquilles.

— Et j'essayerai de tenir ma langue, dit-elle en gagnant la salle de bains. Au moins pendant un jour ou deux. D'accord, Morgan ?

Le vieux chien émit un aboiement approbateur et, sautant du lit, il sortit dans le couloir en trottinant.

Lorsqu'elle rejoignit Blake dans la cuisine, il lui demanda poliment comment elle se sentait. De toute évidence, son expédition à Elk Rock n'avait pas amélioré son humeur. S'il ne semblait plus être en colère ni impatient, il restait toujours aussi froid et distant avec elle.

Durant le dîner, il y eut de longs silences. Lorsqu'elle félicita Blake pour la qualité du ragoût de bœuf et de la salade composée qu'il avait préparés, il accepta ses compliments sans rien ajouter d'autre.

Alors qu'elle sirotait sa seconde tasse de café, elle se demanda ce qu'il avait prévu de faire après le dîner. Probablement chercherait-il à l'éviter. Eh bien, elle n'avait pas l'intention de lui imposer sa présence. Elle lui laisserait de bon cœur la cuisine et le salon. Sa seule crainte, c'était de le voir monter dans sa chambre et faire ses bagages.

Laissant sur la table sa tasse à moitié pleine, elle prit ses béquilles et commença à traverser la cuisine. Une montagne de paperasse l'attendait dans sa chambre, sans compter tout le courrier que Blake avait rapporté d'Elk Rock.

— Où vas-tu ? demanda-t-il.

— Je retourne dans ma chambre.

— Quelque chose ne va pas ?

— Je dois terminer la lettre d'information du camp de vacances que j'étais censée envoyer lundi. Et il faut que je m'occupe du courrier.

— Veux-tu que je t'aide ?

Jenna se demanda si l'offre était sincère ou s'il cherchait seulement à être poli.

— Non… pas ce soir. Mais je te remercie.

Elle continua son chemin. Blake ne fit pas un geste pour la retenir.

Elle avait achevé d'écrire la lettre d'informations et réglé plusieurs factures lorsque le téléphone sonna. Elle décrocha.

— Allô ?

— Bonsoir, petite sœur. Comment ça va ?

— Pas trop mal. Et toi, Billy ?

— Mieux que ces derniers jours. Désolé de n'être pas venu

dimanche, j'étais éreinté. Ensuite, j'ai attrapé le virus qu'avaient Mandy et les enfants. Je n'ai cessé de vomir pendant deux jours !

— Je t'en prie, épargne-moi les détails !

— D'accord, assez parlé de moi. Et toi, où en es-tu ? Je me suis arrêté à l'hôpital aujourd'hui et on m'a dit que tu t'étais cassé la cheville. Est-ce pour ça que tu m'as téléphoné dimanche ?

— Mais oui, Billy, c'était pour ça, répondit-elle sans chercher à cacher son irritation. C'est une chance pour moi que je n'ai pas vraiment eu besoin de toi, n'est-ce pas ?

— Voyons, Jenna, je t'ai expliqué la situation… Et tu ne m'as pas demandé de venir à l'hôpital, il me semble ?

— Non, je ne te l'ai pas demandé.

— Comment te débrouilles-tu ?

— Je me débrouille… avec des béquilles.

— Es-tu toute seule ou… ou bien ?

À son ton, Jenna comprit qu'il savait qu'elle n'était pas seule. Sans doute avait-il appris à l'hôpital qui était avec elle.

— Non, je ne suis pas seule à la maison.

— Ah, c'est donc vrai… J'ai cru que cette bonne vieille Ruby déraillait quand elle m'a dit que tu étais accompagnée d'un type qui s'appelait Blake Hammond. Que fait-il là, Jenna ? As-tu perdu la tête ? Après tout ce qu'il a fait…

— Tais-toi, Billy, ordonna-t-elle, furieuse. Lorsque je t'ai téléphoné dimanche, tu étais trop fatigué pour me parler. Craig et Diane avaient des invités, et papa et maman partaient pour Las Vegas. Si Blake n'avait pas été là, j'aurais dû probablement rester à l'hôpital en attendant que l'un de vous trouve le temps de venir me chercher.

Il y eut un long silence à l'autre bout de la ligne.

— Je suis désolé, Jenna, reprit enfin Billy d'un ton contrit. Je ne savais pas…

— Eh bien, maintenant, tu sais.

— Écoute, veux-tu que je vienne te chercher demain matin ? Tu pourrais rester chez nous jusqu'à ce que ta cheville soit guérie. Je suis sûr que Hammond est prêt à reprendre la route.

Il marqua une pause.

— Que m'as-tu dit à propos de sa visite dans la région ?

— Je n'ai rien dit du tout, murmura-t-elle.

Elle réfléchissait à la proposition que venait de lui faire Billy. Étant donné la façon dont la journée s'était déroulée, elle imaginait que Blake était en effet prêt à s'en aller, et elle devait lui faciliter les choses. Cependant, elle avait du mal à accepter l'idée de son départ.

— J'apprécie ton offre, Billy, mais je te rappellerai pour te donner ma réponse. Je veux d'abord en discuter avec Blake et voir avec lui ce qu'il veut faire.

— En quoi est-ce important de savoir ce qu'il veut faire ? Est-ce qu'il te crée des ennuis ? Parce que si c'est le cas, je…

— Il ne me crée aucun ennui. En fait, je crois que tu as raison. Il est probablement prêt à s'en aller. Je te téléphonerai demain matin. D'accord ?

Billy acquiesça. Après avoir grommelé un au revoir rapide, il raccrocha.

Jenna savait qu'elle devait informer Blake de ce coup de téléphone. Et le plus tôt serait le mieux.

S'aidant de ses béquilles, elle marcha lentement jusque dans le salon, avec l'espoir d'y trouver Blake. Elle ne se sentait pas capable de monter le chercher à l'étage.

Elle s'arrêta sur le seuil. La télévision était allumée. Assis sur le canapé, un livre ouvert sur les genoux, Blake regardait dans le vide.

— Euh… Blake, puis-je… puis-je te parler un instant ?

Sans attendre sa réponse, elle entra dans le salon et s'installa dans un fauteuil.

— C'est Billy qui a appelé, poursuivit-elle d'un ton rapide. Il a fini par attraper le virus d'Amanda et des enfants, mais à présent tout le monde va mieux. Il m'a proposé d'aller m'installer chez lui. Il est prêt à venir me chercher demain matin. Aussi… si tu veux t'en aller, tu… tu peux le faire.

— As-tu envie de vivre chez ton frère ?

Jenna réfléchit. Si elle répondait oui, Blake partirait. Mais si elle disait ce qu'elle pensait…

— Pas vraiment. Billy et Amanda ont trois enfants âgés de moins de six ans. Je les aime beaucoup, mais… je préfère de beaucoup la paix et la tranquillité de ma maison. Cependant, je sais que je ne peux pas rester ici toute seule.

— Si tu veux rester, Jenna, nous resterons. À moins que tu veuilles que je m'en aille.

— Je… non. Mais je ne veux pas que tu te sentes obligé de quoi que ce soit. J'apprécie tout ce que tu as déjà fait pour moi. Je sais que je ne t'ai pas facilité les choses et aussi que tu es en colère contre moi. Je ne t'en voudrais pas si…

— Hé, attends une minute.

Il se leva brusquement pour venir vers elle. S'accroupissant près de son fauteuil, il lui prit la main.

— Je ne suis pas en colère contre toi, Jenna. En fait, c'est à moi que j'en veux.

— Mais, Blake, après ce que j'ai dit…

— Je t'ai brutalisée, et tu me l'as dit. Tu voulais que je te laisse tranquille, et c'est ce que j'ai fait. De mon côté, je ne t'ai pas non plus tellement facilité les choses, ces temps-ci, ajouta-t-il avec un petit sourire. Aussi, si tu veux que je parte, il te suffit de me le dire et je m'en irai dès demain matin. Mais si tu as envie que je reste…

— Oui, j'en ai envie. Je… j'ai besoin que tu restes. Aussi longtemps que tu le pourras, ajouta-t-elle en souriant.

— Je le ferai. Aussi longtemps qu'il faudra.

Il lui pressa la main puis se se dirigea vers le canapé.

— Veux-tu regarder le journal télévisé ? proposa-t-il.

— Pas ce soir. Je m'occupais des comptes quand Billy a téléphoné et je ne pourrai pas m'endormir avant d'avoir tout vérifié.

Elle récupéra ses béquilles et se redressa en poussant un gémissement sourd. Blake fut près d'elle en une fraction de seconde.

— Est-ce que ça va ? demanda-t-il en la prenant par la taille pour la soutenir.

— Oui. Ce sont les muscles que je n'ai pas fait travailler depuis des années qui protestent.

— Peux-tu regagner ta chambre par tes propres moyens ou veux-tu que je te porte ?

Elle faillit lui demander de la porter, s'imaginant les bras accrochée à son cou, la tête posée sur son épaule…

— Euh… non merci. Je vais me débrouiller toute seule. À demain matin !

— Oui, à demain, répondit-il d'une voix grave qui, aux oreilles de Jenna, parut pleine de promesses.

6.

Le jeudi matin, Jenna téléphona à Billy à la première heure. Certaine que Blake restait chez elle non par devoir, mais parce qu'il en avait envie, elle accueillit sereinement les reproches de son frère qui l'accusait d'agir comme une idiote. Elle lui conseilla seulement de se mêler de ses affaires. Ce à quoi il répondit qu'elle pouvait bien faire ce qu'elle voulait, avant de raccrocher.

Bien qu'il lui ait fallu un bon moment pour se laver et s'habiller, elle arriva dans la cuisine avant Blake. Décidée à faire preuve d'autonomie, elle essaya de préparer le café et de dresser la table pour le petit déjeuner. Une demi-heure plus tard, le café était lancé et bols, cuillers et céréales posés sur la table. Transporter la boîte de lait s'avéra beaucoup plus difficile. Furieuse de se sentir aussi impuissante, elle donna un grand coup de béquilles dans la porte du réfrigérateur et faillit tomber.

— Hé, que se passe-t-il ? demanda Blake avec une pointe d'amusement dans la voix.

Il se tenait dans l'embrasure de la porte. Oubliant ses bonnes résolutions, Jenna lui lança un regard furibond.

— Je ne peux… rien faire !

Se laissant tomber sur une chaise, elle jeta ses béquilles par terre.

— Et ce n'est pas drôle ! ajouta-t-elle en croisant les bras sur sa poitrine.

Même si elle appréciait tout ce que Blake avait fait pour elle ces derniers temps, elle rêvait de se retrouver de nouveau forte et indépendante, de faire des choses pour elle et pour lui, d'être à égalité avec lui. Elle voulait lui inspirer non pas de la compassion, mais du respect et de l'admiration.

Blake comprit que ce n'était pas le moment de la taquiner. Il ne voulait rien faire qui pût aggraver les choses. Il souhaitait que la journée se passe bien, sans colère ni souci d'aucune sorte. Il avait envie de rire et de bavarder avec Jenna, de reconstruire les bases de leur amitié, de recréer un lien qui les unirait pour toujours.

Mais il devait avant tout aider la jeune femme à retrouver son autonomie. Tant qu'elle n'y serait pas parvenue, elle n'aurait pas le cœur à bavarder et encore moins à rire.

— Tu as fait le café et mis la table pour le petit déjeuner.

— J'ai commencé, mais je n'ai pas pu sortir le lait du réfrigérateur. Ce n'est pas juste que tu doives tout faire dans la maison. Je voudrais pouvoir me rendre utile sans risquer de me casser encore quelque chose.

— Ça ne me m'ennuie pas d'effectuer les tâches ménagères, mais je comprends ce que tu ressens. Et je crois avoir la solution, ajouta-t-il avec un sourire.

Il alla dans la buanderie et revint peu après en poussant devant lui une petite table roulante en pin.

— D'où sors-tu cela ? demanda Jenna d'un ton suspicieux.

— D'une quincaillerie. Je l'ai achetée hier.

Il retourna dans la buanderie et en rapporta cette fois un haut tabouret, équipé lui aussi de roulettes.

— La table roulante te permettra de transporter tout ce que tu veux dans la cuisine et tu pourras t'asseoir sur le tabouret pour travailler devant le comptoir. Ainsi, pour te déplacer, tu ne seras plus obligée d'utiliser tes béquilles.

— Je vois.

Un sourire malicieux se dessina sur les lèvres de Jenna.

— Es-tu sûr que cela ne t'ennuie pas d'effectuer toutes les tâches ménagères ?

— J'en suis sûr, répondit-il en souriant. Allez, fais un essai. Va chercher le lait.

Elle hésita un moment puis saisit le bord de la table, s'appuyant dessus.

— C'est lourd, dit-elle.

— Ainsi, elle ne t'échappera pas. Tiens-la bien et pousse-la doucement.

Jenna réussit à atteindre sans encombre le réfrigérateur. Elle sortit le carton de lait et le posa sur la table.

— C'est génial ! dit-elle en s'asseyant. Merci, Blake. Merci pour tout.

— Avec plaisir.

Il s'assit à côté d'elle et se servit un bol de céréales. Jenna lui posa une main sur le bras.

— Je suis sincère, Blake, insista-t-elle, les yeux brillants de larmes. J'apprécie vraiment tout ce que tu fais. Tu as été si gentil avec moi, et je ne mérite pas…

— Mais si, tu le mérites, répondit-il en l'embrassant sur la joue. Et tu vas pouvoir cuisiner et faire plein de choses pour moi, mon cœur.

Elle le regarda fixement, puis, comprenant qu'il la taquinait, elle se mit à rire et lui donna une bourrade dans les côtes.

— Oh ! Espèce de… sale type !

— Tu me traites d'abord de brute, puis de sale type. Suis-je vraiment aussi mauvais ?

— Pire encore, Blake, bien pire. Pas vrai, Morgan ?

Le chien leva la tête et aboya en agitant la queue.

— Tu vois, je te l'avais dit ! triompha Jenna.

— Je vais tenter d'améliorer l'opinion que tu as de moi.

— Oui, tu ferais mieux. Mais je crains que cela ne te prenne un certain temps.

— J'ai tout le temps, mon cœur…

Le vendredi matin, Jenna se rendit au cabinet du Dr Greenwell. Dwayne parut satisfait des progrès qu'elle avait faits au point qu'il ne jugea pas nécessaire de l'envoyer à l'hôpital pour faire faire des radiographies de sa jambe. Il examina ses orteils, vérifia le plâtre et demanda à Jenna si elle souffrait ou si elle avait la sensation que sa jambe était enflée, en lui recommandant de l'allonger le plus souvent possible. Puis il lui fixa un nouveau rendez-vous pour le vendredi suivant.

Jenna savait qu'il lui faudrait attendre quinze jours avant d'apprendre si elle devait ou non subir une intervention chirurgicale. Cependant, elle avait espéré que, dans son cas, Dwayne pourrait se prononcer au bout de huit jours… De toute évidence, ce n'était pas le cas et elle était déçue.

— Ne prends pas cet air triste, mon cœur, dit Blake tandis qu'il garait le 4x4 devant le restaurant favori de Jenna.

— Je me dis que, finalement, je pourrais m'installer chez Billy, surtout si je dois me faire opérer le week-end prochain. Tu ne peux pas rester indéfiniment ici et je…

— N'avons-nous pas déjà eu cette conversation ? demanda Blake en coupant le moteur.

— Si.

— Et ne t'ai-je pas dit plusieurs fois que je resterai ?

— Si, mais…

Pour quelle raison exactement était-il venu à Warren's Retreat ? se demanda-t-elle. Et comment pouvait-il rester si longtemps loin de Boston ? Peut-être avait-il été forcé de tout quitter ?

— Mais quoi ? demanda Blake.

Elle n'eut pas le courage de l'interroger. S'il avait des secrets à cacher, qu'il les garde. Elle-même n'en faisait-elle pas autant ?

— Que faisons-nous ici ? s'enquit-elle.

— Nous allons déjeuner. Ensuite, nous passerons à la poste, puis à l'épicerie, et nous pourrons louer quelques films pour le week-end. Et j'aimerais aussi me procurer des chaussures de ski. Celles que tu as chez toi ne sont pas à ma taille. Dwayne m'a indiqué que j'en trouverai chez Jerry's Sporting Goods.

— Je vois que tu as un programme tout prêt, dit-elle en souriant.

— Oui, c'est vrai, j'ai un programme, répliqua-t-il d'une voix sourde, pleine de promesses. Et il ne prévoit pas que je te dépose chez ton frère.

Jenna se demanda ce qu'il avait en tête, mais, une fois de plus, elle préféra ne pas lui poser de questions.

Ils venaient de passer une semaine ensemble. Cependant, elle ne se faisait aucune illusion. Il y avait peu de chances que cette cohabitation temporaire devînt permanente. Si c'était ce que s'imaginait Blake, il risquait d'être déçu. Parce que, si elle ne parlait pas du passé avec lui, ils n'avaient aucun avenir ensemble, et qu'elle se sentait incapable de lui dire la vérité au sujet de leur enfant.

Autant profiter des bons moments qui leur étaient offerts plutôt que de risquer que Blake la méprise jusqu'à la fin de ses jours. Ce qu'il ferait s'il découvrait ce qui était arrivé avec Robbie.

Pour Blake, tout était blanc ou noir, vrai ou faux. Il ne croyait pas aux demi-teintes. Quinze ans auparavant, il s'était montré incapable de comprendre les peurs et les doutes qui la hantaient. Pour lui, c'était simple : si elle l'aimait, elle devait lui faire suffisamment confiance pour le suivre à Boston. Si elle ne le faisait pas, cela prouvait qu'elle ne l'aimait pas.

Aujourd'hui, elle imaginait sa réaction s'il apprenait que ses peurs, ses doutes — et sa fierté — avaient coûté la vie à leur fils. Elle était consciente d'avoir mal agi en ne lui disant rien car il avait le droit de savoir pour le bébé. Le connaissant, elle ne croyait pas qu'il puisse jamais lui pardonner.

Comment serait-ce possible puisque elle-même était incapable de se pardonner ?

— Bon, où es-tu passé ? murmura Jenna. Tu étais là il y a un instant.

Penchée au-dessus de l'évier de la cuisine, les cheveux mouillés, elle cherchait à tâtons la bouteille de shampoing. Bien qu'elle eût mal aux bras après s'être exercée pendant trois jours à marcher avec des béquilles, elle avait décidé, le samedi après-midi, de se laver les cheveux.

— C'est à moi que tu parles ?

Du coin de l'œil, Jenna aperçut tout près d'elle les longues jambes de Blake, serrées dans un jean délavé.

— En fait, je parlais à mon shampoing. Ah, le voilà…

Sa main venait de heurter la bouteille de plastique qu'elle fit tomber avant d'avoir pu la saisir.

— Je l'ai, dit Blake.

— Merci.

Écartant les cheveux mouillés qui lui masquaient le visage, elle tourna la tête vers lui et lui sourit. Il portait son parka et les chaussures de ski qu'il avait louées. Il tenait d'une main une paire de gants et de l'autre la bouteille de shampoing.

— Tu sors ? demanda-t-elle.

— Je voulais voir si je savais encore faire du ski de fond. Mais tu as l'air d'avoir besoin d'aide.

Il posa les gants et le shampoing sur le comptoir, puis se débarrassa de son parka.

— Non, tout va bien, je t'assure.

— Oh ! certainement ! répliqua-t-il en relevant les manches de sa chemise écossaise.

— Que fais-tu ?

— Je vais te laver les cheveux.

— Mais je peux…

— Je sais que tu peux le faire. Mais tu as mal aux bras, n'est-ce pas ? Inutile de souffrir quand on peut l'éviter, ajouta-t-il en ouvrant le robinet.

Jenna se pencha au-dessus de l'évier et laissa couler l'eau chaude sur ses cheveux.

— Comment sais-tu que j'ai mal aux bras ?

— À ton regard et à la façon dont tu te mords les lèvres chaque fois que tu utilises tes béquilles.

Fermant le robinet, il commença à lui verser le shampoing sur les cheveux.

— Si tu te ménages, cette douleur disparaîtra en deux jours, dit-il tandis qu'il lui massait la tête avec lenteur mais fermeté.

— T'a-t-on déjà dit que tu avais des mains expertes ? demanda-t-elle d'une voix étouffée.

L'odeur épicée de l'after-shave de Blake, mêlée au parfum citronné du shampoing, la troublait. Le sentir si près d'elle éveillait dans tout son corps des sensations délicieuses.

— Une fois, il y a bien longtemps.

— Ah ! Qui était-ce ?

— Une fille avec de longs cheveux noirs et des yeux vert d'eau.

Se penchant vers elle, il l'embrassa derrière l'oreille.

— Toi, Jenna. Tu t'en souviens ?

Il ouvrit de nouveau le robinet puis, lui guidant la tête sous l'eau chaude, il lui rinça les cheveux.

Pendant quelques secondes, elle fut incapable de parler. Les nerfs à vif, elle se mit à trembler tandis que de lointains souvenirs lui revenaient à la mémoire. Un chaud soleil, une petite brise et les mains de Blake qui la caressaient…

— Voilà, c'est fait, dit Blake.

Jenna s'empara d'une des serviettes qu'elle avait posées sur le comptoir et se frotta les cheveux, espérant que Blake allait la laisser seule. Mais il n'en fit rien. Il restait là à la regarder tandis qu'il s'essuyait les mains et rabattait ses manches.

— Bon, merci, j'apprécie vraiment ton aide.

— Laisse-moi faire.

Lui prenant la serviette des mains, il lui frictionna doucement la tête.

Jenna avait conscience de jouer avec le feu. Elle devait lui dire d'arrêter. Le repousser. Il y avait des barrières physiques et émotionnelles qu'elle ne pouvait pas, qu'elle ne devait pas franchir. Parce que… parce que… Pourquoi ?

Renversant la tête en arrière, elle ferma les yeux et posa les mains sur le torse de Blake. C'était si bon… Elle promena ses paumes sur les épaules musclées, puis le long du ventre plat.

Alors qu'elle glissait ses doigts vers la ceinture du jean, Blake lui posa la serviette sur les épaules et l'attira vers lui.

— Tu te rappelles, n'est-ce pas ? murmura-t-il en lui effleurant la joue de son nez.

— De quoi ?

Elle ouvrit les paupières et croisa son regard. Souriante, elle passa une main dans son épaisse chevelure noire.

— De la dernière fois où tu m'as dit que j'avais des mains expertes. Tu t'en souviens, n'est-ce pas ?

Il avait ponctué sa phrase de petits baisers rapides posés au coin de sa bouche avant de s'emparer de ses lèvres.

— Peut-être devrais-tu me rafraîchir la mémoire, suggéra-t-elle lorsqu'il s'écarta.

Souriante, elle lui embrassa une joue, puis le menton.

— Tu es sûre ? demanda-t-il d'une voix rauque.

Il posa la serviette sur le comptoir.

— Vraiment sûre ? répéta-t-il en lui caressant la poitrine.

— Oui…

— Parce que je ne vais pas raviver simplement une partie de tes souvenirs.

Glissant une main sous le T-shirt de Jenna, il saisit un mamelon et le taquina gentiment tandis qu'il promenait ses lèvres et sa langue sur le cou de la jeune femme.

Elle eut un long frisson lorsqu'il la prit par la taille et lui caressa le ventre.

— Je vais faire revivre tous tes souvenirs, murmura-t-il. Et bien plus encore.

Elle gémit doucement, le visage enfoui contre son épaule. Elle devait lui dire d'arrêter. Elle ne pouvait pas lui laisser deviner à quel point elle le désirait. Elle devait… garder le contrôle…

— C'est oui, Jenna ? Oui ou non ? Dis-moi ce que tu veux.

Le souffle court, elle se frotta la joue contre le torse de Blake.

— Blake, je… je ne peux pas… nous ne devons pas…

Elle ferma les yeux et secoua la tête.

— Rappelle-toi, Jenna, comme c'était bon, nous deux. Nous pourrons revivre cela aujourd'hui, si tu me laisses faire, dit-il d'une voix sourde.

Pendant un moment, il la tint serrée contre lui. Puis, voyant qu'elle était indécise, il fit un pas en arrière et, du bout des doigts, lui caressa la joue.

— Lorsque tu seras prête…

Affichant un petit sourire, il lui donna un baiser rapide sur les lèvres puis s'écarta.

Jenna eut l'impression d'être abandonnée. Elle avait voulu que Blake s'arrête, et il l'avait fait. Alors, pourquoi se sentait-elle soudain aussi blessée, aussi en colère ? Parce qu'il lui avait obéi au lieu de prendre ce qu'elle ne voulait pas lui donner ? Ce n'était pas son style, et elle le savait. Jamais il ne l'avait forcée et il lui avait fait comprendre qu'il ne le ferait jamais.

« Lorsque tu seras prête… » Ces mots résonnaient dans sa tête tandis qu'elle le regardait traverser la cuisine et prendre son parka. Oh ! jamais elle ne s'était sentie aussi prête ! Mais comment pouvait-elle le laisser devenir son amant alors qu'elle savait qu'ils n'auraient aucun avenir ensemble ?

Comme Blake revenait vers elle, elle s'efforça de sourire.

— Amuse-toi bien.

Elle s'empara d'une serviette pour se frictionner les cheveux.

— Les pistes de ski de fond, qui sont toutes balisées, sont faciles à repérer, alors tu pourrais emmener Morgan avec toi, cela lui fera du bien de courir. Pas vrai, mon chien ?

Morgan aboya et se dirigea vers la porte.

— Jenna…, dit Blake.

— À tout à l'heure, lança-t-elle en se cachant le visage sous la serviette. Et n'oublie pas, tu as promis de préparer le dîner.

— Allons, Jenna, regarde-moi.

Il lui arracha la serviette des mains, puis, la prenant par le menton, l'obligea à le regarder. Il paraissait plus exaspéré qu'en colère, mais lorsqu'elle croisa son regard, elle comprit qu'il était sérieux. Soudain, elle eut peur de ce qu'il allait dire.

— Ne fais pas comme s'il ne s'était rien passé, dit-il d'une voix douce. Et ne t'imagine pas un seul instant que je voulais m'éloigner de toi. Je n'avais pas le choix. C'était ça, ou bien t'emmener là où tu n'es pas encore prête à aller. Je préfère attendre que tu le sois.

— Blake, tu ne comprends pas…

— Alors, explique-moi… ce soir.

Il lui caressa les lèvres avant de poser un baiser sur sa joue.

— Ce soir, répéta-t-il. Nous reparlerons de tout cela ce soir.

Ils ne parleraient de rien, ni ce soir ni aucun autre soir. Parler ne ferait que les rapprocher davantage alors que son objectif était de garder ses distances avec lui.

— Je ne te dois aucune explication…, lança-t-elle d'un ton

neutre. En fait, je ne crois pas que nous ayons besoin de nous dire quoi que ce soit.

— Eh bien, moi, j'ai des choses à te dire, murmura-t-il tandis qu'il prenait ses gants et marchait vers la porte. Alors, convenons que je parlerai et que tu m'écouteras, d'accord ?

— Et si je refusais ?

Blake avait la main posée sur la poignée de la porte.

— Qui de nous deux a le plus peur, Jenna ? Toi ou moi ?

— Je n'ai pas peur…

— Mais si, tu as peur. Cependant, ne t'inquiète pas. Cela ne me donne aucun avantage parce que, moi aussi, j'ai peur.

Surprise par tant d'honnêteté, elle resta muette. Pendant quelques secondes, le silence régna dans la cuisine, avant d'être rompu par la sonnerie du téléphone. Elle décrocha le récepteur.

— Bonjour, je suis Mark Hammond, dit une voix enfantine. Est-ce que mon père est là ?

— Oui, il…

Elle vit Blake, debout près de la porte, qui la regardait en fronçant les sourcils.

— Oui, il est là, reprit-elle. Je vais l'avertir que…

— Etes-vous Jenna ? Il m'a parlé de vous. Comment vous vous étiez cassé la cheville, et tout ça. Est-ce que ça va mieux ?

— Oui, en effet, je suis Jenna. Et, jusqu'à présent, l'état de ma cheville s'améliore.

— Il m'a dit que vous alliez marcher avec des béquilles pendant des semaines et des semaines. C'est plutôt pénible, non ? J'ai dû m'en servir lorsque je me suis fracturé le genou en jouant au football. Au bout d'un moment, j'ai commencé à bien me débrouiller avec elles, mais je montais et descendais toujours les escaliers sur les fesses.

Il se mit à rire et Jenna ne put s'empêcher de sourire.

— En effet, ce n'est pas facile de marcher avec béquilles, dit-elle. Et, jusqu'à présent, j'ai évité les escaliers, mises à part les deux marches derrière la maison. Mais je me souviendrai de ta technique si, un jour, j'en ai besoin.

Elle jeta un coup d'œil vers la porte. Blake était toujours

là, esquissant un léger sourire. Il avait visiblement deviné qui était au bout du fil, mais il semblait ravi de les voir continuer leur conversation.

— Bon, ton papa est…, commença-t-elle.

— Il regrette vraiment que vous vous soyez cassé la cheville, vous savez. Il a dit qu'il s'était conduit comme un idiot en vous lançant des boules de neige, ce qui vous a fait tomber. Il a dit aussi que j'allais bien m'entendre avec vous.

— Ah ! Il a dit ça ?

Son sourire s'effaça. Comment Blake avait-il pu affirmer une chose pareille alors qu'elle n'avait nullement l'intention de rencontrer cet enfant ?

— J'irai dans votre camp de vacances cet été, expliqua le garçon. Mon ami Jonathon viendra avec moi. Maman est d'accord. Elle n'est plus fâchée contre papa. Et comme elle a un nouveau copain, ça ne l'ennuie pas que je parte. Papa m'a dit que j'irai vous voir avant l'été. Il a ajouté que vous étiez vraiment gentille et très jolie.

— Oh… eh bien, c'est parfait. Je… j'en serai ravie.

Qu'est-ce que Blake pouvait bien avoir en tête ?

— Alors, mon papa est là ? J'ai des tas de choses à lui raconter.

— J'en suis sûre, murmura Jenna.

Après cette conversation, elle aussi aurait beaucoup de choses à dire à Blake.

— Je te le passe, ajouta-t-elle.

Collant le récepteur sur sa poitrine, elle se tourna vers Blake.

— C'est ton fils.

— Je m'en doutais. Vous semblez bien vous entendre.

— C'est un très gentil garçon. Malheureusement, tu lui as mis des idées fausses dans la tête.

— À quel sujet ? demanda-t-il, visiblement surpris.

— En lui disant qu'il viendra ici avant l'été pour me rencontrer. Il va être déçu.

Elle lui tendit le récepteur, puis, appuyée sur ses béquilles, se dirigea vers le couloir.

— Jenna ! Attends !

Elle ne répondit pas. Quelques instants plus tard, Blake l'entendit fermer la porte de sa chambre.

Il ne comprenait rien à son attitude. Elle avait paru contente de parler avec Mark. Alors, pourquoi refusait-elle de le rencontrer ? Il avait bien l'intention de le découvrir.

— Salut, fiston. Comment ça va ? Tu me manques, tu sais.

— Salut, papa. Je vais bien. Et tu me manques aussi. J'ai parlé à Jenna. Elle a l'air super ! Je crois que je vais bien l'aimer. Et elle, tu penses qu'elle va bien m'aimer ?

— Je le crois, fils.

— Vas-tu la ramener à Boston ?

— Dès que je le pourrai. Alors, dis-moi comment s'est passée ta semaine, à l'école ? As-tu réussi ton épreuve de sciences, mardi ?

— Bien sûr ! C'est ma matière préférée. Et tu ne devineras jamais ce qui s'est passé ! Quelqu'un avait laissé la porte de la cage du rat ouverte, et on ne trouvait plus Joey jusqu'au moment où Mme Jones a crié, et alors…

Adossé au comptoir, Blake ferma les yeux et écouta attentivement tout ce que son fils avait à lui raconter.

Lorsque Blake avait promis à Jenna qu'ils auraient une conversation plus tard, il ne pensait pas que celle-ci aurait lieu, non pas le soir même, mais plusieurs jours après.

De toute évidence, Jenna avait profité de son absence, le samedi après-midi, pour téléphoner à toutes ses connaissances et lancer des invitations. Car, après avoir passé une semaine en tête à tête avec elle, il assista à un défilé ininterrompu de visiteurs.

La première à venir fut Mme Purdy. Lorsque, en fin de journée, il revint de sa sortie en ski de fond, il la trouva dans la cuisine, occupée à préparer le dîner pendant que Jenna lui tenait compagnie. Après le repas, il avait dû raccompagner la vieille dame chez elle, et, lorsqu'il était revenu, Jenna était déjà couchée.

Le dimanche matin, il prenait sa douche lorsque Billy était arrivé avec sa femme et leurs trois enfants. Ils avaient pris le petit déjeuner ensemble, puis Jenna avait insisté pour que Billy et Amanda leur laissent les enfants pour la journée, ce qu'ils avaient accepté avec empressement. Compte tenu du manque de mobilité de Jenna, c'était Blake qui avait assuré la surveillance des trois garnements jusqu'au retour des parents, à 21 heures. Après leur départ, Blake était allé directement dans sa chambre afin de résister à la tentation de tordre le cou à Jenna.

Les trois jours suivants, elle reçut successivement Molly, Lynn et April, ses trois collègues de l'hôpital. Chacune arriva avec ses enfants et de quoi nourrir une armée.

Mal à l'aise de voir que les rires et les bavardages s'arrêtaient dès qu'il entrait dans la pièce où les jeunes femmes se trouvaient, Blake préféra les laisser. Il partit faire du ski de fond, bricola sur sa Porsche dans le garage ou se rendit à Elk Rock sans nécessité.

Le mercredi soir, il s'aperçut que Jenna s'était arrangée pour l'éviter sans en avoir l'air. Elle avait fait venir chez elle tout un tas de gens sans pour autant l'exclure à aucun moment. Elle s'était simplement débrouillée pour n'être jamais seule avec lui et, le soir venu, ils étaient l'un et l'autre trop fatigués pour faire autre chose que d'aller dormir.

Alors qu'il était dans le salon en train de regarder le dernier journal télévisé de la soirée, il se demanda si Jenna avait prévu de recevoir encore d'autres visites le lendemain. Peut-être Mildred ou Ruby, songea-t-il en fronçant les sourcils. Ou de nouveau Mme Purdy, la voisine la plus proche…

En voyant apparaître sur l'écran la carte du Minnesota et le commentateur des informations météorologiques, il augmenta le son. Une tempête de neige était annoncée pour le lendemain. Les premiers flocons devaient tomber avant minuit et, déjà, les automobilistes étaient invités à faire preuve de la plus grande prudence sur les routes.

— Dieu soit loué…, murmura Blake avec un grand sourire.

Demain, les gens resteraient chez eux. Y compris lui-même. Jenna et lui pourraient passer la journée en tête à tête et il comptait bien mettre à profit cette chance qui lui était donnée de la reconquérir.

Il n'imaginait plus la vie sans elle. Mais, pour avoir une relation durable fondée sur l'amour et la confiance, ils devaient d'abord affronter le passé, avec les peurs et les doutes qui les avaient amenés à se séparer.

La tâche ne serait facile ni pour elle ni pour lui. Mais il était prêt à se battre pour garder la femme de sa vie.

7.

Le jeudi, comme prévu, la neige et un vent violent incitèrent chacun à rester chez soi. Assis dans la cuisine, Blake prenait son petit déjeuner, heureux en songeant à la journée et à la soirée qu'il avait devant lui. Cette tempête arrangeait bien ses affaires.

— Qu'est-ce qui te fait sourire ainsi ? demanda Jenna d'un ton suspicieux tandis qu'elle le rejoignait en clopinant.

— Le temps.

— Il est affreux !

— Oui, je sais.

Comme Jenna se laissait tomber sur une chaise, Blake se leva pour lui servir une tasse de café.

— J'imagine que nous n'aurons pas de visite aujourd'hui, n'est-ce pas ?

— Je... non, je ne crois pas, répondit-elle en rougissant légèrement.

— Qui avais-tu invité ?

— Qui...

Elle le regarda un bref instant, puis fixa son attention sur sa tasse de café.

— Mildred... Le jeudi est son jour de congé.

— Je vois. Veux-tu un muffin ? Ou bien autre chose ?

— Un muffin, s'il te plaît.

Après l'avoir passé au toaster, il posa la pâtisserie sur la table, accompagnée de beurre et d'un pot de miel, puis il se servit un autre café.

— Qu'as-tu prévu de faire, aujourd'hui ? s'enquit-il en s'asseyant à côté d'elle.

— Je... je vais m'occuper un peu de la paperasse. Et toi ?

— Je vais bien trouver quelque chose à faire… Ne t'inquiète pas, je ne serai pas dans tes pattes.

Il n'avait pas l'intention d'envahir son espace, du moins tant qu'elle était ainsi sur la défensive. En fait, il jugeait préférable d'attendre la fin de la journée pour lui confier tout ce qu'il avait à lui dire.

— Si nous déjeunions chacun de notre côté quand cela nous chantera ? proposa-t-il, une fois le petit déjeuner terminé. Pour le dîner, nous pourrions finir les restes. Disons vers 18 heures ?

— C'est parfait.

— À tout à l'heure, alors, dit-il en se dirigeant vers le couloir.

— Blake…

Il s'arrêta sur le pas de la porte et se retourna.

— Oui ?

— Où vas-tu ?

— À l'étage.

— Ah…

— Appelle-moi si tu as besoin de quelque chose, d'accord ?

— D'accord.

Conscient qu'elle ne le quittait pas des yeux, il sortit de la cuisine et monta dans sa chambre.

Cela ne ferait pas de mal à Jenna de se demander ce qu'il avait en tête. Après avoir passé la journée à ruminer, peut-être accepterait-elle plus volontiers de s'asseoir avec lui devant un bon feu de bois pour écouter ce qu'il avait à dire.

Jusqu'au dîner, il évita de la croiser et, durant le repas, il n'échangea avec elle que quelques mots. La dernière bouchée avalée, Jenna se retira dans sa chambre, le laissant débarrasser la table.

La cuisine une fois rangée, il se rendit dans la salle de séjour et alluma un feu dans la cheminée. Lorsque les flammes s'élevèrent dans l'âtre, il sut que le moment était venu de laisser le passé derrière lui. Son sourire s'effaça. Ce ne serait pas facile, mais il était temps de régler le problème. Tant qu'il n'aurait pas dit à Jenna pourquoi il était venu à Warren's Retreat et pourquoi il était resté, il ne pourrait pas lui demander de partager sa vie.

Il devait se montrer honnête avec elle et lui révéler qui il était et ce qu'il avait fait.

Il alla frapper à la porte de sa chambre et, sans attendre de réponse, il entra. Jenna était assise sur son lit, encore tout habillée, sa jambe droite reposant sur un oreiller. Morgan était à côté d'elle, roulé en boule.

Elle le regarda fixement, le visage pâle, la bouche légèrement ouverte.

— Blake, je ne pense pas…

— Parfait, ne pense pas, dit-il en la soulevant.

— Attends… Qu'est-ce que tu fais ? Mes béquilles…

— Tu n'en as pas besoin.

Il la porta jusque dans le salon et l'installa sur le canapé, devant la cheminée.

— Allonge-toi confortablement, ajouta-t-il. Je reviens tout de suite.

Retournant dans la chambre de la jeune femme, il prit sur son lit deux oreillers et une couverture, ordonna au chien de rester tranquille, éteignit la lampe, puis regagna le salon.

Jenna n'avait pas bougé d'un pouce. Assise au bord du canapé, elle se tenait raide comme un bout de bois, les mains croisées sur les genoux.

— Je t'en prie, Blake, crois-moi, ce n'est pas une bonne idée, dit-elle d'une voix tremblante.

— Quoi donc ? De passer un moment ensemble près du feu ? Allons, laisse-moi t'installer plus confortablement.

Posant un oreiller au bout du canapé, il aida Jenna à allonger sa jambe dessus, puis il lui cala l'autre oreiller dans le dos et étendit la couverture sur elle.

— Tu es bien, comme ça ?

Pour toute réponse, elle hocha la tête.

— Veux-tu boire quelque chose ? Du café, du thé, un chocolat chaud ?

Jenna lui fit signe que non.

— Essaie de te détendre pendant que je vais me chercher des oreillers et une couverture.

Se détendre ? Comment le pourrait-elle alors qu'elle redoutait ce tête à tête ? Dès l'instant où Blake avait franchi le seuil de la maison, elle avait compris qu'elle l'aimait encore. Mais elle savait aussi qu'elle ne pourrait jamais partager sa vie parce que cela impliquerait de lui parler de Robbie et de révéler ce qui s'était passé.

— Hé, tu en fais, une tête ! On dirait que tu viens de perdre ton meilleur ami…, plaisanta Blake.

Il posa par terre, à côté du canapé, les oreillers et la couverture qu'il était allé chercher dans sa chambre.

— Mais ce n'est pas possible puisque je suis là, acheva-t-il avec un sourire taquin.

Elle sourit à son tour. Après tout, peut-être n'était-ce pas si mal d'avoir cette conversation avec Blake. Elle était curieuse d'apprendre comment il avait passé toutes ces années qui s'étaient écoulées depuis leur séparation.

— Tu es bien sûr de toi, non ?

— Pas toujours. Pas… maintenant.

Il reprit son sérieux et se tourna vers la fenêtre qu'il regarda fixement.

Troublée par le manque d'assurance qu'il venait de manifester, Jenna fut tentée de passer les doigts dans l'épaisse chevelure noire, mais elle savait qu'elle devait éviter tout contact physique avec Blake.

— Comment ça ? dit-elle d'un ton léger. Qui pourrait supporter quelqu'un d'aussi grognon que moi pendant deux semaines si ce n'est mon meilleur ami ?

— Sans compter qu'il a fallu aussi supporter les amies et la famille, ajouta Blake avec une pointe d'ironie.

— Cela a donc été aussi horrible que cela pour toi ?

— Absolument.

— Je ne me rendais pas compte…

— Oh ! mais si ! dit-il en se tournant vers elle.

— Bon, d'accord. Je m'en suis rendu compte. Satisfait ?

— Le coup était bien tenté.

De nouveau, son regard se porta sur les flammes qui dansaient dans la cheminée.

Bizarrement, Jenna ne se sentait plus obligée de se tenir sur ses gardes. Installée confortablement sur le canapé, elle se mit à contempler le feu tandis qu'un long silence s'instaurait dans la pièce.

— Alors, dis-moi, où as-tu voyagé, à part Florence ? demanda soudain Blake.

Ce n'était pas le genre de question auquel elle s'attendait.

— À des tas d'endroits. J'ai commencé par de longs week-ends passés à Chicago et à Saint-Louis, puis une semaine entière dans des villes comme San Francisco, Los Angeles et New York. Il y a cinq ans, j'ai passé quinze jours à Hawaii. Après, j'étais prête à aller en Europe. Jusqu'à présent, j'ai visité Londres, Paris, Rome et Florence.

— Je croyais que tu n'aimais pas les grandes villes. Si je me rappelle bien, tu n'étais pas très attirée par Boston.

— Ce n'est pas que je détestais cette ville. En fait, elle m'effrayait. J'ai fini par comprendre que si je n'affrontais pas mes peurs, j'allais passer à côté de beaucoup de choses. Alors, j'ai commencé à voyager.

— Pourquoi n'es-tu pas venue à Boston, alors ?

— Je… n'ai pas pu. Et puis, à quoi bon ? Tu t'étais marié, non ?

— Oui, c'est vrai, dit-il d'un ton amer.

— J'ai l'impression qu'il s'agissait d'une punition. Si tu n'aimais pas cette femme, pourquoi l'avoir épousée ?

— J'aimais le sentiment qu'elle me donnait, que quelqu'un me désirait, que quelqu'un avait besoin de moi. Je l'ai laissée combler le vide qui était en moi, c'est tout. Je n'avais pas d'amour pour elle.

Il marqua une pause.

— J'ai rencontré Debra lors du réveillon de fin d'année, quelques mois après t'avoir quittée. Elle était étudiante à Radcliffe. Nous avons commencé à sortir ensemble. Elle voulait un mari, un foyer, des enfants, et elle était prête à attendre que j'aie terminé mes études de médecine. Et, comme je l'ai dit, avec elle, je me sentais bien.

De nouveau, il se tut, le regard braqué sur le feu de bois.

— Malheureusement, elle a cru que je finirai par être amoureux d'elle, reprit-il. Nous étions mariés depuis un an lorsqu'elle a compris que cela n'arriverait jamais. Nous parlions donc de divorcer quand nous avons découvert qu'elle était enceinte. Nous avons décidé de rester ensemble. Nous étions si heureux d'avoir ce bébé !

Le cœur de Jenna se serra. Blake aurait été si heureux, autrefois, d'apprendre qu'elle attendait un bébé de lui ! Si seulement elle avait cru à son amour, si elle lui avait fait assez confiance pour le lui dire…

— Dans l'intérêt de Mark, nous avons vraiment essayé de sauver notre mariage, mais j'étais souvent absent car je travaillais beaucoup, et Debra a fini par se lasser. Au bout de trois ans, elle a rencontré quelqu'un et demandé le divorce. Nous avons tout fait pour que cela se passe le mieux possible. Nous nous partageons la garde de Mark. Sans être vraiment des amis, nous ne sommes pas non plus des ennemis.

Il se leva pour attiser le feu, puis il se dirigea vers la fenêtre dont il écarta le rideau.

— Le vent souffle encore, mais il ne neige plus.

Jenna ne dit rien. Ses idées étaient confuses. Tout ce que Blake venait de lui raconter n'expliquait en rien pourquoi il était venu à Warren's Retreat, laissant derrière lui pour un bon moment la seule personne qu'il aimait : son fils.

Blake avait insisté pour qu'ils aient cette conversation et sans doute n'en avait-il pas terminé. En attendant qu'il se décide, elle devait rompre ce silence.

— Si le gros de la tempête est passé, les routes principales seront dégagées demain matin, dit-elle. Nous pourrons aller à mon rendez-vous avec Dwayne. J'espère qu'il constatera que l'os se répare bien. Je suis lasse de ces béquilles et j'ai hâte de m'en débarrasser.

— Je suis sûr que ta cheville va bien. Dis-moi, veux-tu un chocolat chaud ? J'ai l'intention d'en boire un.

— Très bonne idée.

Peu après, Blake revint de la cuisine avec un plateau garni de deux tasses de chocolat et d'une assiette de biscuits.

— Mmm, tu as mis de la cannelle ! murmura Jenna après avoir bu une gorgée. C'est comme ça que je l'aime.

— Tu m'as converti, moi aussi. Je ne peux plus me passer de cannelle dans mon chocolat chaud.

Il reprit sa place, assis par terre, le dos appuyé contre le canapé.

— Alors, dis-moi, Jenna, qu'est-ce qui t'a décidé à devenir infirmière ? Je ne me rappelle pas t'avoir entendue en parler lorsque nous étions ensemble.

— Après… après être restée un moment à la maison, j'ai compris que j'avais envie d'autre chose que de passer ma vie à travailler uniquement à Warren's Retreat.

Sa décision de devenir infirmière était très liée à la disparition de Robbie, mais elle avait eu aussi d'autres motivations dont elle pouvait parler avec Blake.

— Je ne voulais pas abandonner le camp de vacances, reprit-elle, je voulais simplement… davantage. L'hôpital d'Elk Rock semblait toujours être à court d'infirmières. Et, de notre côté, nous étions obligés d'engager quelqu'un, tous les étés, pour travailler à l'infirmerie du camp. J'ai fait la connaissance de Mildred qui m'a poussée à passer mon diplôme. Une fois que je l'ai obtenu, je suis revenue à Warren's Retreat et j'y suis restée.

— À l'hôpital, as-tu toujours travaillé aux urgences ?

— Je… j'ai travaillé en pédiatrie pendant un an. Et puis Molly est partie en congé de maternité. Je me suis proposée pour la remplacer aux urgences et cela m'a beaucoup plu. Quand un poste s'est libéré, j'ai demandé à rester dans ce service.

— Et tu travaillais aussi au camp ?

— Oui, je suis à l'infirmerie tous les étés. Et, bien sûr, je prépare aussi l'accueil des enfants. Je voulais faire davantage et je crois que j'y suis arrivée, non ?

— Tu ne t'es jamais mariée, n'est-ce pas ?

— Non.

— Pourquoi ? Je t'imaginais avec un mari, une famille… Et voilà que tu vis ici toute seule dans un coin perdu. Si j'avais su, je n'aurais pas attendu si longtemps pour…

Comme s'il avait brusquement conscience de ce qu'il était en train de dire, il se tut. Jenna eut envie de lui avouer combien ses mots l'avaient touchée. À sa façon, il venait de lui avouer qu'après tant d'années il l'aimait encore, et elle voulait qu'il sache qu'elle aussi tenait à lui.

— Je ne me suis jamais mariée parce que je n'ai jamais rencontré quelqu'un que… j'aimais, murmura-t-elle. Je ne voulais pas me contenter d'une relation médiocre, ajouta-t-elle en lui posant une main sur l'épaule.

Il s'en empara et posa un baiser au creux de sa paume.

— Sage décision, dit-il d'une voix sourde. Veux-tu tenter ta chance une seconde fois ?

— Est-ce pour cela que tu es revenu à Warren's Retreat ? Pour chercher une seconde chance ?

— En réalité, je cherchais à t'oublier. J'ai plusieurs fantômes qui me hantent, et tu en fais partie. Je voulais te chasser de mon esprit, te croyant mariée et mère de famille. Lorsque j'ai découvert que ce n'était pas le cas, tout… a changé. Je n'ai plus eu envie d'aller sur la côte Ouest. Et quand tu t'es cassé la cheville, cela m'a fourni un prétexte pour rester près de toi.

Jenna eut le sentiment qu'il ne lui disait pas tout. Elle était sûre qu'autre chose avait poussé Blake à traverser le pays.

— Et tes autres fantômes ? demanda-t-elle à mi-voix.

— Ils me hantent toujours, dit-il en lui caressant la main. Et je crois qu'ils me hanteront toute ma vie.

— Veux-tu m'en parler ?

— Pas vraiment, mais si je ne le fais pas, ce serait malhonnête de ma part. Tu as le droit de savoir qui je suis. Une femme avertie en vaut deux…

— À t'entendre, on pourrait croire qu'il s'agit de quelque chose de très inquiétant.

Elle avait pris un ton léger malgré la peur qui s'était emparée d'elle. Qu'avait-il donc de si grave à lui révéler ?

Il lui lâcha la main, comme s'il avait besoin de reprendre quelque distance avec elle.

— J'ai commis une erreur avec l'une de mes patientes. Une grosse erreur que j'ai failli payer très cher.

— Que s'est-il passé, Blake ?

— Phyllis Rowan était ma patiente depuis un an environ. Âgée d'une quarantaine d'années, elle était mariée à un directeur commercial amené à beaucoup voyager. Le couple avait deux enfants adolescents. Cette patiente était venue me voir pour une bronchite. Elle est revenue plusieurs fois pour des problèmes sans gravité, puis ses visites devinrent hebdomadaires. Je lui ai alors conseillé de consulter un psychiatre, ce qui l'a mise dans une rage folle. Cela aurait dû m'alerter, mais je l'ai prise pour une hypochondriaque inoffensive ayant seulement besoin d'un peu de compréhension. En d'autres termes, j'ai oublié de garder la distance qui s'impose entre un médecin et ses patients.

— Il ne faut pas que tu penses que…

— Je ne pense pas, je sais. J'ai laissé faire et j'ai perdu le contrôle de la situation.

Il se frotta les yeux, comme s'il voulait effacer ces douloureux souvenirs, et reprit son récit.

— À la fin du mois de juillet, tard dans l'après-midi, elle a appelé au cabinet, demandant à me voir le plus vite possible. Après avoir tenté de la calmer, j'ai accepté de la recevoir après mon dernier rendez-vous. Comme, à 18 heures, elle n'était pas encore arrivée, j'ai dit à l'infirmière qu'elle pouvait rentrer chez elle, tous les autres étant déjà partis. Un quart d'heure plus tard, Phyllis s'est présentée au cabinet. Curieusement, elle était très calme. Ce n'était plus la femme angoissée que j'avais eue au téléphone. Lorsque j'ai suggéré que nous allions dans mon bureau, elle a dit que c'était une merveilleuse idée et elle m'a pris par le bras. J'aurais dû me méfier !

Il se leva pour marcher vers la fenêtre. Les mains enfoncées dans les poches de son jean, il s'abîma dans la contemplation du ciel nocturne.

Se débarrassant de sa couverture, Jenna s'assit au bord du canapé.

— Mais enfin, Blake, tu ne pouvais pas savoir ! Un médecin peut commettre des erreurs, lui aussi. Tu n'es pas infaillible. Et Phyllis Rowan n'est sûrement pas la première patiente que tu aies… perdue.

— Perdre un patient quand on sait qu'on a tout fait pour le sauver, ce n'est pas la même chose que de savoir qu'on est resté sourd et aveugle… Il m'était plus facile de considérer Phyllis Rowan comme une hypochondriaque que d'envisager le fait qu'elle était peut-être dérangée mentalement.

Quelque chose d'horrible s'était passé dans le bureau de Blake. Quelque chose qu'il se reprochait encore six mois plus tard.

— S'est-elle… suicidée ?

Après un long silence, il revint s'asseoir à côté d'elle.

— Non, elle ne s'est pas tuée.

— Alors, qu'est-il arrivé ?

— Tu ferais bien d'allonger ta jambe si tu ne veux pas que ta cheville gonfle.

Après avoir pris l'oreiller qu'il mit sur ses genoux, il aida Jenna à s'installer confortablement.

— Allons, Blake, raconte…

— Lorsque nous sommes arrivés dans mon bureau, elle s'est accrochée à moi en disant qu'elle savait que je la désirais autant qu'elle me désirait, et elle a commencé à déboutonner son chemisier. Je lui ai ordonné d'arrêter, mais elle m'a ri au nez et elle a continué. J'ai réussi à l'asseoir de force et je lui ai dit que je ne pouvais plus la garder comme patiente, en ajoutant que je lui laissais cinq minutes pour se rhabiller. Elle s'est alors jetée sur moi comme une furie, un couteau à la main qu'elle devait avoir dans son sac, et m'a blessé à l'épaule. J'ai réussi à la désarmer, mais elle a essayé de récupérer le couteau, le saisissant par la lame. Je ne voulais pas risquer de lui faire du mal… Soudain, j'ai reçu un coup sur la tête qui m'a fait perdre connaissance.

J'ai appris plus tard que c'était son mari qui m'avait frappé avec un presse-papier. Il pensait qu'elle le trompait et, ce jour-là, il l'avait suivie jusqu'à mon cabinet. Malheureusement, lorsqu'il est entré dans la pièce, il a cru que j'agressais sa femme. Je me suis retrouvé dans un car de police, les menottes aux poignets.

— Mais comment ont-ils pu croire que… ?

— Elle a menti, dit-il avec un sourire amer. Elle a prétendu que je l'avais agressée parce qu'elle avait refusé de coucher avec moi. Et elle disposait d'un témoin : Harold, son mari.

— C'était leur parole contre la tienne, n'est-ce pas ?

— Oui, mon cœur. J'étais seul contre deux. Et Phyllis était une excellente comédienne.

— Tout cela a dû être horrible pour toi. Je comprends ta réaction quand j'ai dit que tes patients devaient s'enfuir de ton cabinet en hurlant. Je regrette tellement, Blake ! Pardonne-moi.

— Tout va bien, dit-il en lui prenant une main. Mais il est vrai que je ne m'attendais pas à ce que ta remarque tombe si bien à pic, ajouta-t-il sur le ton de la plaisanterie.

— T'ont-ils… T'ont-ils mis en prison ?

— Ils m'ont d'abord emmené à l'hôpital pour qu'on recouse ma blessure à l'épaule. Je souffrais aussi d'une légère commotion cérébrale, mais il n'a pas été jugé nécessaire de m'hospitaliser. J'ai passé vingt-quatre heures en cellule, jusqu'au moment où Cal est venu payer ma caution. Il a engagé un avocat qui m'a fait sortir le soir même. Sur le conseil de cet avocat, je me suis retiré du cabinet médical pour protéger Cal et Steve et j'ai renoncé au poste que j'occupais dans une clinique au service des urgences. Non seulement j'ai été accusé d'avoir agressé Phyllis, mais Harold Rowan a aussi porté plainte contre moi pour erreur médicale. On m'a proposé de passer un marché, mais j'ai refusé, car j'étais innocent. Je commençais à me demander quand ce cauchemar prendrait fin lorsque j'ai reçu un coup de téléphone de Phyllis, me disant qu'elle m'aimait toujours. J'ai averti mon avocat qui a lui-même alerté la police. Quelques semaines plus tard, quand Phyllis est revenue à la charge, deux des meilleurs policiers de Boston l'attendaient dans mon appartement. À la mi-décembre, toutes les charges pesant sur moi ont été abandonnées et Phyllis Rowan a été internée dans un hôpital psychiatrique.

À présent, il ne restait plus dans la cheminée que des tisons rougeoyants.

— Cela a dû être un vrai soulagement pour toi que tout se termine bien, dit Jenna en lui pressant doucement la main.

— C'en serait un si tout était vraiment terminé. Mais, Jenna, mon cœur, ce n'est pas le cas. La perspective d'avoir en charge des patients me terrifie. J'ai perdu toute confiance en moi. Lorsque j'ai quitté Boston, il y a quelques semaines, je n'étais plus certain de pouvoir exercer de nouveau mon métier. J'ai pensé que j'avais peut-être simplement besoin de prendre un peu de recul. Mais… mais la peur est toujours là.

— Oh ! Blake, murmura-t-elle en lui caressant la joue.

— Je ne veux pas de ta pitié, marmonna-t-il en s'écartant d'elle.

— Cela tombe bien, car je n'en éprouve aucune pour toi. En revanche, je comprends parfaitement ce que tu ressens. Il y a quinze ans, j'ai éprouvé moi aussi cette peur qui vous pousse à fuir parce que ça semble la seule solution possible. Mais j'ai aussi appris que la fuite crée plus de problèmes qu'elle n'en résout.

Elle fit une pause, sans quitter Blake des yeux.

— Tu dois retourner à Boston. Tu dois reprendre le travail. Tu dois affronter tes peurs et les combattre.

— Tu ne l'as pas fait, toi, et tu sembles aller très bien.

— Les apparences sont trompeuses, parce qu'il ne se passe pas un jour sans que je regrette de ne pas l'avoir fait.

Il la regarda fixement.

— Je ne savais pas que…

— Je t'en prie, ne commets pas la même erreur que moi. Tu es un homme bon, généreux. Quelqu'un de bien. Et tu es toujours un excellent médecin, malgré ce qui s'est passé. Tu dois retrouver ta confiance en toi.

— Je… je ne peux pas. Pas encore.

— Je sais. Mais réfléchis à ce que je viens de te dire, d'accord ?

Il lui lâcha la main, se débarrassa de l'oreiller et, prenant Jenna sur ses genoux, il afficha un sourire taquin.

— Un homme avec des mains expertes… C'est bien ce que tu as dit, n'est-ce pas ?

— Et je le pense vraiment.

Elle passa les bras autour de son cou et l'embrassa sur la joue.

— Et toi, pensais-tu ce que tu disais ?

— Quand cela ?

— Samedi… Quand tu as dit que nous pourrions encore être bien ensemble…

— Oui, je le pensais, dit-il d'une voix rauque. Es-tu certaine d'être prête, Jenna ? Après tout ce que je t'ai dit, es-tu sûre ? Parce que, si nous commençons quelque chose, je ne crois pas pouvoir m'arrêter.

— Oui, je suis sûre, répondit-elle, la tête posée sur son épaule.

Elle le désirait autant qu'il la désirait, et elle refusait de nier plus longtemps cette évidence.

— Tu ne dis pas cela seulement pour être gentille, n'est-ce pas ?

— Allons, Blake, tu es ici depuis quinze jours. À quel moment me suis-je montrée gentille ? plaisanta-t-elle.

— Je ne veux pas que tu aies des regrets.

— Je n'en aurai pas si tu n'en as pas. D'accord ?

Comme il semblait hésiter, Jenna retint son souffle, espérant de tout son cœur qu'il ne change pas d'avis.

— D'accord, dit-il enfin.

La tenant dans ses bras, il se leva et commença à prendre le chemin de la chambre de Jenna.

— Euh… j'ai une question, reprit-elle en souriant.

— Oui, laquelle ?

— Comment allons-nous faire l'amour alors que j'ai la jambe dans le plâtre ?

— Exactement comme nous avions l'habitude de le faire, mon cœur. Très lentement, très doucement, et très, très bien…

8.

Jenna dans ses bras, Blake se dirigea vers la chambre de la jeune femme. Accrochée à son cou, elle se serrait contre lui en couvrant son visage de baisers.

— Ma chérie, si tu n'arrêtes pas, nous ne ferons pas l'amour dans ton lit.

— Cela m'est égal...

— Tu ne voudrais tout de même pas te retrouver toute nue, couchée par terre sur un plancher dur et froid !

Arrivé enfin près du lit, il aida Jenna à s'allonger, en prenant soin de ne pas heurter sa jambe plâtrée.

— Attends-moi, je reviens tout de suite.

— Où vas-tu ? s'enquit-elle.

— Nous débarrasser du chien.

Morgan était roulé en boule au pied du lit. Il leva les yeux vers sa maîtresse et agita la queue de contentement.

— Bonne idée, dit Jenna. Et veille à bien fermer la porte, sinon il risque de revenir.

— Aucun risque. Allez, Morgan, sors d'ici.

Il emmena le chien dans le couloir et monta dans sa chambre prendre des préservatifs qu'il avait achetés plus d'une semaine auparavant. Après quoi, il retourna dans le salon récupérer les oreillers et les couvertures.

Lorsqu'il revint dans la chambre, la petite lampe de chevet était allumée, et le lit déserté. Jenna avait-elle changé d'avis ? Il alla frapper à la porte de la salle de bains.

— Jenna, mon cœur, est-ce que ça va ?

— Oui, très bien. Je... je sors dans une minute.

À demi rassuré, Blake patienta. Alors qu'il s'apprêtait à

toquer une nouvelle fois à la porte, celle-ci s'ouvrit et Jenna apparut, appuyée sur ses béquilles. Elle s'était changée et avait revêtu une robe de chambre en flanelle blanche imprimée de fleurs rose pâle. Le col et les poignets étaient ornés de dentelle. Visiblement, elle ne portait rien en dessous.

— Tu as cru que j'avais changé d'avis, j'imagine ?

— Je commençais à me poser la question.

— Oh ! homme de peu de foi ! murmura-t-elle avec un sourire moqueur tandis qu'elle s'asseyait sur le lit. Ce que je désire le plus au monde, ce soir, c'est d'être avec toi, ajouta-t-elle d'une voix devenue soudain légèrement tremblante.

— Et moi, c'est d'être avec toi, murmura Blake.

Il l'embrassa. Soupirant de plaisir, Jenna se blottit contre lui tandis qu'il la couvrait de caresses. Jamais elle n'avait désiré un homme à ce point, et elle s'apercevait ce soir combien il lui avait manqué. Mais, cette nuit, il était là, avec elle, et ils allaient faire l'amour. Qu'importe ce qui se passerait le lendemain !

— Tu es beaucoup trop habillé, dit-elle en commençant à lui déboutonner sa chemise.

— Toi aussi, murmura-t-il tandis qu'il lui caressait les seins, les hanches, les cuisses.

Excitée par le frottement du fin tissu sur sa peau nue, Jenna se mit à trembler de désir.

— Tu as froid ? s'enquit Blake.

— J'ai chaud… très chaud…

— Alors, pourquoi garder ça ? dit-il en lui ôtant sa robe de chambre. Ah, que tu es belle…

Il lui caressa le ventre et, se penchant vers elle, il saisit entre ses lèvres la pointe d'un sein qu'il se mit à taquiner du bout de la langue.

Poussant un petit cri ravi, Jenna se laissa emporter par une vague de plaisir. Elle avait oublié à quel point c'était bon d'aimer et d'être aimée par un homme comme Blake Hammond.

Lorsque la main de ce dernier s'aventura vers la toison bouclée nichée entre ses cuisses, elle poussa un cri.

— Blake, je t'en prie…

Il leva la tête, cherchant à capter son regard.

— Ma chérie, je suis désolé. T'ai-je fait mal ? Ta cheville…

— Ma cheville va très bien. Mais tu as encore beaucoup trop de vêtements sur toi. En tout cas, pour ce que j'ai en tête, ajouta-t-elle avec un sourire coquin.

— Et qu'est-ce que c'est ?

— Déshabille-toi et je te le montrerai.

Il ne se le fit pas dire deux fois. Comme il prenait le paquet de préservatifs posé sur la table de nuit, Jenna l'arrêta.

— Ce n'est pas la peine, murmura-t-elle, j'ai un diaphragme. Et je ne suis allée avec aucun homme depuis… depuis très longtemps.

— Tout comme moi, dit Blake en reposant la petite boîte.

— Alors, viens. Maintenant… Fais-moi l'amour. Viens, prends-moi, ne me fais pas attendre plus longtemps…

— Sais-tu ce que j'aimerais vraiment ? demanda Jenna le lendemain matin en croisant le regard de Blake dans le miroir de la salle de bains.

Assise sur le tabouret devant le lavabo, elle se brossait les cheveux.

— Retourner au lit ? suggéra-t-il.

— Vous êtes un obsédé, docteur Hammond.

— Cela ne semblait pas te déplaire, cette nuit, répliqua-t-il avec un sourire taquin

Jenna se sentit rougir en songeant avec quelle ardeur elle avait répondu aux élans fougueux de son amant.

— Cette nuit, c'était… cette nuit.

— Et maintenant, c'est le matin… Dis-moi, tu ne regrettes rien, n'est-ce pas ? ajouta-t-il en la prenant par le menton pour l'obliger à le regarder.

— Oh ! non, pas du tout !

Jamais elle ne regretterait d'avoir fait l'amour avec lui.

— C'était… merveilleux, murmura-t-elle. Et j'aimerais beaucoup retourner au lit avec toi, mais…

— Mais nous devons être à l'hôpital à 10 heures et il est presque 9 heures. C'est ça ?

— Oui, quelque chose comme ça.

— Puisqu'il ne s'agit pas de retourner au lit, dis-moi alors ce dont tu rêves ?

— D'une longue douche brûlante !

— Je crois pouvoir t'arranger cela lorsque nous reviendrons. S'approchant tout près d'elle, il lui caressa les cheveux.

— En attendant, veux-tu un long baiser brûlant, ma chérie ?

— Oh ! oui, j'adorerais !

Seules les routes principales avaient été dégagées, mais, à cause de la neige, le trajet jusqu'à Elk Rock leur prit presque une heure.

Comme Jenna devait passer des radiographies, Dwayne lui avait fixé rendez-vous aux urgences de l'hôpital. C'était là qu'il l'attendait, en compagnie de Molly, Lynn et April. Blake qui avait porté jusque-là Jenna dans ses bras l'installa dans un fauteuil roulant.

— Excusez-nous d'être en retard, dit-elle. Nous n'avons pas vu le temps passer.

Elle rougit en constatant que le chirurgien et les trois infirmières échangeaient des regards amusés.

— Ce n'est pas grave, répondit Dwayne. Nous nous demandions juste si l'on pouvait circuler normalement sur les routes.

— Ça pouvait aller, répondit Blake en aidant Jenna à ôter son manteau.

Ruby sortit de son bureau. Elle tenait à la main une liasse de papiers.

— Ah, vous voilà enfin ! s'exclama-t-elle en se plantant, les mains sur les hanches, devant Jenna et Blake.

Elle les observa un moment d'un œil critique avant de se tourner vers les trois jeunes infirmières.

— Vous disiez que ces deux-là ne s'entendaient pas. J'ai l'impression qu'ils s'entendent vraiment très bien.

Après quoi, elle s'éloigna en secouant la tête, laissant le

petit groupe muet de surprise. Lorsque Jenna et ses amies se regardèrent, elles éclatèrent de rire tandis que Blake rougissait légèrement.

— Allons, mesdames, je crois que vous mettez le Dr Hammond mal à l'aise, intervint Dwayne.

Il se tourna vers Blake.

— Si vous emmeniez Jenna au service de radiologie ? Vous attendrez d'avoir les clichés et vous me les apporterez. Plus tôt nous aurons les résultats, plus vite vous serez sortis de cet hôpital. Je veux dire, si l'os s'est bien réparé.

— Et si ce n'est pas le cas ? demanda Jenna, redevenue soudain sérieuse.

— Je vous opérerai cet après-midi pour poser une plaque.

— Oh... je vois.

— Je dois aller examiner des patients. Je vous retrouve ici dans une heure, d'accord ?

— Entendu.

Blake poussa le fauteuil roulant dans le couloir. Tandis qu'il attendait l'ascenseur, il passa la main dans les cheveux de la jeune femme.

— Ne prends pas cet air effrayé, mon cœur. Tout ira bien. Et, quoi qu'il arrive, je resterai tout le temps près de toi.

— Je ne veux pas être opérée. Je ne veux pas rester à l'hôpital.

— Moi non plus. Surtout maintenant que... nous nous « entendons » si bien, ajouta-t-il d'un ton taquin.

Ce fut au tour de Jenna de rougir.

— Je n'arrive pas à croire qu'elle ait pu dire ça, murmura-t-elle tandis qu'ils entraient dans la cabine de l'ascenseur. À présent, tout le monde est au courant...

— Est-ce que cela t'ennuie ?

Elle réfléchit un bref instant et secoua la tête.

— Non, pas du tout. Et toi ?

— Absolument pas.

— C'est bien, alors, dit-elle en lui souriant.

Il lui rendit son sourire, mais elle lui trouva l'air tendu. Elle prit alors conscience que cette visite à l'hôpital devait être une épreuve pour lui. Pourtant, il était là, à son côté, oubliant ce qu'il pouvait ressentir pour ne songer qu'à elle.

— Merci, dit-elle, le cœur débordant d'amour.

— Merci de quoi ? demanda-t-il, surpris.

— D'être ici, avec moi. Après ce qui s'est passé avec Phyllis Rowan… j'imagine que tu préférerais être ailleurs qu'au Elk Rock Memorial Hospital.

— Ailleurs ? Oui, à condition que tu y sois aussi.

Jenna resta songeuse. Blake lui faisait comprendre qu'il ne voulait pas la quitter. Jamais plus. Pourtant, il n'aurait pas le choix. Ils allaient peut-être passer encore quelques jours ensemble, peut-être quelques semaines, mais ensuite ils se sépareraient. Ce qu'elle avait fait, quinze ans auparavant, et ce qu'elle n'avait pas fait, leur interdisait de rêver d'un bonheur durable.

— Pour l'instant, je dois te laisser, dit-elle en s'efforçant de prendre un ton léger. J'ai rendez-vous avec le radiologue.

— Ce qui veut dire que je dois attendre un autre moment pour te convaincre de retourner à Boston avec moi.

Jenna comprit qu'il parlait sérieusement.

— Oui, je crois, répliqua-t-elle en cachant son profond désarroi sous un sourire qu'elle espérait radieux.

Richie, le manipulateur, s'occupa de Jenna presque immédiatement. Lorsqu'elle revint, Blake l'emmena dans la petite pièce qui se trouvait à l'entrée du service de radiologie et, comme Dwayne le leur avait demandé, ils attendirent qu'on leur remette les clichés.

Assis en face de Jenna, Blake la regardait feuilleter un vieux magazine auquel elle feignait de s'intéresser. De toute évidence, elle cherchait à éviter de reprendre leur conversation restée en suspens, pensa-t-il en tournant les pages d'un journal.

Il ne s'attendait pas à voir l'éclair de panique qui était apparu dans les yeux de Jenna lorsqu'il avait parlé de l'emmener à Boston. Elle avait semblé complètement déstabilisée. Certes, ce n'était pas son but. Il avait simplement voulu lui faire comprendre qu'il désirait leur donner à tous deux une seconde chance, pour vivre un amour qui durerait toute leur vie.

En considérant la façon dont Jenna s'était comportée avec lui la nuit précédente, il avait cru son vœu réalisable. Elle s'était abandonnée dans ses bras et lui avait montré, par ses paroles comme par ses actes, combien elle tenait à lui. Et quand elle lui avait dit qu'il était quelqu'un de bien et un excellent médecin, elle lui avait redonné confiance en lui. Si elle restait à ses côtés, il espérait qu'avec le temps ses derniers doutes disparaîtraient.

Mais il devait d'abord la convaincre qu'ils appartenaient l'un à l'autre, pas seulement pour quelques semaines, mais pour toujours. Après, il lui demanderait de le suivre à Boston. Cela l'obligerait à laisser beaucoup de choses derrière elle, mais il avait tant à lui offrir en retour, à commencer par cet amour inépuisable qui durerait toujours.

Il aurait pu passer toute sa vie avec elle à Warren's Retreat, mais il devait songer à son fils. Mark avait besoin de son père, et Blake voulait que Jenna apprenne à bien connaître l'enfant. Il était convaincu qu'elle finirait par s'y attacher.

— Voilà, Jenna, c'est fait, dit Richie en entrant dans la petite pièce. Trois clichés de la cheville, comme l'a demandé le Dr Greenwell.

Il lui tendit une grande enveloppe marron.

— Vous savez que je n'ai pas le droit de dire quelque chose, poursuivit-il. Dwayne y tient beaucoup. Mais si vous me posez la question…

— Oui ? demanda-t-elle, pleine d'espoir.

— Je dirais que les nouvelles sont plutôt bonnes, répliqua-t-il en s'éloignant.

— Oh ! merci, mon Dieu…, murmura-t-elle, les doigts crispés sur l'enveloppe.

— Bon, nous allons bientôt savoir à quoi nous en tenir, dit Blake. Retournons voir Dwayne.

Aux urgences, l'ambiance avait bien changé. L'atmosphère était devenue électrique, chacun semblait tendu, en attente de quelque chose. Assise au bureau central, Molly parlait dans le micro d'un émetteur-récepteur tout en jetant des notes sur un papier. April, Lynn et une autre infirmière couraient d'une salle d'examen à l'autre, allumaient les lampes et mettaient en place des fournitures tandis que Dwayne et deux jeunes médecins vérifiaient différents éléments de l'équipement médical et les disposaient de sorte qu'ils soient d'accès facile.

— Que se passe-t-il ? demanda Jenna.

— Il y a eu un accident de la route, un car de retraités qui se rendaient à un loto. Pas de décès, mais beaucoup de blessés dont certains sont assez gravement atteints. Compte tenu de l'âge des victimes, nous devons nous occuper de chacune d'elles le plus rapidement possible. Nous attendons environ une trentaine de personnes, et les premières seront là dans cinq minutes.

— Dites-moi si je peux faire quelque chose pour aider, proposa Jenna.

— Le mieux serait que vous alliez seconder Ruby dans la salle d'attente, intervint Dwayne. Vous aurez plus de place pour manœuvrer votre fauteuil roulant.

Puis il se tourna vers Blake.

— Vous le voyez, nous sommes à court de personnel. Nous pourrions avoir besoin de vous, docteur Hammond. Demandez à April ce dont vous avez besoin. Elle va aller vous chercher un stéthoscope. Molly est chargée de trier les blessés, et vous pouvez lui donner un coup de main.

Tandis que Dwayne rejoignait les autres médecins à l'entrée des urgences, Blake, pris de panique, regarda autour de lui sans dire un mot.

Dans un coin de son cerveau, il avait toujours gardé la conviction qu'un jour, il reprendrait sa fonction de médecin. Dès qu'il serait prêt. Mais il ne l'était pas ! Cependant, il n'avait pas le choix. Il devait trouver le courage de mettre en pratique ses compétences. Il devait dépasser une bonne fois pour toutes ce qui s'était passé avec Phyllis Rowan, et se faire confiance.

Tournant lentement la tête, il croisa le regard tranquille de Jenna. Il trouva alors au fond des yeux vert ce dont il avait besoin : la confiance, l'espoir et, surtout, l'amour. Soudain, les chaînes qui l'étouffaient depuis des mois se brisèrent, le libérant de ses peurs et de ses doutes.

— Je vous apporte ça sur les conseils du Dr Greenwell, dit April en lui tendant un stéthoscope.

Blake n'eut qu'un bref instant d'hésitation avant de prendre l'instrument et de l'accrocher autour de son cou. De nouveau, il rencontra le regard de Jenna.

Elle lui adressa le plus beau et le plus rassurant des sourires. Il sut alors que pour elle, pour eux, il serait capable de faire n'importe quoi. Il se hâta de la rejoindre et l'embrassa sur la joue.

— Merci, murmura-t-il.

— De quoi ?

— D'avoir cru en moi lorsque moi-même j'en étais incapable.

Il s'éloigna de quelques pas et lui sourit.

— À tout à l'heure ?

— Oh ! oui…

La soirée était déjà avancée lorsque Blake et Jenna purent enfin quitter l'hôpital. La prise en charge des personnes blessées dans l'accident de car ne s'était terminée que vers 14 heures et Dwayne avait dû attendre jusque-là pour regarder les radios de Jenna. Au grand soulagement de celle-ci, il avait constaté que l'os cicatrisait bien. Il n'était plus question d'intervention chirurgicale. Si les progrès se confirmaient durant les deux semaines suivantes, il envisageait de remplacer le plâtre en fibre de verre par un modèle à coussins d'air. Avec ce nouveau plâtre, Jenna pourrait marcher plus aisément et se passer bientôt de ses béquilles.

La consultation terminée, Jenna et Blake avaient pris un déjeuner tardif à la cafétéria de l'hôpital en compagnie de Molly, de Lynn et d'April. La conversation avait roulé sur les événements de la matinée et les blessés dont ils s'étaient occupés. Jenna s'était réjouie intérieurement de voir Blake s'intégrer si facilement à l'équipe. Elle seule savait ce que le simple fait de mettre un stéthoscope autour de son cou lui avait coûté. Jamais elle ne l'avait autant aimé.

Ils avaient quitté l'hôpital à 17 heures. Avant de rentrer à Warren's Retreat, Blake s'arrêta devant une quincaillerie d'où il ressortit en portant un gros sac marron et un petit tabouret en plastique.

— Qu'as-tu acheté ? demanda Jenna qui l'avait attendu dans le Blazer.

— Regarde, répondit-il avec un sourire.

Il lui tendit le sac qui contenait une douchette à main et une grande boîte de sacs en plastique.

— Tu vas bientôt avoir ta douche brûlante, ajouta-t-il en mettant en marche le moteur du 4x4.

Une heure plus tard, alors que Jenna, assise sur le lit, attendait avec une certaine impatience que tout soit prêt, Blake installa la douchette en un temps record. Puis il posa le tabouret en plastique dans le bac à douche, le couvrit d'une serviette et sortit un sac en plastique de la boîte.

— Tu es prête ?

— Oh ! oui !

— Tu comprendras que je ne peux pas te laisser prendre ta douche toute seule, du moins pas la première fois.

Comme elle se débarrassait de son sweater et de sa jupe, il ôta ses chaussures et ses chaussettes.

— Il faut vraiment que je sois tout près de toi au cas où tu perdais l'équilibre, poursuivit-il pendant que Jenna achevait de se dévêtir.

Il saisit le sac en plastique et le fixa solidement sur le plâtre, puis il prit Jenna dans ses bras.

— Bien sûr, je comprends parfaitement, murmura-t-elle.

Il l'aimait autant qu'elle l'aimait et, tous les deux, ils allaient profiter au maximum du temps qui leur restait à passer ensemble.

9.

Le samedi soir, après le dîner, tout en remplissant le lave-vaisselle, Blake se demandait pourquoi il ne se sentait pas l'esprit aussi léger qu'il aurait dû. Il s'était enfin libéré des peurs et des doutes dans lesquels l'avait jeté sa malheureuse expérience avec Phyllis Rowan. Et, surtout, il avait reconquis Jenna. Ils étaient de nouveau ensemble, et ils le resteraient toujours si cela ne tenait qu'à lui.

Mais cela ne dépendait pas que de lui, et c'était bien là le problème. Il voulait demander à Jenna si elle accepterait de le suivre à Boston. Après la façon dont elle avait réagi, vendredi dernier, lorsqu'il y avait simplement fait allusion, il n'était pas sûr d'obtenir d'elle la réponse qu'il espérait.

Mais pourquoi ces réticences ? Elle savait qu'il l'aimait, et lui-même ne doutait pas qu'elle l'aimait. Elle le lui avait prouvé. Qu'est-ce qui retenait Jenna de l'accompagner à Boston ? Ce ne pouvait être la peur de déménager puisqu'elle avait pris goût aux voyages. Ni le regret de devoir abandonner son poste à l'hôpital et ses responsabilités à Warren's Retreat. Son travail lui plaisait, certes, mais il ne semblait pas tenir une place essentielle dans sa vie. De toute fçon, elle n'aurait aucun mal à retrouver une place d'infirmière à Boston, et sa famille n'aurait qu'à engager quelqu'un pour la remplacer à Warren's Retreat. Ils avaient déjà suffisamment profité d'elle. Elle avait le droit de fonder un foyer là où bon lui semblait, d'avoir un mari, des enfants…

Des enfants. Soudain, Blake songea à son fils, Mark. Était-ce la présence de cet enfant qui expliquait les réticences de Jenna ? Si elle n'acceptait pas Mark, jamais il ne pourrait connaître le bonheur avec elle. Il ne voulait pas en faire sa maîtresse, mais sa femme, et, si elle l'épousait, elle aurait non seulement un mari, mais un fils. Mark ferait partie de leur vie autant que les enfants qu'ils auraient ensemble. Si cette perspective rebutait Jenna, alors, c'était sans espoir.

Mais peut-être était-il en train d'inventer un problème qui n'existait pas. Il le souhaitait de tout son cœur.

— Je pensais que tu aurais allumé un feu dans la cheminée.

La voix rieuse de Jenna l'arracha à ses pensées. La jeune femme venait vers lui, appuyée sur ses béquilles. Elle avait fait beaucoup de progrès ces derniers jours. À présent, elle pouvait se déplacer à peu près comme elle voulait.

— Entre autres choses, ajouta-t-elle avec un sourire sexy.

— Quel genre de choses ?

— Allonge-toi sur le canapé avec moi et je te montrerai.

— Comment pourrais-je refuser une telle proposition ?

— C'est la réponse que j'attendais.

Elle se dirigea vers la porte. Voyant que Blake ne la suivait pas, elle s'arrêta.

— Tu ne viens pas ?

— Je te rejoins dans quelques minutes. Je me suis rappelé que je devais appeler Mark. Pourquoi ne lui parlerais-tu pas ? Il me demande toujours de tes nouvelles.

— Oh ! non… je ne veux pas intervenir dans les moments que vous passez ensemble. Je vais t'attendre dans le salon.

Il ne s'était donc pas trompé, pensa-t-il, le cœur serré. Mark posait un problème à Jenna. Lequel ? Il était bien décidé à le découvrir.

Et s'il faisait venir son fils ici ? Comment Jenna réagirait-elle ? Il y avait un moyen de le savoir.

Il décrocha le téléphone et composa un numéro. Ce fut Mark qui répondit.

— Alors, fiston, comment vas-tu ? J'ai pensé que cela te ferait peut-être plaisir de venir le week-end prochain me faire une petite visite dans le Minnesota ?

— Oh ! papa, tu parles sérieusement ? Ce serait génial !

— Mais oui, je suis sérieux. Raconte-moi comment s'est passée ta semaine et, ensuite, je parlerai à ta mère, d'accord ?

— Parfait, dit Mark avant de se lancer dans le récit détaillé des événements qui avaient ponctué sa semaine.

— Allez, paresseuse, debout ! C'est l'heure de se lever.

— Je n'en ai pas envie, protesta Jenna qui avait du mal à ouvrir les yeux. Viens plutôt te recoucher !

— Impossible. Je suis déjà habillé.

— Oh ! je veux bien te déshabiller, répliqua-t-elle avec un sourire provocant.

Blake lui sourit et s'assit au bord du lit. L'invitation de la jeune femme était tentante, mais il savait qu'ils n'avaient pas le temps. Ils devaient aller chercher Mark à l'aéroport de Duluth à 11 heures. Il fallait compter deux heures de route et il était déjà 7 heures.

— Si tu fais ça, tu rateras ta surprise, dit-il.

Intriguée, elle se redressa dans le lit.

— Ma surprise ? Quel genre de surprise peux-tu me faire un vendredi à 7 heures du matin ?

— Une surprise que tu apprécieras, j'espère. Mais elle n'est pas ici. Nous devons aller la chercher.

Il était conscient d'avoir pris de gros risques. Si son plan échouait, il risquait de blesser l'une des deux personnes qu'il aimait le plus au monde. Ou même les deux. Mais réunir Mark et Jenna, c'était leur donner l'occasion de se connaître et peut-être de s'attacher l'un à l'autre.

— Puis-je te demander où nous devons aller chercher cette fameuse surprise ?

— À Duluth.

— Duluth ? Est-ce que cela concernerait Craig et Diane ?

— Pas du tout. Et maintenant, plus de questions ! Nous devons être sur la route à 8 heures. Alors, tu ferais bien de sortir de ton lit et d'accélérer le mouvement !

— J'espère pour toi que cela en vaut la peine, sinon...

— Sinon quoi ?

— Gare à toi ! promit-elle en rejetant ses couvertures pour se rendre à la salle de bains.

Blake prit la menace au sérieux. Si Jenna réagissait mal en découvrant le plan qu'il avait mis en œuvre, les prochains jours risquaient d'être les pires qu'il ait jamais vécus.

Lorsqu'ils arrivèrent en vue de Duluth, Jenna s'étonna en le voyant prendre la route de l'aéroport.

— Mais où allons-nous, Blake ? Que se passe-t-il ?

— Je te l'ai dit, c'est une surprise. J'espère que tu l'aimeras. Patiente un peu, d'accord ?

Elle ne dit rien, mais Blake comprit qu'elle était profondément troublée.

— Est-ce que… nous partons quelque part ? demanda-t-elle.

— Non.

— Est-ce que… nous attendons quelqu'un ?

— Oui.

Elle resta silencieuse tandis qu'il garait le Blazer devant l'entrée du terminal. Il comprit alors qu'elle avait sûrement deviné qui ils étaient venus chercher. Sortant du 4x4, il en fit le tour pour ouvrir la portière de Jenna.

— Va à l'intérieur, dit-il. Je vais mettre le Blazer au parking et je te rejoindrai dans la salle d'attente.

Elle garda le silence un moment.

— Qui est-ce, Blake ? demanda-t-elle enfin.

— Mon fils.

— Je… je vois.

Il s'était attendu à une réaction violente, mais les yeux vert d'eau et la voix douce de Jenna n'exprimaient qu'une profonde angoisse. Si profonde qu'il en eut le cœur brisé. Il n'avait jamais imaginé que son plan pourrait la faire souffrir.

— À quelle heure son avion doit-il arriver ? s'enquit-elle.

— À 11 heures.

— Alors, tu ferais bien d'aller garer le 4x4.

Lui tournant le dos, elle se dirigea vers les portes automatiques du terminal.

— Jenna… attends !

Mais elle ne l'écoutait pas. De toute évidence, elle souhaitait être seule un moment et il se devait de respecter son choix.

Il n'eut aucun mal à trouver une place au parking. Lorsqu'il rejoignit Jenna, elle était assise dans un coin de la salle d'attente. Il prit place à côté d'elle.

— Pourquoi ne m'as-tu pas dit que tu avais invité Mark à venir nous voir ? demanda-t-elle.

Dans son regard, l'angoisse avait cédé la place au reproche.

— Je voulais t'en faire la surprise.

— C'est parfaitement réussi ! Mais je te croyais plus sensé.

— Que veux-tu dire ?

— Tu vas donner de fausses idées à ton fils.

— À quel sujet ?

— À propos de nous… et de l'avenir. Tu vas rentrer à Boston, et moi je reste ici. Faire semblant de former une famille heureuse le temps d'un week-end n'est bon pour aucun de nous trois.

— Mais cela peut se passer tout autrement ! Je veux que tu viennes avec moi à Boston. Tu sais ce que je ressens pour toi. Écoute, Jenna, je veux t'épouser.

— Blake, je… je ne peux pas.

— Mais pourquoi ? Rien ne t'oblige à rester à Warren's Retreat, n'est-ce pas ?

— Non.

— Et tu sais que ta famille pourra s'en sortir même si tu n'es pas là.

— Oui, je le sais.

— Alors, pourquoi ne peux-tu pas m'épouser ? Pourquoi ne peux-tu pas venir avec moi à Boston ?

Il sentait monter en lui la colère et la frustration.

— Est-ce à cause de Mark ? Tu ne veux pas que mon fils fasse partie de ta vie ?

— Non, Blake ! Ce n'est pas Mark, ni ma famille, ni Warren's Retreat. C'est juste… moi. Je ne peux pas…

— Tu ne peux pas ou tu ne veux pas ?

— Tu ne comprends rien, murmura-t-elle, détournant le regard.

— Parce que tu ne m'expliques pas, rétorqua-t-il, exaspéré.

Je t'aime et je sais que tu m'aimes. Tout ce que je veux, c'est que tu me donnes une seule bonne raison justifiant ton refus de faire ta vie avec moi.

— Tu veux une bonne raison, Blake ? répondit-elle d'une voix où se mêlaient la douleur et la colère. Eh bien, je vais te la donner...

« Les passagers du vol 22 d'Air North en provenance de Boston et de Chicago arrivent par la porte n° 3. Les passagers du vol 22... »

— C'est l'avion de Mark, murmura Blake. Nous ferions mieux de nous rendre à la porte n° 3.

Il se leva et aida Jenna à récupérer ses béquilles.

— Nous allons remettre cette conversation à plus tard, mais, crois-moi, nous n'en avons pas terminé. S'il y a un problème, je veux savoir de quoi il s'agit afin de trouver une solution. Parce que, cette fois, je ne vais sûrement pas repartir sans toi.

Elle ne répondit pas, comprenant que, harcelée de questions, elle avait failli lui parler de Robbie. Seule l'annonce de l'arrivée du vol de Mark l'avait sauvée.

Le vol de Mark... Pourquoi tenait-il tellement à lui faire rencontrer son fils ?

— Ah, le voilà ! lança Blake d'une voix qui trahissait son contentement et sa fierté. Voilà mon fils.

Un adolescent aux cheveux noirs et au regard vif venait vers eux en leur faisant de grands signes. Jenna retint son souffle. Elle aurait reconnu ce garçon n'importe où.

— Je... je le vois, murmura-t-elle. Il...

— Il me ressemble, n'est-ce pas ? acheva Blake avec un large sourire. C'est un bon gamin. Tu vas l'adorer.

Il s'avança de quelques pas et agita la main.

— Hé, fiston, nous sommes là ! cria-t-il.

En voyant Mark s'approcher d'eux, Jenna retint ses larmes. Ce garçon ressemblait tellement à l'image qu'elle se faisait de Robbie s'il avait vécu assez longtemps pour devenir adolescent... Elle ne devait pas pleurer.

— Vous êtes sûrement Jenna.

— Comment as-tu deviné ? demanda-t-elle en se forçant à sourire.

— Les béquilles. Et puis vous êtes très jolie. Papa me l'avait dit, et c'est vrai.

— Ah, il a dit cela ?

— Mais oui, intervint Blake en s'emparant du sac à dos de son fils. As-tu d'autres bagages, Mark ?

— Non, j'ai tout mis dans ce sac.

— Eh bien, dans ce cas, nous pouvons y aller.

Le week-end passa beaucoup trop vite au goût de Jenna. Mark était un garçon charmant, amusant et très agréable à vivre. Le trio ne cessait de rire, de bavarder et de se taquiner, et Jenna songeait avec tristesse au moment où elle se retrouverait seule à Warren's Retreat. Elle savait déjà que Mark lui manquerait autant que son père. Comme elle le faisait depuis plus de trois semaines, elle s'efforçait de profiter de chaque instant afin de garder dans son cœur le souvenir de ces moments précieux passés avec... sa famille.

Le dimanche soir, alors qu'elle était assise sur le canapé du salon, Mark vint la trouver.

— J'ai quelque chose pour vous, dit-il.

— Ah ? Et qu'est-ce que c'est ?

— Un livre sur Boston. Papa m'a dit que vous aimiez visiter les grandes villes, et Boston est une très grande ville. J'espère que vous irez bientôt la découvrir et que vous y resterez. Alors, j'en suis sûr, papa sera aussi heureux qu'il l'est ici. Et je serai heureux, moi aussi.

— Oh ! Mark, murmura-t-elle en retenant ses larmes. Je te remercie beaucoup.

— Vous amènerez Morgan avec vous quand vous viendrez, n'est-ce pas ?

L'entente entre l'adolescent et le chien avait été immédiate. Depuis le vendredi après-midi, on ne voyait plus l'un sans l'autre.

— Bien sûr, si... si je viens.

Elle ne voulait pas lui donner de faux espoirs, mais elle se sentait incapable de lui expliquer pourquoi elle n'irait pas à Boston.

— Comment trouves-tu ce livre ? lança Blake en entrant dans le salon.

— Je… je l'aime beaucoup, dit-elle avec un sourire forcé.

— Nous le regarderons ensemble pour que tu choisisses les endroits que tu aimerais visiter. Mais, pour l'instant, il est temps pour toi d'aller te coucher, ajouta-t-il en se tournant vers son fils. Tu as eu une longue journée et, demain, ce sera pareil. Je ne veux pas que ta mère me reproche de t'avoir épuisé.

— D'accord, papa.

— Bonne nuit, Mark, dit Jenna. Et merci encore pour le livre. Chaque fois que je le regarderai, je penserai à toi.

— Bonne nuit, Jenna.

Il hésita un instant, puis, soudain, il s'avança vers elle et la serra dans ses bras.

— Vous êtes géniale !

— Tu es… toi aussi, tu es génial, murmura-t-elle tandis que Mark quittait la pièce.

Blake se planta devant elle, les mains sur les hanches, affichant un sourire en coin.

— Et son vieux père ? s'enquit-il. Est-ce que le mot « génial » s'applique à lui aussi ?

— À ton avis ?

— Je ne sais jamais que penser dès qu'il s'agit de toi. Mais j'ai hâte d'entendre ce que tu as à dire sur le sujet.

— Une autre fois, peut-être, répliqua-t-elle d'un ton léger. Pour l'instant, je suis impatiente de retrouver mon lit.

Elle se leva et passa devant Blake en évitant de croiser son regard.

— Il n'y a pas de « peut-être » possible, Jenna. Tôt ou tard, nous terminerons la conversation que nous avons commencée à l'aéroport vendredi. Crois-moi, elle aura lieu.

— Me voilà avertie, dit-elle en continuant son chemin.

— Parfait, car je tiendrai parole.

Blake se réveilla brusquement. Un coup d'œil jeté au réveil lui apprit qu'il était près de 2 heures du matin. Il ne s'était endormi que vers minuit, après une journée fatigante passée à faire du ski de fond en compagnie de Mark. Qu'est-ce qui avait bien pu le tirer de son sommeil ?

Il s'assit dans son lit, regarda sa chambre plongée dans l'obscurité, écoutant… Qu'était-ce donc ? Mark était peut-être malade. Ou bien Jenna. Fronçant les sourcils, il rejeta ses couvertures et enfila son jean. De nouveau, il entendit du bruit et, cette fois, il sut de quoi il s'agissait.

Il sortit dans le couloir et tendit l'oreille pour savoir d'où ce bruit venait. De la chambre de Mark, semblait-il. Mais ce n'était pas son fils qui poussait ces gémissements… ils étaient trop doux, trop *féminins*. Retenant son souffle, il avança à pas de loup et s'arrêta devant la porte de la chambre qui était entrouverte.

Jenna était assise dans le rocking-chair, ses béquilles posées à côté d'elle sur le plancher. Elle se balançait lentement, les yeux fixés sur Mark endormi. Blake la vit s'essuyer les joues tandis que de nouveaux sanglots la secouaient malgré ses efforts pour les réprimer. Morgan, la tête posée sur les genoux de sa maîtresse, gémissait, lui aussi, comme pour essayer de la réconforter.

Ne sachant que faire, Blake finit par se retirer en silence, la laissant vivre son chagrin comme elle l'avait souhaité : seule, tard dans la nuit, assise près du lit de Mark. Mais quelle était la cause de cette profonde souffrance ? Qu'avait-elle perdu qu'elle était sûre de ne jamais revoir ? Il avait bien l'intention de le découvrir, car il sentait, il savait, que c'était la raison qui le séparait de Jenna.

Mais ce n'était pas le moment de l'interroger. Pas cette nuit. S'il était malheureux de l'entendre pleurer, il comprenait aussi qu'il ne pouvait se permettre de la déranger en un moment pareil.

Ce ne fut qu'après avoir entendu Jenna regagner sa chambre, longtemps après, qu'il put enfin trouver le sommeil, mais non sans difficulté.

10.

Au grand étonnement de Jenna, la journée du lundi s'écoula sans que Blake ne fasse la moindre tentative pour reprendre la conversation qu'ils avaient eue à l'aéroport le vendredi précédent. À 17 heures, ils mirent Mark dans son avion pour Boston, puis ils s'arrêtèrent à Duluth pour dîner avant de prendre le chemin du retour. Depuis le matin, Blake se montrait aux petits soins pour elle, ce qu'elle appréciait sans toutefois bien comprendre ce qu'il avait en tête. Pourquoi n'abordait-il pas le problème comme il le lui avait promis ? Il lui avait assez répété qu'il ne laisserait pas cette discussion inachevée.

Lorsqu'ils arrivèrent à Warren's Retreat, il faisait nuit. Blake lui proposa d'attendre dans la voiture pendant qu'il irait ouvrir la porte.

— Je viendrai te chercher. Je n'ai pas envie de te voir marcher dans le noir sur tes béquilles.

— D'accord, répondit-elle avec un sourire.

Autant profiter encore un peu de l'attention qu'il lui manifestait, pensa-t-elle. Qui sait ? Peut-être avait-il attendu d'être à la maison pour enfin discuter avec elle. Dans ce cas, dès qu'elle lui aurait parlé de Robbie, il ne se montrerait plus aussi gentil avec elle, elle en était convaincue.

Comme il la scrutait, elle eut peur, soudain, qu'il n'ait deviné ses pensées. Mais il lui sourit.

— Fatiguée ? demanda-t-il en lui caressant les cheveux.

— Oui.

— Dans ce cas, je crois que je vais te mettre au lit directement, dit-il avec un sourire teinté de sous-entendus.

Lorsqu'il revint et la souleva dans ses bras pour la porter dans la maison, elle s'accrocha à son cou.

— Tu as été si bon avec moi durant ces trois semaines.

— Toi aussi, Jenna, tu as été adorable avec moi.

— Reste avec moi, murmura-t-elle après qu'il l'eut posée sur le lit.

Sans un mot, il se pencha vers elle pour lui donner un long et tendre baiser.

— Je dois faire rentrer Morgan qui est dehors, dit-il. Et je dois mettre le Blazer au garage. Mais je vais revenir, je te le promets.

Il tint parole.

— Tu ne sais pas à quel point tu as pu me manquer, lui chuchota-t-il à l'oreille tandis qu'allongé près d'elle dans le lit il la serrait contre lui.

— Et si tu me le disais ? suggéra-t-elle en lui mordillant doucement l'oreille.

— Si je te le prouvais, plutôt ? proposa-t-il en la caressant.

— Oh ! oui…

— Je t'aime, Jenna… je t'aime.

— Moi aussi, je t'aime.

Lorsqu'elle ouvrit les yeux, le lendemain matin, elle était blottie au creux de l'épaule de Blake. Il la regardait, guettant son réveil. Elle comprit alors que le moment était venu de lui donner les explications auxquelles il avait droit.

En croisant ce regard chaleureux, aimant et confiant dont il l'enveloppait, elle se sentait incapable de lui mentir plus longtemps. Il était temps de lui parler de leur enfant.

— Je t'aime, Jenna, dit-il d'une voix rauque. Veux-tu m'épouser ?

Elle attendit quelques secondes avant de répondre.

— Moi aussi, je t'aime, Blake.

— Mais ?

— Mais… Je dois t'emmener quelque part… J'ai quelque chose à te dire. Si, après, tu veux toujours m'épouser…

— Tu accepterais ?

— Oui.

— Peu importe ce que tu as à me dire, pour moi, cela ne changera rien, tu sais.

— Je l'espère, murmura-t-elle, luttant contre les larmes.

— Ne pleure pas, je t'en prie. Tout ira bien, dit-il en l'embrassant. Si nous prenions une douche bien chaude ?

La gorge nouée, elle acquiesça d'un hochement de tête.

— Et après le petit déjeuner, nous irons où tu voudras et nous parlerons de tout, d'accord ? ajouta-t-il.

— D'accord, murmura-t-elle en se forçant à sourire.

Il essayait de lui faciliter les choses, comme toujours, et elle ne l'en aimait que davantage.

Jenna ne savait pas très bien pourquoi elle voulait l'emmener au cimetière. Elle aurait pu lui parler de Robbie à peu près n'importe où, mais elle pensait qu'en voyant la petite tombe avec le nom et les dates gravés dans la pierre, Blake prendrait conscience qu'ils avaient bien eu un fils.

À présent, assise à côté de lui dans le 4x4, elle se sentait très nerveuse et s'efforçait de ne pas trembler.

— Es-tu sûre de savoir où nous allons ? demanda Blake alors qu'ils venaient de traverser Elk Rock sans s'arrêter.

— Oh ! oui, j'en suis sûre ! Dans cinq cents mètres, tu tourneras à gauche et tu prendras la grande allée sablée.

Lorsqu'il aperçut le panneau, il eut l'air surpris.

— Le cimetière de Rose Haven ?

— Prends la seconde allée à droite.

Il obéit en silence.

— Gare-toi près du grand pin.

Il fit ce qu'elle demandait et coupa le moteur, puis il se tourna lentement vers elle.

— Qu'est-ce qui se passe, Jenna ?

— Je te l'ai dit, j'ai quelque chose à te montrer. Allons-y.

— Mais enfin, Jenna…

— Vas-tu m'aider à sortir de ce 4x4 ou rester là à attendre que je me casse la figure ?

Il s'exécuta de mauvaise grâce.

— J'espère que tu sais ce que tu fais, lança-t-il d'un ton sec.

— Tu voulais savoir pourquoi je ne pouvais pas t'épouser, dit-elle en plantant ses béquilles dans la neige. Eh bien, la réponse se trouve ici.

Soutenue par Blake, elle parcourut plusieurs mètres avant de s'arrêter devant une petite pierre tombale sur laquelle était gravés un nom et deux dates, celles de la naissance et de la mort d'un bébé qui avait vécu moins d'une semaine.

Elle sentit Blake se raidir à côté d'elle. Soudain, il s'écarta, enfonçant ses mains dans ses poches, la laissant toute seule devant la tombe.

— Qui était Robert Warren? demanda-t-il d'une voix où se mêlaient la souffrance et la colère.

Elle sut alors qu'il avait déjà tout compris.

— C'était… notre fils.

Il la saisit par les bras, l'obligeant à lâcher ses béquilles.

— Tu étais enceinte et tu ne m'as rien dit? s'écria-t-il, furieux. Tu portais mon enfant et tu me l'as caché?

— Je ne pensais pas…

— Non, bien sûr, tu ne pensais pas!

Fou de rage, il l'emmena jusqu'au Blazer, la poussa sur le siège du passager puis claqua la portière. Cinq secondes plus tard, il s'asseyait à côté d'elle, le souffle court, les mains crispées sur le volant.

— Pourquoi, Jenna? Pourquoi ne m'as-tu rien dit?

— Je… je croyais que tu ne m'aimais plus. Tu étais tellement en colère lorsque tu es parti! Et tu ne m'as plus donné aucune nouvelle. Cela faisait deux mois que je ne savais rien de toi lorsque j'ai découvert que j'étais enceinte.

— Mais, Jenna, tu devais savoir que je t'aurais épousée!

— Oh! je savais que tu l'aurais fait même si tu ne m'aimais plus, et c'était ce que je croyais! Mais c'était ton amour que je voulais. Je sais que j'aurais dû te le dire, Blake, mais j'avais peur que tu ne veuilles plus de moi. Je… je regrette.

— Qu'est-il arrivé à notre fils? Pourquoi est-il mort?

— Il est né à sept mois. C'était un grand prématuré. À l'hôpital, ils ont fait tout ce qu'ils ont pu, mais, à l'époque, ils ne disposaient pas de l'équipement nécessaire pour sauver un bébé aussi petit et aussi faible. Il a survécu cinq jours.

— On aurait pu le sauver si tu avais été avec moi à Boston. Il aurait bénéficié des meilleurs soins dans les meilleurs hôpitaux, dit Blake d'un ton accusateur.

— Tu ne crois pas que c'est ce que je me répète tous les jours depuis quinze ans ? répondit-elle, au bord des larmes. J'ai passé près de la moitié de ma vie à me reprocher la mort de notre fils. Tout cela parce que j'étais trop fière pour aller te trouver et te supplier de me reprendre !

— Jenna, tu ne dois pas…

— Je ne dois pas quoi ? Je dis tout haut ce que tu penses tout bas. Je savais qu'il en serait ainsi.

Elle prit un mouchoir dans sa poche pour s'essuyer les yeux.

— Si tu veux bien, j'aimerais vraiment qu'on rentre à la maison maintenant.

— Comme tu voudras, dit-il en mettant le moteur en marche.

Ils n'échangèrent pas un mot durant tout le trajet du retour. À l'arrivée, Jenna se passa de l'aide de Blake et se rendit directement dans sa chambre où elle resta enfermée tout l'après-midi. Le soir, ce fut la faim qui la poussa dans la cuisine. En passant devant le salon, elle aperçut Blake, assis sur le canapé, un livre ouvert sur les genoux. Il regardait dans le vague.

Il la laissa manger seule. Lorsque, son repas terminé, elle regagna sa chambre, elle vit que le salon était désert. Blake avait dû monter à l'étage.

Plus tard, comme elle se retournait dans son lit, cherchant en vain à trouver le sommeil, elle entendit Blake qui marchait dans sa chambre, située juste au-dessus de la sienne. Était-il en train de préparer ses bagages ? Enfouissant son visage dans l'oreiller, elle se prit à espérer qu'il n'en était rien. Pourtant, elle avait conscience que le départ de Blake serait la meilleure solution pour tout le monde.

Le mercredi matin, elle se cogna contre lui alors qu'elle entrait dans la cuisine, tête baissée, au moment où il en sortait.

Il la rattrapa et la tint solidement jusqu'à ce qu'elle ait retrouvé son équilibre.

— Est-ce que ça va? demanda-t-il d'un ton brusque et le regard las.

— Oui, ça va.

Elle alla s'appuyer contre le comptoir, lui tournant le dos. Elle aurait voulu qu'il s'en aille, mais il restait là, sans bouger.

— Je vais bien, je t'assure. Tout ira bien.

Pivotant lentement sur elle-même, elle se força à croiser son regard.

— Si tu veux partir, je t'en prie, fais-le. Je peux me débrouiller toute seule pendant deux jours et je demanderai à Billy ou à une amie de me conduire à l'hôpital vendredi. Tu n'as pas besoin de…

— Je n'irai nulle part, du moins pas encore.

Puis il tourna les talons et sortit de la cuisine.

Le jeudi, il était encore là, mais il continuait de s'enfermer dans un silence obstiné. Jenna s'interrogeait. Pourquoi ne lui demandait-elle pas de quitter la maison? Était-elle assez folle pour croire que, tant qu'il restait chez elle, tout n'était pas vraiment fini entre eux?

— Rêve toujours, murmura-t-elle en secouant la tête.

Tout était bien terminé entre Blake et elle depuis qu'il avait vu le nom de Robbie gravé sur la pierre tombale. Mieux valait mettre un point final à cette histoire. Cela lui permettrait au moins d'aller de l'avant.

Elle allait le prier de s'en aller. Mais, pour cela, elle avait besoin d'aide.

Décrochant le téléphone de la cuisine, elle composa un numéro.

— Bonjour, maman, c'est moi. Je… j'ai besoin que papa et toi vous veniez me voir… dès que vous pourrez.

— Comment te sens-tu? demanda Blake alors qu'il sortait le Blazer du parking de l'hôpital, le vendredi matin.

— C'est assez bizarre, répondit Jenna en regardant son nouveau plâtre.

On venait de remplacer celui en fibre de verre par deux coques en plastique garnies à l'intérieur de coussins d'air.

— Quand on me l'a posé, poursuivit-elle, j'ai ressenti comme des piqûres d'aiguille, mais Dwayne m'a dit que ça ne durerait pas.

— Quand pourras-tu marcher sans tes béquilles ?

— Il pense que je dois attendre encore une semaine.

— Et pour conduire ?

— Dans dix ou quinze jours environ, ce sera possible.

— Je vois…

Blake voyait surtout qu'il allait devoir bientôt partir. C'était là la meilleure solution, mais il savait aussi qu'il aurait du mal à s'en aller.

Jamais il n'avait éprouvé autant de souffrance et de colère que lorsque Jenna lui avait parlé de leur fils. Cependant, il s'était senti incapable de la laisser seule, et, à mesure que les jours s'écoulaient, la colère avait cédé la place au remords parce qu'il avait conscience d'avoir sa part de responsabilité dans la mort de Robbie.

Il était brutalement sorti de la vie de Jenna, quinze ans auparavant, et il ne lui avait plus jamais donné aucune nouvelle. Il l'avait laissée supporter seule le poids de sa grossesse et de la mort de son bébé.

Il comprenait à présent l'attitude qu'elle avait eue envers Mark, et pourquoi il l'avait surprise en train de pleurer, la nuit, assise au chevet de l'adolescent endormi.

Il ne pourrait lui faire reproche de le haïr. Pourtant, elle n'avait rien dit ni rien fait qui puisse l'amener à penser que c'était le cas. Elle ne lui avait pas demandé de partir. Alors, peut-être avait-elle encore envie qu'il fasse partie de sa vie ? Il l'espérait. Oh ! Comme il l'espérait…

Pendant qu'il conduisait, il se promit de rattraper le temps perdu. Il allait trouver le moyen de faire comprendre à Jenna combien il était désolé de l'avoir blessée. Il essaierait de la convaincre qu'ils appartenaient l'un à l'autre et qu'ensemble ils pourraient laisser le passé derrière eux.

— Jenna, mon cœur, nous devons avoir une conversation, dit-il alors qu'il s'arrêtait derrière la maison. Je...

— Il me semble que nous avons déjà essayé de le faire plusieurs fois, Blake. Mais nous n'y arrivons pas.

— Enfin, Jenna...

— Tu vois, ça ne marche pas.

Avant qu'il ait pu faire un geste pour l'en empêcher, elle sortit du 4x4 et se dirigea vers la maison.

Il la rejoignit dans la cuisine et se plaça entre elle et le couloir pour qu'elle ne puisse pas s'enfuir.

— Ça marchera si nous le voulons, Jenna. Et moi, je le veux plus que tout.

— Eh bien, pas moi.

— Pourquoi ?

Elle attendit quelques instants avant de répondre.

— Hier, j'ai téléphoné à mes parents. Ils seront là ce soir. Je crois qu'il serait préférable que tu partes avant qu'ils arrivent.

— Est-ce vraiment ce que tu veux ?

— Oui.

— Regarde-moi, Jenna, et dis-moi que tu veux que je m'en aille.

Lentement, elle leva la tête et, les yeux pleins de larmes, elle croisa son regard.

— Retourne à Boston, Blake. Ce sera mieux pour nous deux, crois-moi.

— Non.

— Je t'en prie, ne...

— Je t'aime, Jenna.

— Tu... ce n'est pas possible. Pas après ce que j'ai fait.

— Tu as fait ce que tu croyais devoir faire, à l'époque. Et moi aussi. Nous avons commis des erreurs l'un et l'autre et, à cause de ça, nous avons perdu quelque chose de très, très précieux. Nous ne pouvons rien y changer. Mais nous ne devons pas laisser le passé nous détruire. Il nous est donné une nouvelle chance d'être heureux ensemble. Quinze ans après, nous sommes enfin réunis, et nous avons Mark. Et, si tu veux, nous aurons un autre enfant. Je t'aime, Jenna. Je t'en prie, dis-moi que, toi aussi, tu m'aimes.

— Oh ! Blake, es-tu sûr de le vouloir ? demanda-t-elle, laissant libre cours à ses larmes.

— Je n'ai jamais été aussi sûr de quelque chose. M'aimes-tu ?

— De tout mon cœur et de toute mon âme.

— Veux-tu m'épouser ?

— Oh oui, Blake, je vais t'épouser, dit-elle en se blottissant dans ses bras.

Épilogue

Portant un plateau chargé de coupes de champagne, Blake s'arrêta devant les portes-fenêtres de la charmante et vieille maison que Jenna et lui avaient achetée le mois précédent. Pour leur premier barbecue du 4 Juillet qu'ils organisaient ensemble, ils avaient invité leurs vieux amis et quelques voisins. Il aperçut, dans la lumière de cette fin d'après-midi, sa femme et son fils en train de bavarder et de rire avec Kathy, Cal et Jonathon Corelle. Tandis qu'il les observait de loin, il se dit combien il avait de la chance. Cela lui était souvent arrivé au cours des cinq derniers mois.

À partir du moment où Jenna avait accepté de l'épouser, elle n'avait plus jamais manifesté la moindre crainte ni la moindre incertitude. En moins de quinze jours, ils s'étaient mariés et installés ensemble à Boston dans son petit appartement. Aussitôt, Jenna s'était mise en quête d'une maison et d'un travail tout en s'occupant de Mark avec enthousiasme. Elle n'avait cessé de soutenir Blake lorsqu'il avait repris le travail, lui prouvant constamment à quel point elle l'aimait.

Comme si elle avait soudain senti l'intensité de son regard posé sur elle, elle tourna la tête et lui adressa un sourire irrésistible. S'excusant auprès de ses invités, elle traversa la pelouse d'un pas tranquille pour venir vers lui.

— Est-ce déjà le moment, papa ? demanda Mark qui arrivait en courant après avoir dépassé sa belle-mère.

— Presque, répondit Blake en posant son plateau.

Il se tourna vers Jenna et, la prenant par la taille, l'embrassa.

— Je ferais mieux d'aller chercher Morgan, dit Mark en riant. Vous ne lui avez encore rien dit, n'est-ce pas ?

— Toi et ton père êtes les seuls à être au courant, répliqua Jenna. Cependant, je crois que Morgan se doute de quelque chose. Nous avons fait une sieste prolongée, tous les deux, et il s'est assis dans la salle de bains avec moi un ou deux matins, quand j'ai eu des nausées.

— Bon, alors, je lui ordonne de faire comme s'il ne savait rien, d'accord ?

— D'accord. J'adore Mark, tu sais, ajouta-t-elle à l'intention de Blake avec un doux soupir.

— Je sais. Et il t'adore, lui aussi. Tout comme moi, répondit celui-ci en lui caressant la joue.

— Ah, je commençais à me le demander… Cela faisait presque deux heures que tu ne m'avais pas dit que tu m'aimais…, lança-t-elle tandis qu'elle lui posait un petit baiser sur la joue.

Il se mit à rire et la serra dans ses bras.

— Comment te sens-tu, ma chérie ?

— En pleine forme ! Et notre enfant aussi… Oh ! Blake, dire que nous allons avoir un bébé !

Sa voix était aussi émerveillée que le jour où, six semaines auparavant, elle lui avait annoncé la bonne nouvelle.

— Tu es heureuse ?

— Oh, oui !

— As-tu peur ?

— Un peu seulement, murmura-t-elle.

— Tout se passera bien. Tout ira très bien, en toutes choses, maintenant que nous sommes ensemble.

— Je sais, dit-elle avec un grand sourire. Je sais.

— Veux-tu qu'on fasse l'annonce maintenant ?

— Qu'en penses-tu ?

— Ce que j'en pense ? Que tu es prête à le crier sur les toits !

— Tu as raison, répondit-elle avec un sourire éclatant. Mais avant pourrais-tu trouver du jus de pomme pour une femme enceinte qui voudrait porter un toast ?

— Bien sûr, chère future petite maman… Je t'apporte ça tout de suite !

BLANCHE

BLANCHE *(marge gauche)*

L'héritière royale d'un docteur, de Traci Douglass - N°1661

Embauchée comme médecin sur un yacht, Cate ignore l'identité de son employeur. Jusqu'à ce face-à-face avec Davian, l'homme qui l'a abandonnée cinq ans plus tôt. Alors que le navire parcourt la Méditerranée, les révélations affluent. Si Davian est parti autrefois, c'est parce qu'il y a été contraint par ses obligations de prince ! Sidérée, Cate comprend que sa fille chérie, l'enfant de Davian, n'est autre que l'héritière de la Couronne...

Les jumeaux de Key West, de Deanne Anders

C'est avec bonheur qu'Alexandro rentre à Key West, l'île qu'il a brusquement quittée quelques mois plus tôt. Comme ici tout le monde ignore ses origines royales, il peut se consacrer à son métier de médecin, au sein de la base de sauvetage Heli-Care. Surtout, il a hâte de retrouver Summer. Acceptera-t-elle de donner une nouvelle chance à leur histoire ? Alors qu'il s'interroge, il découvre qu'elle attend des jumeaux de lui !

Une infirmière en Australie, d'Amy Andrews - N°1662

L'Australie : voilà le cadre idéal pour un nouveau départ, songe l'infirmière Chelsea alors qu'elle découvre son nouveau lieu de travail. Là, elle espère oublier Londres et ses douloureux souvenirs – sans homme. Pourtant, dès sa rencontre avec le charismatique Aaron, médecin volant au centre de secours aérien de l'Outback, elle se demande si elle n'a pas renoncé trop vite à la romance...

Le pompier de son cœur, de Karin Baine

Fonder une famille est un rêve auquel Lily a renoncé il y a bien longtemps, quand on lui a diagnostiqué une maladie cardiaque qui pourrait lui être fatale. Sa carrière de médecin remplit sa vie, et c'est très bien comme ça ! Pourquoi donc se sent-elle si émue en présence de Charlie Finnegan, le pompier avec lequel elle collabore en ce moment ? C'est bien simple, cet homme courageux et papa de deux petites filles lui fait soudain envisager la vie avec espoir...

Leur mission : sauver des vies.
Leur destin : trouver l'amour.

HARLEQUIN
www.harlequin.fr

BLANCHE

La vétérinaire et le sauveteur, de Tina Beckett - N°1663

Alors que Jessie prend les rênes du cabinet vétérinaire de Santa Medina, elle est plus motivée que jamais. Pas question de faillir face à son premier patient, un courageux chiot blessé au cours d'une mission de sauvetage dans les montagnes de la Sierra Nevada. Surtout, elle se sent une responsabilité vis-à-vis de Cabe McBride, le maître de l'animal, qui risque sa vie pour sauver celle des autres ! Entre eux s'installe aussitôt une complicité mêlée de respect… et d'attirance ?

Dans le château d'un médecin, d'Annie Claydon

Une rencontre dans un train qui file vers les Cornouailles… Entre Grace et Penn, l'attirance est immédiate, l'entente parfaite. Tous deux médecins, ils pourraient bien être faits l'un pour l'autre. Du moins Grace le croit-elle avant de découvrir l'identité de Penn : son séduisant compagnon de voyage est un lord, vingt-deuxième du nom ! Un châtelain qui n'appartient pas au même monde qu'elle…

Un secret à te confier, de Stella Bagwell - N°1664

Luke est décontenancé. Paige Winters – l'infirmière qui travaille sous ses ordres depuis trois ans – est absente ce matin. Comment aurait-il pu deviner que sa démission était plus qu'un coup de sang ? Pourtant, tout est sa faute, il le sait : ne s'est-il pas montré trop autoritaire envers elle ? Une erreur qu'il risque de payer très cher. Car, visiblement, Paige n'a pas compris à quel point elle lui plaisait…

Une alliance à son doigt, d'Amalie Berlin

Chaque seconde qui passe est un supplice pour Quinton. Anaïs viendra-t-elle le rejoindre au pied de l'autel pour devenir sa femme ? Ou l'abandonnera-t-elle, comme elle l'a déjà fait un an plus tôt, en raison de leurs différences sociales ? Autour de lui, les invités s'impatientent, et Quinton hésite. Doit-il attendre, au risque de se ridiculiser, ou renoncer à la seule femme qu'il ait jamais aimée ?

Leur mission : sauver des vies.
Leur destin : trouver l'amour.

HARLEQUIN
www.harlequin.fr

Une famille pour Catrina, de Fiona McArthur - N°1665

Catrina s'était juré de ne jamais plus tomber amoureuse. Pourtant, il y a eu le sourire de Finn Foley, leurs balades au bord de la mer… et les rires échangés en présence de l'adorable Piper, la fille du médecin. Que décider aujourd'hui ? Catrina doit-elle renoncer au seul homme qui la fait vibrer, ou bien se battre pour fonder avec lui et son enfant la famille dont elle a toujours rêvé ?

Sous les ordres du chirurgien, de Robin Gianna

Vous aimez les retards, vous adorerez les heures supplémentaires. Cette voix glaciale, Annabelle la reconnaît aussitôt. C'est celle du Dr Ferrera, le tyran qui a tenté de briser sa carrière d'anesthésiste cinq ans plus tôt. Un homme qui semble déterminé à ruiner sa vie jusque dans cette mission humanitaire au Pérou, qui vient de les réunir bien malgré eux…

Leur mission : sauver des vies.
Leur destin : trouver l'amour.

AZUR

GLAMOUR. INTENSE. IRRÉSISTIBLE.

Poussez les portes d'un monde fait
de luxe, de glamour et de passions.
Ici, les hommes sont beaux, riches et
arrogants ; les femmes impétueuses,
fières et flamboyantes. Entre eux, le désir
est immédiat... et l'amour impossible.

11 romances à découvrir tous les mois.

RESTEZ CONNECTÉ AVEC HARLEQUIN

Harlequin vous offre un large choix de littérature sentimentale !

Sélectionnez votre style parmi toutes les idées de lecture proposées !

 www.harlequin.fr

 L'application Harlequin

Découvrez toutes nos actualités, exclusivités, promotions, parutions à venir...

Partagez vos avis sur vos dernières lectures...

Lisez gratuitement en ligne

Retrouvez vos abonnements, vos romans dédicacés, vos livres et vos ebooks en précommande...

- Des **ebooks gratuits** inclus dans l'application

- **50 nouveautés tous les mois** et + de 7 000 ebooks en téléchargement

- Des **petits prix** toute l'année

- Une **facilité de lecture** en un clic hors connexion

- Et plein d'autres avantages...

Téléchargez notre application gratuitement

SUIVEZ-NOUS !

 facebook.com/HarlequinFrance
twitter.com/harlequinfrance

VOTRE COLLECTION PRÉFÉRÉE DIRECTEMENT CHEZ VOUS

Vous souhaitez découvrir nos collections ? Une fois votre 1er colis à prix mini reçu, si vous souhaitez continuer à recevoir nos livres, cela se fera automatiquement. Vous n'avez aucune obligation d'achat et cette offre est sans engagement de durée !

Dans votre 1er colis, 2 livres au prix d'un seul
+ en cadeau le 1er tome de la saga *La couronne de Santina*.
8 tomes sont à collectionner !

☞ **COCHEZ** la collection choisie et renvoyez cette page au
Service Lectrices Harlequin – CS 20008 – 59718 Lille Cedex 9 – France

Collections	Prix 1er colis	Réf.	Prix abonnement (frais de port compris)
❏ **AZUR**	4,75€	AZ1406	6 livres par mois 31,49€
❏ **BLANCHE**	7,30€	BL1603	3 livres par mois 25,15€
❏ **LES HISTORIQUES**	7,30€	LH1202	2 livres par mois 17,69€
❏ **PASSIONS**	7,80€	PS0903	3 livres par mois 26,79€
❏ **BLACK ROSE**	7,90€	BR0013	3 livres par mois 27,09€
❏ **HARMONY***	5,99€	HA0513	3 livres par mois 20,76€
❏ **SAGAS***	7,99€	SG2303	3 livres tous les 2 mois, 29,46€
❏ **VICTORIA**	7,80€	VI2115	5 livres tous les 2 mois 42,59€
❏ **GENTLEMEN***	7,50€	GT2022	2 livres tous les 2 mois 17,95€
❏ **NORA ROBERTS***	7,90€	NR2402	2 livres tous les 2 mois prix variable**
❏ **HORS-SÉRIE***	7,70€	HS2812	2 livres tous les 2 mois 18,65€

*livres réédités / **entre 18,45€ et 18,85€ suivant le prix des livres

F23PDFM

N° d'abonnée Harlequin (si vous en avez un) ⎵⎵⎵⎵⎵⎵⎵⎵

Mme ❏ Mlle ❏   Nom : _____

Prénom : _____   Adresse : _____

Code Postal : ⎵⎵⎵⎵⎵   Ville : _____

Pays : _____   Tél. : ⎵⎵⎵⎵⎵⎵⎵⎵⎵⎵

E-mail : _____

Date de naissance : _____

Date limite : 31 décembre 2023. Vous recevrez votre colis environ 20 jours après réception de ce bon. Offre soumise à acceptation et réservée aux personnes majeures, résidant en France métropolitaine, dans la limite des stocks disponibles. Prix susceptibles de modification en cours d'année. Vous pouvez demander à accéder à vos données personnelles, à les rectifier ou à les effacer. Il vous suffit de nous écrire en nous indiquant vos nom, prénom et adresse à : Service Lectrices Harlequin CS 20008 59718 LILLE Cedex 9. Service Lectrices disponible du lundi au vendredi de 9h à 17h : 01 45 82 47 47.